LES GRANDS ROMANS HISTORIQUES

volume 33

WALTER SCOTT

QUENTIN DURWARD

Traduction de A.J.B. Defauconpret

TOME PREMIER

AVANT-PROPOS

L'action de ce roman est placée dans le quinzième siècle. A cette époque le système féodal qui, depuis si longtemps, servait de mobile et de soutien aux libertés de la nation, et l'esprit chevaleresque qui, tel qu'une âme vivifiante, animait ce système, commençaient tous deux à tomber en désuétude, à être abandonnés par ces individus à l'âme étroite qui font consister leur félicité dans la possession des objets personnels sur lesquels ils ont fixé leur attachement exclusif. Le même égoïsme s'était, à la vérité, montré dans des âges plus reculés, mais il était alors, pour la première fois, reconnu hautement comme le principe avoué des actions. L'esprit de chevalerie avait en lui ce point d'excellence, que ses doctrines, tout exagérées et fantastiques qu'elles puissent nous paraître, se basaient sur la générosité et l'oubli de soi-même, sentiments sans lesquels il serait assez difficile de concevoir l'existence de la vertu dans la race humaine.

Louis XI, roi de France, fut à la tête de ceux qui, les premiers, ridiculisèrent et délaissèrent ces principes d'abnégation qu'on inspirait avec tant de sollicitude aux jeunes chevaliers. Ce monarque était d'un caractère si franchement égoïste, si incapable d'entretenir aucune pensée qui ne se rattachât pas à son ambition, à sa cupidité, à son désir des jouissances personnelles, qu'il semble presque une incarnation du diable lui-même, auquel on aurait permis de faire de son mieux pour corrompre nos idées d'honneur dans leur source la plus pure. On doit dire aussi que Louis, possédant au suprême degré cet esprit caustique qui sait tourner en ridicule tout ce qu'un homme fait à l'avantage d'un autre, se trouvait merveilleusement organisé pour jouer le rôle d'un démon froid et railleur. Sous ce point de vue, la manière dont Gœthe a tracé le caractère de Méphistophélès, l'ange tentateur de la singulière pièce de *Faust*, me semble une conception plus heureuse que celle des démons de Byron, et même que le Satan de Milton. Ces deux grands écrivains ont donné au principe du mal quelque chose qui élève et ennoblit sa perversité: une résistance soutenue et invincible contre le Tout-Puissant lui-même, un orgueilleux mépris pour la souffrance opposé à la soumission, et tous ces points d'attraction qui ont porté Burns et plusieurs autres à le considérer comme le héros du *Paradis perdu*. Le célèbre poète allemand a fait, au contraire, de l'Esprit séducteur, un être qui, inaccessible à toute passion, semble n'avoir pour unique but que d'accroître, par son influence et ses tentations, la masse du mal moral, d'éveiller par son séduisant langage ces passions assoupies qui, sans lui, n'auraient peut-être jamais troublé la paisible existence de l'être humain, objet de ses coupables tentatives. Pour remplir cette mission, Méphistophélès est doué, comme Louis XI, d'une âme incisive, et d'un esprit caustique sans cesse employé à blâmer et à rabaisser toutes les actions dont les conséquences ne présentent pas la certitude d'un avantage direct et personnel.

Un instant de gravité peut être toléré, même dans un auteur d'ouvrages de pur agrément, lorsqu'il a pour but de flétrir toute politique, soit publique, soit privée, dont la base repose sur les principes de Machiavel ou l'exemple de Louis XI.

Les cruautés, les parjures, les soupçons de ce prince, bien loin d'être adoucis, sont rendus plus odieux par les vulgaires et méprisables superstitions auxquelles il se livre constamment. Sa dévotion envers les saints, dont il fit tant d'étalage, reposait sur le pitoyable sentiment qu'éprouve l'employé obscur, en s'efforçant de cacher ou d'atténuer les malversations dont il se sent coupable, par de généreuses libéralités faites à ceux qui doivent surveiller sa conduite; tâchant ainsi de soutenir un système de fraude par la corruption de ce qui est incorruptible. Sous quel autre point de vue pourrait-on considérer la bizarre idée qui lui fit nommer la sainte Vierge, comtesse et colonel de ses gardes, et la ruse d'accorder à une ou deux formules de serment la force de lier véritablement, ce qu'il refusait à toutes les autres; gardant le secret sur le mode de promesse qu'il regardait comme obligatoire, avec le même soin que s'il se fût agi du secret d'État le plus important.

Louis XI joignait à l'absence totale de tout scrupule, et même, à ce qu'il paraît, de tout sentiment d'obligation morale, une grande fermeté de caractère, une profonde sagacité, avec un système de politique si profondément raffiné, par rapport au temps où il vivait, que quelquefois il dépassa le but qu'il cherchait à atteindre.

Il n'existe probablement point de portraits assez sombres pour ne pas offrir quelques teintes plus douces. Louis comprit les intérêts de la France, et leur fut fidèle, autant qu'il put les identifier avec les siens. Il tint le gouvernail d'une main sûre durant la crise dangereuse qu'on nomme « la Guerre du bien public ». Il est présumable qu'un roi moins prudent, moins lent dans ses décisions, plus hardi, mais moins fin que Louis XI, n'aurait pas réussi à désunir et à disperser cette formidable alliance des grands vassaux de la couronne de France contre le souverain. Louis posséda aussi quelques agréments personnels qui n'étaient pas incompatibles avec son caractère public. Il était, en société, joyeux et spirituel, caressait sa victime comme le chat, qui, tout en jouant, donne le coup mortel. Nul ne sut mieux soutenir et relever ces principes d'un étroit égoïsme, par lesquels il cherchait à remplacer les mobiles d'une nature plus élevée, que ses prédécesseurs avaient puisé dans la noble institution de la chevalerie.

Au fait, ce système devenu alors suranné renfermait, même au temps de sa plus grande perfection, quelque chose de si outré, de si idéal, qu'il prêtait au ridicule; et lorsque, semblable à une mode déjà ancienne, son renom commença à déchoir, les traits de la raillerie purent être dirigés contre lui, sans exciter le dégoût et l'horreur avec lesquels on les eût repoussés comme des espèces de blasphèmes, à une époque plus reculée. Ils se forma, dans le quatorzième siècle, une société de frondeurs qui prétendaient suppléer, par d'autres moyens, à ce qui était vraiment utile dans la chevalerie, et tournaient en dérision ces principes extravagants et exclusifs d'honneur et de vertu, qu'on traitait ouvertement d'absurdes, parce qu'au fait ils étaient jetés dans un moule trop parfait pour être mis en pratique par des êtres imparfaits. Si un ingénu et noble jeune homme se proposait de prendre pour règle de conduite les préceptes que son père lui avait transmis, on le bafouait d'ordinaire comme s'il eût apporté, sur le champ de bataille, la Durandal du bon vieux chevalier, ou une longue épée ridicule par sa forme antique, quoique la lame pût être de la trempe d'Ébio, et ses ornements de l'or le plus pur.

C'est ainsi que les principes de la chevalerie furent mis de côté; et les secours qu'on en retirait remplacés par des stimulants d'un genre moins élevé. Louis XI substitua à la noble émulation qui entraînait tous les Français à la défense de leur patrie, l'appui de troupes soldées toujours prêtes à combattre; il persuada à ses sujets, parmi lesquels la classe marchande commençait à marquer, qu'il valait mieux laisser à des mercenaires les dangers et les fatigues de la guerre, et fournir à la couronne les moyens de les payer, plutôt que de s'exposer eux-mêmes pour défendre leurs propres biens.

Les marchands crurent facilement à la justesse de ce raisonnement. Ce n'est cependant pas sous Louis XI qu'on parvint à exclure des rangs de l'armée les riches propriétaires et les nobles, mais le rusé monarque commença le système, qui, continué par ses successeurs, finit par mettre toutes les forces militaires de l'État à la disposition du trône.

Il devança également son siècle en altérant les principes qui réglaient les relations des deux sexes. La beauté dans les doctrines chevaleresques était, en théorie du moins, sinon en pratique, la divinité qui règne et récompense; c'est dans ses regards que le guerrier soumis puisait son courage, et il donnait sa vie pour lui rendre le plus léger service. Il est vrai que là, comme dans ses autres branches, ce système allait jusqu'à l'extravagance et qu'il n'était pas rare d'en voir naître des causes de scandales, mais ils étaient en général du genre de ceux dont Burke dit: « que la faute, purifiée de toute la partie grossière, devenait la moitié moins coupable. » Pour Louis c'était le contraire; ses voluptés toutes terrestres n'avaient que le plaisir pour but, le sentiment n'y entrait pour rien, et il méprisait celles dont il recherchait les faveurs; ses maîtresses, choisies dans un rang inférieur, sont aussi peu dignes d'être comparées à la fragile mais noble Agnès Sorel, que Louis de l'être à son héroïque père qui délivra la France du joug des Anglais. Le choix de ses favoris et de ses ministres, tirés de la lie du peuple, prouve aussi combien il attachait peu de prix aux avantages d'une position élevée, ou aux distinctions de la naissance, et quoiqu'on pût non seulement excuser, mais louer cette manière d'agir, si la volonté du monarque eût placé en évidence le talent ignoré ou le mérite modeste, il est impossible de ne pas l'envisager sous un point de vue fort différent, lorsque l'on réfléchit que le roi prenait pour favoris des hommes semblables à Tristan l'Ermite, le chef de sa maréchaussée ou police, et il est clair qu'un tel prince ne pouvait plus être « le premier gentilhomme de son royaume », comme François, l'un de ses successeurs, se nommait lui-même dans son élégant et courtois langage.

Les actions et les discours de Louis, soit en public, soit en particulier, n'étaient pas d'un genre propre à atténuer ces graves offenses contre le caractère d'un homme d'honneur. Sa parole, ce gage généralement regardé comme sacré, sur lequel le moindre nuage ne peut s'élever sans blesser mortellement les lois de l'honneur, était violée sans scrupule sous les prétextes les plus légers, et les crimes les plus affreux accompagnaient souvent ce manque de foi. S'il enfreignait ainsi ses promesses particulières, il ne traitait pas le public avec plus de cérémonie. Ce trait d'un individu obscur, envoyé par lui à Édouard IV, déguisé en héraut, fut, dans ce temps où ceux-ci étaient considérés comme les dépositaires vénérés de la foi des nations et des peuples, une audacieuse imposture, dont peu d'hommes eussent voulu être coupables, à l'exception de ce prince peu scrupuleux.

En un mot les mœurs, les sentiments, les actions de Louis étaient incompatibles avec les doctrines de la chevalerie, et son esprit caustique se trouvait tout disposé à ridiculiser un système fondé, selon lui, sur la plus absurde de toutes les bases, puisque le principe fondamental ordonnait de consacrer ses travaux, ses talents et son temps à la poursuite d'objets dont, suivant le cours ordinaire des choses, on ne pouvait tirer aucun avantage personnel.

Il est plus que probable qu'en abjurant ainsi presque ouvertement tous les liens de religion, d'honneur et de morale, par lesquels la plupart des hommes sont influencés, Louis supposa qu'il obtiendrait de grands avantages en négociant avec des individus qui se regardaient comme engagés, tandis que lui-même se considérait comme libre. Il pensa qu'il entrait dans la lice, tel qu'un coursier qui, débarrassé des entraves qui gênent encore ses rivaux, s'attend à remporter le prix; mais la Providence semble toujours unir à l'existence d'un danger particulier quelque circonstance qui puisse mettre sur la défensive les individus que le péril menace: le soupçon constant qui s'attache à tout homme public dont le manque de foi est connu, est à lui ce que la sonnette est au serpent; et l'on finit par calculer beaucoup moins sur ce qu'il dit que sur ce qu'il est probable qu'il fera; degré de méfiance qui tend à déjouer les intrigues d'un caractère déloyal, et qui lui nuit plus que ne peut le servir l'absence des scrupules. L'exemple de Louis excita, parmi les autres nations de l'Europe, le dégoût et la défiance plutôt que le désir de l'imiter, et sa supériorité, en fait de ruses, sur tous ses contemporains mit chacun sur ses gardes. Le système même de la chevalerie, quoique beaucoup plus restreint qu'auparavant, survécut au règne de ce monarque débauché qui fit tant d'efforts pour en ternir l'éclat et, longtemps après la mort de Louis XI, il inspirait encore le chevalier *sans reproche et sans peur* et le brave François Ier.

Si le règne de Louis fut aussi heureux sous le point de vue politique que lui-même pouvait le désirer, il est vrai, néanmoins, que le tableau de son lit de mort peut servir de préservatif contre les séductions de son exemple. Se méfiant de tous les hommes, mais surtout de son propre fils, il se confina dans le château du Plessis, et remit exclusivement la garde de sa personne à la fidélité douteuse des mercenaires écossais. Il ne sortait jamais de sa chambre, n'y admettait personne, et fatiguait le ciel et tous les saints de prières, non pour le pardon de ses péchés, mais pour la prolongation de sa vie. Ses médecins, qu'il importunait avec une faiblesse d'esprit qui ne s'accorde nullement avec la supériorité de ses moyens, l'insultaient et le pillaient. Possédé par un désir extrême de vivre, il envoya chercher, en Italie, des reliques supposées; mais l'importation la plus extraordinaire fut celle d'un paysan ignorant, au cerveau fêlé, qui, probablement par fainéantise, s'était renfermé dans une caverne et s'abstenait de viande, de poissons, d'œufs et de produits de la laiterie. Cet homme, dénué de la plus légère teinture d'instruction, fut honoré par Louis comme s'il eût été le pape lui-même; et il fonda deux couvents pour gagner ses bonnes grâces.

Le bien-être du corps et la félicité de ce monde étaient l'unique but de ces pratiques superstitieuses, et ce n'est pas leur trait distinctif le moins singulier. Il était expressément défendu de faire aucune mention de ses fautes, lorsqu'on priait pour sa santé; et un prêtre récitant un jour, par son ordre, une oraison à saint Eutrope dans laquelle il lui recommandait le corps et l'âme du roi, Louis fit omettre ce dernier mot, disant qu'il n'était pas prudent d'importuner le bienheureux saint de plusieurs requêtes à la fois. Peut-être pensait-il qu'en passant ses crimes sous silence, ils s'effaceraient du souvenir des célestes patrons qu'il implorait pour son corps.

Les angoisses bien méritées du lit de mort de ce tyran furent si grandes, que Philippe de Commines établit un parallèle entre elles et les nombreuses cruautés exécutées par ses ordres; et qu'en les comparant les unes aux autres, il exprime l'opinion que les tortures de la lente agonie de

Louis ont compensé les crimes qu'il avait commis, et qu'après une suffisante quarantaine dans le purgatoire, la clémence divine pourrait le trouver en état de passer dans les régions supérieures.

Fénelon a aussi élevé sa voix contre ce prince, dont il décrit le genre de vie et la politique dans ce remarquable passage:

« Pygmalion, tourmenté par une soif insatiable des riches-« ses, se rend de plus en plus misérable et odieux à ses « sujets. C'est un crime à Tyr que d'avoir de grands biens; « l'avarice le rend défiant, soupçonneux, cruel; il persécute « les riches et il craint les pauvres.

« C'est un crime encore plus grand à Tyr d'avoir de la « vertu; car Pygmalion suppose que les bons ne peuvent « souffrir ses injustices et ses infamies; la vertu le con-« damne, il s'aigrit et s'irrite contre elle. Tout l'agite, « l'inquiète, le ronge, il a peur de son ombre; il ne dort « ni nuit ni jour; les Dieux, pour le confondre, l'acca-« blent de trésors dont il n'ose jouir. Ce qu'il cherche « pour être heureux est précisément ce qui l'empêche de « l'être. Il regrette tout ce qu'il donne, et craint toujours « de perdre; il se tourmente pour gagner.

« On ne le voit presque jamais; il est seul, triste, abattu au « fond de son palais; ses amis mêmes n'osent l'aborder de peur « de lui devenir suspects. Une garde terrible tient toujours « des épées nues et des piques levées autour de sa maison. « Trente chambres qui communiquent les unes aux autres, « et dont chacune a une porte de fer avec six gros verrous, « sont le lieu où il se renferme; on ne sait jamais dans « laquelle de ces chambres il couche; et on assure qu'il « ne couche jamais deux nuits de suite dans la même, de « peur d'y être égorgé. Il ne connaît ni les doux plaisirs, « ni l'amitié encore plus douce. Si on lui parle de chercher « la joie, il sent qu'elle fuit loin de lui, et qu'elle refuse

« d'entrer dans son cœur. Ses yeux creux sont pleins d'un « feu âpre et farouche; ils sont sans cesse errants de tous « côtés; il prête l'oreille au moindre bruit et se sent tout « ému; il est pâle, défait, et les noirs soucis sont peints « sur son visage toujours ridé. Il se tait, il soupire, il tire « de son cœur de profonds gémissements, il ne peut cacher « les remords qui déchirent ses entrailles. Les mets les « plus exquis le dégoûtent. Ses enfants, loin d'être son « espérance, sont le sujet de sa terreur: il en a fait ses plus « dangereux ennemis. Il n'a, en toute sa vie, aucun moment « d'assuré: il ne se conserve qu'à force de répandre le « sang de tous ceux qu'il craint. Insensé, qui ne voit pas « que sa cruauté, à laquelle il se confie, le fera périr! « quelqu'un de ses domestiques, aussi défiant que lui, se « hâtera de délivrer le monde de ce monstre. »

Le 30 août 1483, la mort termina enfin les instructives mais effrayantes souffrances du tyran.

Le choix de ce personnage célèbre pour le principal caractère du roman, — car on comprendra facilement que la légère intrigue d'amour de Quentin n'est qu'un moyen, — facilitait beaucoup la tâche de l'auteur. L'Europe entière se trouvait durant le quinzième siècle bouleversée par des dissensions dont les causes sont si variées, qu'un aperçu historique serait presque nécessaire pour mettre le lecteur anglais au courant des faits, et préparer son esprit à admettre la possibilité des scènes étranges qui vont se dérouler devant lui.

Du temps de Louis XI, de violentes commotions ébranlaient les diverses contrées de l'Europe. En Angleterre, le passage si court de la maison d'York sur le trône avait terminé les guerres civiles en apparence plutôt qu'en réalité. La Suisse affermissait cette liberté qu'elle sut ensuite défendre avec tant de courage. En Allemagne, en France, les grands vassaux de la couronne s'efforçaient de se rendre indépendants, tandis que Charles de Bourgogne par la force, et Louis plus adroit, par des moyens indirects, cherchaient à les retenir dans l'obéissance de leurs souverains respectifs.

Mais si d'un côté le roi de France s'occupait à contenir et à soumettre ses propres vassaux rebelles, de l'autre il intriguait en secret pour aider et encourager les grandes cités commerçantes de Flandre à se révolter contre le duc de Bourgogne, ce à quoi les portaient assez leur opulence et leur irritabilité naturelle. Dans les cantons les plus boisés de la Flandre, le duc de Gueldre et Guillaume de la Marck, que sa férocité faisait surnommer le Sanglier des Ardennes, avaient abjuré les coutumes des chevaliers et des gentilshommes pour se livrer aux violences et aux brutalités des derniers bandits.

Une centaine d'intrigues secrètes se tramaient à la fois dans les différentes provinces de France et de Flandre. Les nombreux émissaires de l'inquiet Louis, des Bohémiens, des pèlerins, des mendiants ou des agents qui passaient pour tels, semaient de tous côtés les germes de division et de mécontentement qu'il croyait politique de fomenter dans les domaines de Bourgogne.

Au milieu d'une si grande abondance de matériaux, il était difficile de choisir ceux qui devaient être les plus compréhensibles et les plus intéressants. Et quoique l'auteur ait usé largement du pouvoir de s'écarter de la vérité historique, il ne se sent nullement assuré d'avoir su donner à son récit une forme agréable, compacte et suffisamment intelligible. Si les développements de l'intrigue sont tout à fait imaginaires, le ressort principal sera facilement compris par tous ceux qui ont la moindre idée du système féodal.

Les droits d'un seigneur n'étaient reconnus aussi généralement sur aucun point, que sur celui de disposer de la main d'une femme sa vassale; ce qui peut paraître en contradiction avec les lois civiles et ecclésiastiques, qui déclarent que le mariage doit être libre, tandis que la jurisprudence féodale admet que, dans le cas où un fief tombe dans la puissance d'une femme, le suzerain peut dicter le choix de son époux. Ceci est basé sur le principe que le fief a, dans l'origine, été concédé par la bonté du seigneur, qui se trouve encore intéressé à ce que le mariage de sa vassale ne le place pas en des mains ennemies. D'un autre côté, on peut soutenir avec assez de raison que cette influence appartient seulement au supérieur, dont le fief est originairement dérivé. La vraisemblance n'est donc pas blessée en supposant qu'une héritière d'un fief de Bourgogne se réfugie près du roi de France auquel le duc luimême prêtait hommage, et l'on peut, sans s'écarter des probabilités, affirmer que Louis, peu scrupuleux comme il l'était, avait formé le projet de trahir la fugitive en lui faisant contracter quelque alliance qui pût être, sinon dangereuse, du moins désagréable, à son formidable cousin et vassal Charles de Bourgogne.

Je puis ajouter que *Quentin Durward*, qui a acquis dans son pays natal une popularité plus étendue que quelques-uns de ses prédécesseurs, a aussi rencontré un succès inusité sur le continent où les allusions historiques réveillaient des souvenirs nationaux.

Abbotsford, 1er décembre 1831.

INTRODUCTION

Et un homme qui a fait des pertes, — allez!
SHAKESPEARE. *Beaucoup de bruit pour rien.*

QUAND l'honnête Dogberry (1) récapitule tous ses titres à la considération, titres qui, à son avis, auraient dû le mettre à l'abri de l'apostrophe injurieuse que lui adresse *Monsieur le gentilhomme Conrade,* il est remarquable qu'il ne parle pas avec plus d'emphase même de *ses deux robes* (chose assez importante dans certaine ci-devant capitale que je connais) (2), ni de ce qu'il est *un aussi joli morceau de chair que qui que ce soit dans Messine,* ni même de l'argument conclusif qu'il est *un camarade assez riche,* que de sa qualité d'*homme qui a fait des pertes.*

Dans le fait, j'ai toujours observé que les enfants de la prospérité, soit pour ne pas éblouir de tout l'éclat de leur splendeur ceux que le destin a traités moins favorablement, soit parce qu'ils pensent qu'il est aussi honorable pour eux de s'être élevés en dépit des calamités, qu'il l'est pour une forteresse d'avoir soutenu un siège; j'ai toujours observé, dis-je, que ces gens-là ne manquent jamais de vous entretenir des pertes que leur occasionne la dureté des temps. Vous dînez rarement à une table bien servie, sans que les intervalles entre le champagne, le bour-

1. Il est à peine nécessaire de dire que tout ce qui suit est imaginaire. Dogberry est un officier de police ridicule dans la pièce d'où l'épigraphe est tirée: Conrade lui dit qu'il est un âne; ce qui fâche beaucoup cette espèce de Brid'oison.
2. Édimbourg.

gogne et le vin du Rhin soient remplis, si votre Amphitryon est un capitaliste, par des plaintes sur la baisse de l'intérêt de l'argent, et sur la difficulté de trouver à placer celui qui reste improductif entre ses mains; ou, si c'est un propriétaire, par de tristes commentaires sur l'arriéré des rentes et la diminution des loyers. Cela produit son effet. Les convives soupirent, et secouent la tête en cadence avec leur hôte, regardent le buffet chargé d'argenterie, savourent de nouveau les excellents vins qui circulent rapidement autour de la table, et pensent à la noble bienveillance qui, ainsi lésée, fait un usage si hospitalier de ce qui lui reste; ou, ce qui est encore plus flatteur, ils s'étonnent de la nature de cette richesse qui, nullement diminuée malgré ces pertes, continue, comme le trésor inépuisable du généreux Aboulcasem, à fournir sans qu'il y paraisse à ces distributions copieuses.

Cette manie de doléances a pourtant ses bornes, de même que les plaintes des valétudinaires qui, comme ils le savent tous, sont le passe-temps le plus agréable, tant qu'ils ne sont affectés que de maladies chroniques. Mais je n'ai jamais entendu un homme dont le crédit va véritablement en baissant, parler de la diminution de ses fonds; et mon médecin, homme aussi humain qu'habile, m'assure qu'il est fort rare que ceux qui sont attaqués d'une bonne fièvre, ou de quelque autre de ces maladies aiguës

> Dont la crise mortelle aussi bien que prochaine,
> Pronostique la fin de la machine humaine,

trouvent dans leurs souffrances un sujet de conversation amusante.

Ayant bien posé toutes ces choses, je ne puis plus cacher à mes lecteurs que je ne suis ni assez peuple, ni assez bas en finances pour ne pas avoir ma part de la détresse qui afflige en ce moment les capitalistes et les propriétaires des trois royaumes. Vos auteurs qui dînent avec une côtelette de mouton peuvent être charmés que le prix en soit tombé à trois pence la livre, et se féliciter, s'ils ont des enfants, de ce que le pain de quatre livres ne leur coûte plus que six pence; mais nous qui appartenons à cette classe que la paix et l'abondance ruinent, — nous qui avons des terres et des bœufs, et qui vendons ce que ces pauvres glaneurs sont obligés d'acheter, — nous sommes réduits au désespoir précisément par les mêmes causes qui feraient illuminer tous les greniers de Grub-Street (1), si Grub-Street avait jamais des bouts de chandelle de reste. Je mets donc en avant, avec fierté, mon droit de partager les calamités qui ne tombent que sur les riches; je me déclare, comme Dogberry, *un camarade assez riche,* et cependant *un homme qui a fait des pertes.*

Avec le même esprit de généreuse émulation, j'ai eu recours récemment au remède universel contre le mal de *l'impécuniosité* (2) pendant un court séjour dans un climat méridional; par là, non seulement j'ai épargné plusieurs voitures de charbon, mais j'ai eu aussi le plaisir d'exciter une compassion générale pour la décadence de ma fortune, parmi ceux qui, si j'eusse continué à dépenser mes revenus au milieu d'eux, auraient pu me voir pendre sans que cela les inquiétât beaucoup: ainsi, tandis que je bois mon *vin ordinaire*, mon brasseur trouve que le débit de sa petite bière diminue. Tandis que je vide mon flacon à *cinq francs,* ma portion quotidienne de Porto (3) reste au comptoir de mon marchand de vin. Tandis que ma *côtelette à*

1. *Quartier de la* petite propriété littéraire *à Londres, pour nous servir d'un terme honnête envers les petits auteurs.*
2. *L'auteur fait ici un mot nouveau:* impecuniosity.
3. *Ce vin de Portugal est généralement le* vin ordinaire *des Anglais qui boivent du vin.*

la Maintenon fume sur mon assiette, le formidable aloyau reste accroché à une cheville dans la boutique de mon ami au tablier bleu, le boucher du village. En un mot, tout ce que je dépense ici forme un déficit aux lieux de mon domicile habituel. Jusqu'aux petits sous que gagne *le garçon perruquier*, et même la croûte de pain que je donne à son petit chien au derrière tondu et aux yeux rouges, c'est encore *autant de perdu* pour mon ancien ami le barbier et pour l'honnête Trusty, gros mâtin qui est dans ma cour. C'est ainsi que j'ai le bonheur de savoir, à chaque instant du jour, que mon absence est sentie et regrettée par ceux qui s'inquiéteraient fort peu de moi s'ils me voyaient dans mon cercueil, pourvu qu'ils pussent compter sur la pratique de mes héritiers. J'excepte pourtant solennellement de cette accusation d'égoïsme et d'indifférence le fidèle Trusty, mon chien de cour, dont j'ai raison de croire que les politesses à mon égard avaient des principes plus désintéressés qu'aucune des personnes qui m'aident à dépenser les revenus que je dois à la libéralité du public.

Hélas! à l'avantage d'exciter cette sympathie chez soi sont attachés de grands inconvénients personnels.

Veux-tu me voir pleurer? pleure d'abord toi-même,

dit Horace; et véritablement je pleurerais quelquefois quand je songe que mes jouissances domestiques, devenues des besoins par l'habitude, ont été échangées pour les équivalents étrangers que le caprice et l'amour de la nouveauté ont mis à la mode. Je ne puis m'empêcher d'avouer que mon estomac, conservant ses goûts nationaux, soupire après la bonne tranche de bœuf, apprêtée à la manière de Dolly, servie toute chaude en sortant du gril, brune à l'extérieur, et devenant écarlate au premier coup de couteau. Tous les mets délicats inscrits sur la *carte* de Very, et ses mille manières d'orthographier ses *bifsteks de mouton*, ne peuvent y suppléer. Ensuite le fils de ma mère n'a aucun goût pour les libations claires; et aujourd'hui qu'on peut avoir la drèche presque pour rien, je suis convaincu qu'une double mesure de John Barley-Corn (1) doit avoir changé cette *pauvre créature domestique, la petite bière*, en une liqueur vingt fois plus généreuse que ce breuvage acide et sans force qu'on honore ici du nom de vin, quoique sa substance et ses qualités la rendent plutôt semblable à l'eau de la Seine. Les vins français de première qualité sont assez bons; il n'y a rien à dire contre le Château-Margaux et le Sillery; et cependant je ne puis oublier la qualité généreuse de mon excellent vin vieux d'Oporto. Enfin, jusqu'au garçon et à son chien, quoique ce soient tous deux des animaux assez divertissants, et qu'ils fassent mille singeries qui ne laissent pas d'amuser, cependant il y avait plus de franche gaieté dans le clignement d'œil avec lequel notre vieux Packwood avait coutume d'annoncer au village les nouvelles de la matinée, que toutes les gambades d'Antoine ne pourraient en exprimer dans le cours d'une semaine; et dans le mouvement de queue du vieux Trusty, il y avait plus de sympathie humaine et canine, que dans la patience de son rival Toutou, dût-il se tenir sur ses pattes de derrière pendant toute une année.

Ces signes de repentir viennent peut-être un peu tard, et je conviens (car je dois une franchise sans réserve à mon cher ami le public) qu'ils ont été un peu accélérés par la conversion de ma nièce Christy à l'ancienne foi papale, grâce à un certain prêtre madré de notre voisinage; et par le mariage de ma tante Dorothée à un capitaine de cavalerie en *demi-solde*, ci-devant membre de la Légion d'Honneur, qui, à ce qu'il nous assure, serait

1. *L'orge personnifiée; figure souvent reproduite dans l'anglais.*

aujourd'hui maréchal de camp, si notre ancien ami Buonaparte avait continué à vivre et à triompher. Quant à Christy, je dois avouer que la tête lui avait tellement tourné à Édimbourg, en courant jusqu'à cinq routs (1) par nuit, que, quoique je me méfiasse un peu des causes et des moyens de sa conversion, je ne fus pas fâché de voir qu'elle commençait à envisager les choses sous un aspect sérieux, n'importe de quelle manière. D'ailleurs la perte ne fut pas très grande pour moi, car le couvent m'en a débarrassé pour une pension fort raisonnable. Mais le mariage terrestre de ma tante Dorothée était une chose toute différente des épousailles spirituelles de ma nièce: d'abord elle avait 2000 livres sterling, placées dans les trois pour cent, et qui sont aussi bien perdues pour ma famille que si l'on avait fait un biffage général sur le grand livre de la dette publique; car qui aurait cru que ma tante Dorothée se fût mariée? Bien plus, qui aurait jamais pensé qu'une femme ayant cinquante ans d'expérience aurait épousé un squelette français, dont les bras et les jambes, offrant les mêmes dimensions, semblaient deux compas entrouverts, placés perpendiculairement l'un sur l'autre, et tournant sur un pivot commun tout juste assez fort pour figurer un corps? Tout le reste n'était que moustaches, pelisses et pantalons. Elle aurait pu acheter un polk de véritables cosaques en 1815, pour la moitié de la fortune qu'elle a abandonnée à cet épouvantail militaire. Mais il est inutile d'en dire davantage sur ce sujet, d'autant plus qu'elle en était venue au point de citer Rousseau pour le sentiment: — qu'il n'en soit plus question.

Ayant ainsi expectoré ma bile contre un pays qui n'en est pas moins un pays fort agréable, et auquel je n'ai nul reproche à faire, puisque c'est moi qui l'ai cherché, et

1. Grandes assemblées.

non lui qui m'a cherché, j'en viens au but plus direct de cette introduction. Si je ne compte pas trop, mon cher public, sur la continuation de vos bonnes grâces (quoique, pour dire la vérité, la constance et l'uniformité de goût soient des qualités sur lesquelles ceux qui courtisent vos faveurs doivent à peine compter), ce but pourra peut-être me dédommager des pertes et dommages que j'ai essuyés en amenant ma tante Dorothée dans le pays des beaux sentiments, des moustaches noires, des jambes fines, des gros mollets et des membres sans corps; car je vous assure que le drôle, comme le disait mon ami lord L***, est un vrai pâté d'abatis, tout ailerons et pattes. Si elle avait choisi sur le contrôle de la demi-paie un montagnard écossais à grandes phrases, ou un fils élégant de la verte Erin (1), je n'aurais pas dit un seul mot; mais, de la manière dont l'affaire s'est arrangée, il est bien difficile de se garantir d'un mouvement de rancune en voyant ma tante dépouiller si gratuitement ses héritiers légitimes. Mais . . . — silence, ma mauvaise humeur; et offrons à notre cher public un sujet plus agréable pour nous et plus intéressant pour les autres.

A force de boire le breuvage acide dont j'ai déjà parlé, et de fumer des cigares, art dans lequel je ne suis pas novice, je parvins peu à peu, tout en buvant et en fumant, à faire une sorte de connaissance avec *un homme comme il faut*. Je veux dire qu'il était du petit nombre de ces vieux échantillons de noblesse qu'on trouve encore en France, et qui, comme ces statues antiques et mutilées, objets d'un culte suranné et oublié, commandent encore un certain respect et une certaine estime, même à ceux qui ne leur accordent volontairement ni l'un ni l'autre.

En fréquentant le café du village, je fus d'abord frappé

1. *L'Irlande.*

de l'air singulier de dignité et de gravité de ce vieux gentilhomme, de son attachement constant pour les bas et les souliers, au mépris des demi-bottes et des pantalons. Je remarquai la *croix de Saint-Louis* à sa boutonnière, et la petite cocarde blanche de son chapeau à bras. Il y avait en lui quelque chose d'intéressant; et, d'ailleurs, sa gravité semblait d'autant plus piquante, au milieu de la vivacité de tous ceux qui l'entouraient, comme l'ombre d'un arbre touffu frappe davantage les regards dans un paysage éclairé par les rayons ardents du soleil. Je fis, pour lier connaissance avec lui, les avances que le lieu, les circonstances et les mœurs du pays autorisaient: c'est-à-dire, je me plaçai près de lui; et, tout en fumant mon cigare d'un air calme et de manière que chaque bouffée intermittente de fumée fût presque imperceptible, je lui adressai ce petit nombre de questions que partout, et surtout en France, le savoir-vivre autorise un étranger à faire, sans l'exposer au reproche d'impertinence. Le marquis de Haut-Lieu, car c'était un marquis, fut aussi laconique et aussi sentencieux que la politesse française le permettait; il répondit à toutes mes questions, mais ne m'en fit aucune, et ne m'encouragea nullement à lui en adresser d'autres.

La vérité était que, n'étant pas très accessible pour les étrangers, de quelque nation qu'ils fussent, ni même pour ceux de ses compatriotes qu'il ne connaissait pas, le marquis avait surtout une réserve toute particulière à l'égard des Anglais. Ce sentiment pouvait être un reste de l'ancien préjugé national; peut-être aussi venait-il de l'idée qu'il avait conçue que l'Anglais est un peuple hautain, fier de sa bourse, et pour qui le rang, joint à une fortune bornée, est un objet de dérision autant que de pitié; ou peut-être enfin qu'en réfléchissant sur certains événements récents, il éprouvait, comme Français, quelque mortification, même des succès qui avaient rétabli son maître sur le trône, et qui lui avaient rendu à lui-même des propriétés fort diminuées d'ailleurs, et un château dilapidé. Son aversion pourtant n'allait jamais au-delà de cet éloignement pour la société des Anglais. Lorsque les affaires de quelque étranger exigeaient l'intervention de son crédit, il l'accordait toujours avec toute la courtoisie d'un gentilhomme français qui sait ce qu'il se doit à lui-même et ce qu'il doit à l'hospitalité nationale.

Enfin, par quelque hasard, le marquis découvrit que l'individu qui fréquentait depuis peu le même café que lui était Écossais, circonstance qui milita puissamment en ma faveur. Il m'informa que quelques-uns de ses ancêtres étaient d'origine écossaise; et il croyait même que sa maison avait encore quelques parents dans ce qu'il lui plaisait d'appeler la province de *Hanguisse* en Écosse. La parenté avait été reconnue de part et d'autre au commencement du siècle dernier; et, pendant son exil, car on peut bien penser que le marquis avait joint les rangs de l'armée de Condé et partagé les privations et les infortunes de l'émigration, il avait eu l'envie une fois d'aller renouer connaissance avec ses parents d'Écosse et réclamer leur protection. Mais, tout bien réfléchi, me dit-il, il ne s'était pas soucié de se présenter à eux dans une situation qui n'aurait pu leur faire que peu d'honneur, ou qu'ils auraient pu regarder comme leur imposant quelque fardeau et leur faisant même quelque honte; il avait donc cru que le mieux était de s'en rapporter à la Providence, et de se tirer d'affaire comme il pourrait. Qu'avait-il fait pour cela? c'est ce que je n'ai pu savoir, mais jamais rien, j'en suis sûr, capable de compromettre la loyauté de cet excellent vieillard, qui soutint ses opinions et conserva sa loyauté contre vent et marée, jusqu'à ce que le temps l'eût ramené, vieux et indigent, dans un pays qu'il avait quitté à la fleur de l'âge, riche alors et animé par un ressentiment qui se promettait une prompte vengeance. J'aurais pu rire de quelques traits du caractère du marquis, particulièrement de ses préjugés relativement à la noblesse et à la politique, si je l'avais connu dans des circonstances plus prospères; mais, dans la position où il était, quand même ses préjugés n'auraient pas eu une base honorable, quand ils n'auraient pas été purs de tout motif bas et intéressé, on devait le respecter comme nous respectons le confesseur et le martyr d'une religion qui n'est pas tout à fait la nôtre.

Peu à peu, devenus bons amis, nous bûmes notre café, fumâmes notre cigare, et prîmes notre *bavaroise* ensemble pendant plus de six semaines; des deux côtés, les affaires ne mirent pas grande interruption à ce commerce. Ayant, non sans difficulté, trouvé la clé de ses questions relativement à l'Écosse, grâce à une heureuse conjecture que la province de Hanguisse ne pouvait être que notre comté d'Angus, je fus en état de répondre d'une manière plus ou moins satisfaisante à tout ce qu'il demanda sur les alliances qu'il avait dans ce pays; à ma grande surprise, le marquis connaissait la généalogie de quelques-unes des familles les plus distinguées de ce comté, beaucoup mieux que je n'aurais pu m'y attendre.

De son côté, il éprouva tant de satisfaction de notre liaison, qu'il en vint jusqu'à prendre la résolution de m'inviter à dîner au château de Haut-Lieu, château très digne de ce nom, puisqu'il est situé sur une hauteur qui commande les bords de la Loire. Cet édifice est à environ trois milles du village où j'avais fixé mon domicile temporaire; et, quand je le vis pour la première fois, je pardonnai aisément la mortification qu'éprouvait le propriétaire en recevant un hôte dans l'asile qu'il s'était formé au milieu des ruines du palais de ses ancêtres. Avec une gaieté qui couvrait évidemment un sentiment plus profond, il m'avait préparé peu à peu à la vue du lieu que je devais visiter.

Il en eut même tout le temps, le jour qu'il me conduisit à cette antique demeure dans son petit cabriolet traîné par un grand cheval normand.

Les restes du château de Haut-Lieu sont situés sur une belle colline qui domine les bords de la Loire, et qui conduisait, divisée en diverses terrasses, par des degrés en pierre, ornés de statues et d'autres embellissements artificiels, jusqu'au fleuve même. Toute cette décoration architecturale, les parterres de fleurs odoriférantes et les bosquets d'arbres exotiques, avaient disparu depuis bien des années pour faire place aux travaux plus profitables du vigneron. Cependant les terrasses nivelées et les pentes artificielles, travaux exécutés trop solidement pour pouvoir être détruits, subsistent, et prouvent combien l'art avait été judicieusement employé pour embellir la nature.

Il est peu de ces maisons de plaisance parfaitement conservées aujourd'hui; car l'inconstance de la mode a effectué en Angleterre le changement total que la dévastation et la fureur populaire ont accompli de l'autre côté du détroit. Quant à moi, je me contente de souscrire à l'opinion du meilleur juge de notre temps (1), qui pense que nous avons poussé à l'excès notre goût pour la simplicité, et que le voisinage d'une habitation imposante exige des embellissements plus recherchés que ceux qu'on doit au gazon et aux sentiers sablés. Une situation éminemment pittoresque serait peut-être dégradée par une tentative pour y introduire des décorations artificielles; mais combien de sites où l'intervention de plus d'ornements d'architecture qu'il n'est d'usage d'en employer aujourd'hui,

1. Voyez plusieurs passages de l'Essai de Price sur le pittoresque, et surtout le détail plein de beautés poétiques de ce qu'il éprouva quand, suivant les avis d'un amateur d'améliorations, il détruisit un ancien jardin, ses haies d'ifs, ses grilles en fer, et lui fit perdre l'air de solitude qu'on y respirait.

me semblerait indispensable pour racheter la nudité uniforme d'une grande maison s'élevant solitairement au milieu d'une pelouse de verdure, et qui ne paraît pas plus en rapport avec tout ce qui l'environne, que si elle était sortie de la ville pour aller prendre l'air!

Comment le goût vint à changer si subitement et si complètement, c'est une circonstance assez singulière; et l'on ne peut l'expliquer que par le principe d'après lequel, dans une comédie de Molière, les trois amis du père lui recommandent un remède pour guérir la mélancolie de sa fille, et qui est de remplir son appartement de tableaux, de tapisseries ou de porcelaines, suivant le commerce différent que fait chacun de ces donneurs de conseil (1). En faisant l'application de ces motifs secrets au cas dont il s'agit, nous découvrirons peut-être qu'autrefois l'architecte traçait lui-même les jardins et les parterres qui entouraient une maison; naturellement il déployait son art en y plaçant des vases et des statues, en y distribuant des terrasses et des escaliers garnis de balustrades ornées, tandis que le jardinier, placé à un rang subordonné, faisait en sorte que le règne végétal se conformât au goût dominant: pour y réussir, il taillait ses haies vives en remparts avec des tours et des créneaux, et ses arbustes isolés comme l'aurait fait un statuaire. Mais, depuis ce temps, la roue a tourné: le jardinier décorateur, comme on l'appelle, est presque au niveau de l'architecte; et de là vient l'usage libéral et excessif que le premier fait de la pioche et de la hache, et l'ostentation avec laquelle le second ne vise qu'à faire une *ferme ornée*, aussi conforme à la simplicité que déploie la nature dans la contrée environnante, que cela peut s'accorder avec l'agrément et la propreté nécessaires dans les avenues de la résidence d'un riche propriétaire.

1. C'est le: — Vous êtes orfèvre, monsieur Josse.

La célérité du cabriolet de monsieur le marquis avait été grandement retardée par l'embonpoint de Jean Roastbeef (1), que le cheval normand maudissait probablement d'aussi bon cœur que son compatriote exécrait autrefois l'obésité d'un stupide serf saxon; mais la digression que je viens de terminer lui a donné le temps de gravir la colline par une chaussée tournante, maintenant en fort mauvais état. Nous aperçûmes enfin une longue file de bâtiments découverts et tombant en ruine, qui tenaient à l'extrémité occidentale du château.

« M'adressant à un Anglais, me dit alors le marquis, je dois justifier le goût de mes ancêtres, qui ont joint à leur château cette rangée d'écuries; car je sais que, dans votre pays, on a coutume de les placer à quelque distance. Mais ma famille mettait un orgueil héréditaire à ses chevaux; et, comme mes aïeux aimaient à les aller voir fréquemment, ils n'auraient pu le faire si commodément, s'ils les avaient éloignés davantage. Avant la Révolution, j'avais trente beaux chevaux dans ces bâtiments aujourd'hui ruinés. »

Ce souvenir d'une magnificence passée lui échappa par hasard; car, en général, il faisait très rarement allusion à son ancienne opulence. Il fit cette réflexion tout simplement, sans avoir l'air d'attacher de l'importance à la fortune qu'il avait possédée autrefois, ou de demander qu'on le plaignît de l'avoir perdue. Elle éveilla pourtant quelques idées tristes, et nous gardâmes tous deux le silence pendant le peu de temps que dura encore notre voyage.

En arrivant à la porte du château, je vis sortir d'une sorte de masure, qui n'était qu'une partie de l'ancienne loge du portier, une paysanne pleine de vivacité, dont les yeux étaient noirs comme du jais et brillants comme des

1. Un des surnoms que la populace, en France, donne aux Anglais.

diamants. Elle vint à nous avec un sourire qui laissait apercevoir des dents assez belles pour faire envie à bien des duchesses, et elle tint la bride du cheval pendant que nous descendions du cabriolet.

« Il faut que Madelon exerce aujourd'hui le métier de palefrenier, dit le marquis en lui faisant un signe de tête gracieux, en retour de la révérence profonde qu'elle avait adressée à monseigneur. Son mari est allé au marché; et, quant à La Jeunesse, il a tant d'occupations, qu'il en perd presque l'esprit. Madelon était la filleule de mon épouse, et destinée à être la femme de chambre de ma fille », continua le marquis pendant que nous passions sous la porte principale, dont le cintre était surmonté des armoiries mutilées des anciens seigneurs de Haut-Lieu et à moitié cachées sous la mousse et le gramen, sans compter les branches de quelques arbrisseaux sortis des fentes du mur.

Cette dernière phrase, qui me fit comprendre, en passant, que je voyais en lui un époux, un père, privé de son épouse et de sa fille, augmenta mon respect pour un infortuné vieillard que tout ce qui avait rapport à sa situation actuelle devait, sans aucun doute, entretenir dans ses réflexions mélancoliques. Après une pause d'un instant, il continua d'un ton plus gai:

« Mon pauvre La Jeunesse vous amusera, dit-il; et, soit dit en passant, il a dix ans de plus que moi (le marquis en a plus de soixante), il me rappelle un acteur du Roman Comique, qui jouait lui seul dans toute une pièce. Il prétend remplir à la fois les rôles de maître d'hôtel, de chef de cuisine, de sommelier, de valet de chambre, et de tous les domestiques à la fois. Il me rappelle aussi quelquefois un personnage de *la Bride* (1) *de Lammermoor.*

1. La Fiancée de Lammermoor. Bride *signifie* fiancée; *mais on prononce* Braïde, *et le marquis prononce mal.*

Vous devez avoir lu ce roman, car c'est l'ouvrage d'un de vos *gens de lettres qu'on appelle, je crois, le chevalier Scott* (1).

— Vous voulez dire, sans doute, sir Walter?

— Oui, précisément, lui-même. J'oublie toujours les mots qui commencent par *cette lettre impossible* (2). »

Cette observation écarta des souvenirs plus pénibles, car j'avais à redresser mon ami français sur deux points. Je n'eus raison qu'avec peine pour le premier; car le marquis, avec toute sa répugnance pour les Anglais, ayant passé trois mois à Londres, prétendait que notre langue n'offrait aucune difficulté qui pût l'arrêter un instant, et il en appela à tous les dictionnaires, depuis le plus ancien jusqu'au plus nouveau, pour prouver que *bride* signifiait la bride d'un cheval. Son scepticisme sur cette question de philologie était tel, que, lorsque je me hasardai à lui dire que, dans tout le roman, il n'était pas une seule fois question de bride, il rejeta gravement la faute de cette inconséquence sur le malheureux auteur. J'eus ensuite la franchise de l'informer, d'après des motifs que personne ne pouvait connaître comme moi, que l'homme de lettres, mon compatriote, dont je parlerai toujours avec le respect que méritent ses talents, n'était pas responsable des ouvrages frivoles qu'il plaisait au public de lui attribuer avec trop de générosité et de précipitation. Surpris par l'impulsion du moment, j'aurais peut-être été plus loin, et confirmé ma dénégation par une preuve positive, en lui disant que personne ne pouvait avoir écrit des ouvrages dont j'étais l'auteur; mais le marquis m'épargna le désagrément de

1. Il est à peine nécessaire de rappeler au lecteur que ce passage a été publié durant l'incognito de l'auteur, et « qu'il s'accorde avec le jeu », suivant l'expression de Lucien.

2. Le W. Cette dernière phrase est supprimée dans la deuxième édition anglaise de Quentin Durward.

me trahir ainsi, en me répliquant, avec beaucoup de sang-froid, qu'il était charmé d'apprendre que de pareilles bagatelles n'avaient pas été écrites par un homme de condition.

« Nous les lisons, ajouta-t-il, comme nous écoutons les plaisanteries débitées par un comédien, ou comme nos ancêtres écoutaient celles d'un bouffon de profession, dont ils s'amusaient quoiqu'ils eussent été bien fâchés de les entendre sortir de la bouche d'un homme qui aurait eu de meilleurs droits pour être admis dans leur société. »

Cette déclaration me rappela complètement à ma prudence ordinaire; et je craignis tellement de me laisser surprendre, que je n'osai pas même expliquer au digne aristocrate, mon ami, que l'individu qu'il avait nommé devait son avancement, à ce que j'avais entendu dire, à certains ouvrages qu'on pouvait, sans lui faire injure, comparer à des romans en vers.

La vérité est qu'indépendamment de quelques autres préjugés injustes auxquels j'ai déjà fait allusion, le marquis avait contracté une horreur mêlée de mépris pour toute espèce d'écrivains, à l'exception peut-être de ceux qui composent un volume in-folio sur la jurisprudence ou la théologie; et il regardait l'auteur d'un roman, d'une nouvelle, d'un poème, ou d'un ouvrage de critique, comme on regarde un reptile venimeux, c'est-à-dire avec crainte et dégoût. « L'abus de la presse, disait-il, surtout dans ses productions les plus légères, a empoisonné en Europe toutes les sources de la morale, et regagne encore peu à peu une influence nouvelle après avoir été réduite au silence par le bruit de la guerre. » Il regardait tous les écrivains, excepté ceux du plus gros et du plus lourd calibre, comme dévoués à la mauvaise cause, depuis Rousseau et Voltaire, jusqu'à Pigault-Lebrun et à l'auteur des romans écossais; quoiqu'il convînt qu'il les lisait pour passer le temps: cependant, comme Pistol mangeant son poireau (1), il ne dévorait l'histoire qu'en exécrant la tendance de l'ouvrage qui l'occupait.

Cette observation me fit reculer le franc aveu que ma vanité avait projeté de faire, et j'amenai le marquis à de nouvelles remarques sur le château de ses ancêtres. « Ici, me dit-il, était le théâtre sur lequel mon père obtint plus d'une fois un ordre pour faire paraître quelques-uns des principaux acteurs de la Comédie-Française, quand le roi et madame de Pompadour venaient l'y voir, ce qui lui arriva plus d'une fois. Là-bas, plus au centre, était la salle baroniale, où le seigneur exerçait sa juridiction féodale, quand son bailli avait quelque criminel à juger, car nous avions, comme vos anciens nobles écossais, le droit de haute et basse justice, *fossa cum furcâ,* comme le disent les juristes. En dessous est la chambre de la question, c'est-à-dire où l'on donnait la torture; et véritablement je suis fâché qu'un droit si sujet à abus ait jamais été accordé à personne. Mais, ajouta-t-il avec un air de dignité que semblait même augmenter le souvenir des atrocités que ses ancêtres avaient commises dans le souterrain dont il me montrait les soupiraux grillés, — tel est l'effet de la superstition, que, même encore aujourd'hui, les paysans n'osent approcher de ces cachots dans lesquels on dit que le courroux de mes aïeux commit plus d'un acte de cruauté. »

Comme nous approchions de la fenêtre, et que je mon-

*1. Le jour de Saint-David, les Gallois ornaient leurs chapeaux d'un poireau, en mémoire de la victoire d'Azincourt; leur poste dans cette bataille était dans un jardin potager, où ils s'étaient parés de cette espèce de cocarde. Dans la pièce d'*Henry V, *Shakespeare introduit le capitaine gallois Fluellen, qui tient aux usages nationaux, et se voit en butte aux quolibets de Pistol, faux brave et vantard, qu'il force à manger le poireau dont il s'est moqué, en exprimant un dégoût prononcé pour ce végétal.*

trais quelque curiosité de voir ce séjour de terreur, nous entendîmes sortir des éclats de rire de cet abîme souterrain, et nous découvrîmes aisément qu'ils partaient d'un groupe d'enfants qui s'étaient emparés de ce caveau abandonné, pour y jouer à Colin-Maillard.

Le marquis fut un peu déconcerté, et il eut recours à sa tabatière; mais il se remit sur-le-champ. « Ce sont les enfants de Madelon, dit-il, et ils se sont familiarisés avec ces voûtes qui inspirent la terreur au reste des habitants. D'ailleurs, pour vous dire la vérité, ces pauvres enfants sont nés depuis l'époque des prétendues lumières qui ont banni la superstition et la religion en même temps; cela me fait penser à vous dire que c'est aujourd'hui *un jour maigre*. Je n'ai d'autres convives que vous et le *curé* de ma paroisse, et je ne blesserais pas volontiers ses opinions. D'ailleurs, ajouta-t-il d'un ton plus ferme et perdant toute contrainte, l'adversité m'a donné sur ce sujet d'autres idées que celles qu'inspire la prospérité; et je remercie le ciel de ne pas rougir en vous avouant que je suis les commandements de mon Église. »

Je me hâtai de lui répondre que, quoiqu'ils pussent différer de ceux de la mienne, j'avais tout le respect convenable pour les règlements religieux de chaque communion chrétienne, sachant que nous nous adressions au même Dieu, adoré d'après le même principe de la rédemption, quoique sous des formes différentes; et que, s'il avait plu au Tout-Puissant de ne pas permettre cette variété de cultes, nos devoirs nous auraient été prescrits aussi distinctement qu'ils l'étaient sous la loi de Moïse.

Le marquis n'avait pas l'habitude de secouer la main (1), mais en cette occasion il saisit la mienne et la secoua cordialement. C'était peut-être la seule manière qu'un zélé

1. Suivant l'usage des Anglais.

catholique pût ou dût employer pour me faire sentir qu'il acquiesçait à mes sentiments.

Ces explications, ces remarques et celles auxquelles donnèrent encore lieu les ruines étendues du château, nous occupèrent pendant deux ou trois tours que nous fîmes sur la longue terrasse, et pendant un quart d'heure que nous restâmes dans un petit pavillon, dont le toit en voûte était encore en assez bon état, quoique le ciment fût détaché sur les côtés.

« C'est ici, dit-il en reprenant le ton de la première partie de notre entretien, que j'aime à venir m'asseoir à midi, pour y trouver un abri contre la chaleur; ou le soir, pour voir les rayons du soleil couchant s'éteindre dans les belles eaux de la Loire. C'est ici que, comme le dit votre grand poète, avec lequel, quoique Français, je suis plus familier que bien des Anglais, j'aime à m'asseoir

> Montrant le code d'une imagination douce et amère (1). »

J'eus grand soin de ne pas protester contre cette variante d'un passage bien connu de Shakespeare, car je présume que notre grand poète aurait perdu quelque chose dans l'opinion d'un juge aussi délicat que le marquis si je lui avais prouvé que, suivant toutes les autres autorités, il a écrit:

> Ruminant les pensées d'une imagination douce et amère (2).

1. Showing the code of sweet and bitter fancy.
2. Chewing the cud of sweet and bitter fancy.
C'est-à-dire,
Se livrant aux prestiges tour à tour tristes et riants de l'imagination.

En fait de traduction, comme on voit, la lettre tue et l'esprit vivifie. — Je ne sais trop si ces passages sont même fort piquants

D'ailleurs notre première discussion littéraire me suffisait, étant convaincu depuis longtemps (quoique je ne l'aie été que dix ans après être sorti du collège d'Édimbourg) que l'art de la conversation ne consiste pas à montrer des connaissances supérieures dans des objets de peu d'importance, mais à augmenter, à corriger, à perfectionner ce qu'on peut savoir, en profitant de ce que savent les autres. Je laissai donc le marquis *montrer son code* suivant son bon plaisir, et j'en fus récompensé par une dissertation savante et bien raisonnée qu'il entama sur le style fleuri d'architecture introduit en France pendant le dix-septième siècle. Il en démontra le mérite et les défauts avec beaucoup de goût; et après avoir ainsi parlé de sujets semblables à celui qui m'a fait faire une digression quelques pages plus haut, il fit en leur faveur un appel d'un autre genre, fondé sur les idées que leur vue faisait naître:

« Qui pourrait détruire sans remords les terrasses du château de Sully? me dit-il. Pouvons-nous les fouler aux pieds sans nous rappeler cet homme d'État aussi distingué par une intégrité sévère que par la force et l'infaillible sagacité de son jugement? Si elles étaient moins larges, moins massives, ou si l'uniformité solennelle en était dénaturée, pourrions-nous supposer qu'elles furent le théâtre de ses méditations patriotiques? Pouvons-nous nous figurer le duc sur un fauteuil, la duchesse sur un *tabouret*, dans un salon moderne, donnant des leçons de courage et de loyauté à leurs fils, de modestie et de soumission à leurs filles, celles d'une morale rigide aux uns et aux autres, tandis qu'un cercle de jeune noblesse les écoute avec atten-

en anglais. Du reste, il faut ajouter que l'erreur du marquis vient de ce que showing the code *et* chewing the cud *semblent prononcés à peu près de la même manière pour l'oreille d'un étranger.*

tion, les yeux modestement baissés, sans parler, sans s'asseoir, à moins de l'ordre exprès donné par Sully lui-même? Non, monsieur, détruisez le pavillon royal dans lequel cette édifiante scène de famille se passait, et vous éloignez de l'esprit la vraisemblance et la vraie couleur d'un tel tableau. Pouvez-vous vous figurer ce pair, ce patriote distingué, se promenant dans un jardin à l'anglaise? Autant vaudrait vous le représenter en frac bleu et en gilet blanc, et non avec son habit à la Henri IV et son *chapeau à plumes.* Comment aurait-il pu se mouvoir dans le labyrinthe tortueux de ce que vous avez appelé une *ferme ornée,* au milieu de son cortège ordinaire de deux files de gardes suisses? En vous rappelant sa figure, sa barbe, ses *hauts-de-chausses à canon,* attachés à son justaucorps par mille *aiguillettes* et nœuds de rubans, si votre imagination se le représente dans un jardin moderne, en quoi le distinguerez-vous d'un vieillard en démence qui a la fantaisie de porter le costume de son trisaïeul, et qu'un détachement de gendarmes conduit à une *maison de fous?*

« Mais, si elle existe encore, contemplez la longue et magnifique terrasse où le loyal, le grand Sully, avait coutume de se promener solitairement deux fois par jour, en méditant sur les plans que son patriotisme lui inspirait pour la gloire de la France, ou lorsqu'à une époque plus avancée et plus triste de sa vie, il rêvait douloureusement au souvenir de son maître assassiné, et au destin de son pays déchiré par des factions; jetez sur ce noble arrière-plan d'arcades, des vases, des urnes, des statues, tout ce qui peut annoncer la proximité d'un palais ducal, et le tableau sera d'accord dans toutes ses parties avec la noble figure du grand homme. Les factionnaires portant l'arquebuse, placés aux extrémités de cette longue terrasse bien nivelée, annoncent la présence du souverain féodal, sa garde d'honneur le précède et le suit avec la hallebarde haute, l'air martial et imposant, comme si l'ennemi était en présence; tous semblent animés de la même âme que leur noble chef, mesurant leurs pas sur les siens, marchant quand il marche, s'arrêtant quand il s'arrête, observant même ses légères irrégularités de marche et ses haltes d'un instant, occasionnées par ses réflexions; tous exécutent avec une précision militaire les évolutions requises devant et derrière celui qui semble le centre et le ressort de leurs rangs, comme le cœur donne la vie et l'énergie au corps humain. Si vous riez d'une promenade si peu conforme à la liberté frivole des mœurs modernes, ajouta le marquis en me regardant comme s'il eût voulu lire dans le fond de mes pensées, pourriez-vous vous décider à détruire cette autre terrasse que foula aux pieds la séduisante marquise de Sévigné, et au souvenir de laquelle s'unissent tant de souvenirs éveillés par de nombreux passages de ses lettres délicieuses? »

Un peu fatigué de la longue tirade du marquis, dont le but était certainement de faire valoir les beautés naturelles de sa propre terrasse, qui, malgré son état de dilapidation, n'avait pas besoin d'une recommandation si solennelle, j'informai mon ami que je venais de recevoir d'Angleterre le journal d'un voyage fait dans le midi de la France par un jeune étudiant d'Oxford, mon ami, poète, dessinateur, et fort instruit, dans lequel il donne une description intéressante et animée du château de Grignan, demeure de la fille chérie de Mme de Sévigné, et où elle résidait elle-même fréquemment. J'ajoutai que quiconque lirait cette relation, et ne serait qu'à quarante milles de cet endroit, ne pourrait se dispenser d'y faire un pèlerinage. Le marquis sourit, parut très content, me demanda le titre de cet ouvrage, et écrivit sous ma dictée: *Itinéraire d'un voyage fait en Provence et sur les bords du Rhône, en 1819*, par John Hughes, maître ès-arts du collège Oriel, à Oxford. Il ajouta qu'il ne pouvait maintenant acheter de livres pour le château, mais qu'il en recommanderait l'achat au libraire chez lequel il était abonné dans la ville voisine. « Mais ajouta-t-il, voici le curé qui arrive pour couper court à notre discussion, et je vois La Jeunesse tourner autour du vieux portique, sur la terrasse, pour aller sonner la cloche du dîner, cérémonie assez inutile pour appeler trois personnes; mais je crois que le brave vieillard mourrait de chagrin si je lui disais de s'en dispenser. Ne faites pas attention à lui en ce moment, attendu qu'il désire s'acquitter incognito du service des départements inférieurs; quand il aura sonné la cloche, il paraîtra dans tout son éclat en qualité de majordome. »

Tandis que le marquis parlait ainsi, nous avancions vers la partie orientale du château, seule partie de cet édifice qui fût encore habitable.

« *La bande noire,* me dit-il, en dévastant le reste du château pour en prendre le plomb, le bois et les autres matériaux, m'a rendu un service sans le vouloir, celui de le réduire à des dimensions plus convenables à la fortune du propriétaire actuel. La chenille a encore trouvé de quoi placer sa chrysalide dans la feuille: peu lui importe quels sont les insectes qui ont dévoré le reste du buisson. »

A ces mots nous arrivâmes à la porte. La Jeunesse nous y attendait avec un air respectueux et empressé, et sa figure, quoique sillonnée de mille rides, était prête à répondre par un sourire à chaque mot que son maître lui adressait avec bonté; ses lèvres laissaient voir alors deux rangs entiers de dents blanches qui avaient résisté à l'âge et aux maladies. Ses bas de soie bien propres, si souvent lavés qu'ils en avaient pris une teinte jaunâtre, sa queue nouée avec une rosette, les deux boucles de cheveux blancs qui accompagnaient ses joues maigres, son habit couleur de perle, sans collet; le solitaire qu'il avait au doigt, son jabot, ses manchettes, et son *chapeau à bras,* tout annonçait que La Jeunesse avait regardé l'arrivée d'un convive au château comme un événement extraordinaire, et qui exigeait qu'il déployât lui-même toute la magnificence et tout l'éclat de son service.

En considérant ce bizarre mais fidèle serviteur du marquis, des préjugés duquel il héritait sans doute comme de ses vieux habits, je ne pus m'empêcher de reconnaître la ressemblance qui existait, ainsi que l'avait dit son maître, entre lui et mon Caleb, le fidèle écuyer du Maître de Ravenswood. Mais un Français, un vrai Jean-fait-tout par nature, peut seul se charger d'une multitude de fonctions, et y suffire avec plus d'aisance et de souplesse, qu'on ne pourrait l'attendre de la lenteur imperturbable d'un Écossais. Supérieur à Caleb par la dextérité, sinon par le zèle, La Jeunesse semblait se multiplier suivant l'occasion, et il s'acquittait de ses divers emplois avec tant d'exactitude et de célérité, qu'un domestique de plus aurait été complètement superflu.

Le dîner surtout fut exquis. La soupe, quoique *maigre,* épithète que les Anglais emploient avec dérision (1), avait un goût délicieux, et la matelote de brochet et d'anguille me réconcilia, quoique Écossais, avec ce dernier poisson. Il y avait même un petit bouilli pour *l'hérétique,* et la viande était cuite si à propos, qu'elle conservait tout son jus, et était aussi tendre que délicate. Deux autres petits plats non moins bien apprêtés servaient d'accompagnement au potage; mais ce que le vieux maître d'hôtel regardait comme

1. *La soupe des Anglais (et ils n'en mangent pas tous les jours) est un consommé très épicé qui brûlerait un gosier français. On conçoit, quand on en a goûté, que nos soupes leur paraissent du* bouillon de grenouilles. *Nos soupes maigres surtout sont un texte éternel de plaisanteries sur le théâtre anglais.*

le *nec plus ultra* de son savoir-faire, et qu'il plaça sur la table d'un air satisfait de lui-même, et en me regardant avec un sourire, comme pour jouir de ma surprise, ce fut un énorme plat d'épinards, ne formant pas une surface plane comme ceux qui sortent des mains sans expérience de nos cuisiniers anglais (1), mais offrant à l'œil des coteaux et des vallées où l'on découvrait un noble cerf poursuivi par une meute de chiens, et par des cavaliers portant des cors, des fouets, et armés de couteaux de chasse; cerfs, chiens, chasseurs, tout était fait de pain artistement taillé, puis grillé, et frit dans du beurre. Jouissant des éloges que je ne manquai pas de donner à ce chef-d'œuvre, le vieux La Jeunesse avoua qu'il lui avait coûté près de deux jours de travail pour le porter à sa perfection; et voulant en donner l'honneur à qui de droit, il ajouta qu'une conception aussi brillante ne lui appartenait pas en entier; que Monseigneur avait eu la bonté de lui donner quelques idées fort heureuses, et avait même daigné l'aider à les mettre à exécution, en taillant de ses propres mains quelques-unes des principales figures.

Le marquis rougit un peu de cet éclaircissement, dont il aurait probablement dispensé volontiers son majordome; mais il avoua qu'il avait voulu me surprendre en me mettant sous les yeux une scène tirée d'un poème qui avait eu du succès dans mon pays, *milady Lac* (2). Je lui répondis qu'un cortège si splendide retraçait une grande chasse de Louis XIV, plutôt que celle d'un pauvre roi d'Écosse, et que le paysage en épinards ressemblait à la forêt de Fontainebleau, plutôt qu'aux montagnes sauvages de Callender. Il me fit une gracieuse inclination de tête en

1. *Les épinards en Angleterre, comme en général tous les légumes, sont servis sans être hachés, et simplement bouillis.*
2. *La* Dame du Lac. *Mais il nous semble que l'auteur exagère un peu trop les bévues* philologiques *de ce bon émigré.*

réponse à ce compliment, et reconnut que le souvenir de l'ancienne cour de France, quand elle était dans toute sa splendeur, pouvait bien avoir égaré son imagination. La conversation tomba bientôt sur d'autres objets.

Le dessert était exquis. Le fromage, les fruits, les olives, les cerneaux et le délicieux vin blanc étaient *impayables* chacun dans son genre: aussi le bon marquis remarqua, avec un air de satisfaction sincère, que son convive y faisait honneur très cordialement.

« Après tout, me dit-il, et cependant ce n'est qu'avouer une faiblesse presque ridicule, je ne puis m'empêcher d'être charmé de pouvoir encore offrir à un étranger une sorte d'hospitalité qui lui semble agréable. Croyez-moi, ce n'est pas tout à fait par orgueil que nous autres, *pauvres revenants,* nous menons une vie si retirée, et voyons si peu de monde. Il est vrai qu'on n'en voit que trop parmi nous qui errent dans les châteaux de leurs pères, et qu'on prendrait plutôt pour les esprits des anciens propriétaires, que pour des êtres vivants rétablis dans leurs possessions. Cependant c'est pour vous-mêmes, plutôt que pour épargner notre susceptibilité, que nous ne recherchons pas la société des voyageurs de votre pays. Nous nous sommes mis dans l'idée que votre nation opulente tient particulièrement au *faste* et à la *grande chère;* que vous aimez à avoir toutes vos aises, toutes les jouissances possibles; or, les moyens qui nous restent pour vous bien accueillir sont généralement si limités, que nous sentons que toute dépense et toute ostentation nous sont interdites. Personne ne se soucie d'offrir ce qu'il a de mieux, quand il a raison de croire que ce mieux ne fera pas plaisir; et, comme beaucoup de vos voyageurs publient le journal de leur voyage, on n'aime guère à voir le pauvre dîner qu'on a pu donner à quelque milord anglais, figurer éternellement dans un livre. »

J'interrompis le marquis pour l'assurer que, si jamais je publiais une relation de mon voyage, et que j'y parlasse du dîner qu'il venait de me donner, ce ne serait que pour le citer comme un des meilleurs repas que j'eusse faits de ma vie. Il me remercia de ce compliment par une nouvelle inclination de tête, et dit qu'il fallait que je ne partageasse guère le goût national, ou que ce qu'on en disait fût grandement exagéré; il me remerciait de lui avoir montré la valeur des possessions qui lui restaient; l'*utile* avait sans doute survécu au *somptueux* à Haut-Lieu comme ailleurs; les grottes, les statues, la serre chaude, l'orangerie, le temple, la tour, avaient disparu; mais les vignobles, le potager, le verger, l'étang, existaient encore, et il était charmé de voir que leurs productions réunies eussent suffi à composer un repas trouvé passable par un Anglais. « J'espère seulement, ajouta-t-il, que vous me prouverez que vos compliments sont sincères, en acceptant l'hospitalité au château de Haut-Lieu, toutes les fois que vous n'aurez pas d'engagements préférables pendant votre séjour dans ces environs. »

Je me rendis bien volontiers à une invitation faite d'une manière si gracieuse, qu'il semblait qu'en l'acceptant, j'obligeasse celui qui la faisait.

La conversation tomba alors sur l'histoire du château et de ses environs; sujet qui plaçait le marquis sur son terrain, quoiqu'il ne fût ni grand antiquaire, ni même très profond historien, dès qu'il ne s'agissait plus de sa propriété. Mais le curé était l'un et l'autre, homme aimable, de plus, causant fort bien, plein de prévenance, et mettant dans ses communications cette politesse aisée qui m'a paru être le caractère distinctif des membres du clergé catholique, quel que soit leur degré d'instruction. Ce fut de lui que j'appris qu'il existait encore au château de Haut-Lieu le reste d'une fort belle bibliothèque. Le marquis leva les épaules, tandis que le curé parlait ainsi, porta les yeux de côté et d'autre, et parut éprouver de nouveau ce léger embarras qu'il avait montré involontairement quand La Jeunesse avait jasé de l'intervention de son maître dans les arrangements de la cuisine:

« Je vous ferais voir mes livres bien volontiers, me dit-il, mais ils sont en si mauvais état, et dans un tel désordre, que je rougis de les montrer à qui que ce soit.

— Pardon, monsieur le marquis, dit le curé; mais vous savez que vous avez permis au docteur Dibdin, le célèbre bibliomane anglais, d'examiner ces précieux restes, et vous n'oubliez pas quel éloge il en a fait.

— Pouvais-je en agir autrement, mon cher ami? répondit le marquis: on avait fait au docteur des rapports exagérés sur le mérite des restes de ce qui avait été autrefois une bibliothèque. Il s'était établi dans l'auberge voisine du château, déterminé à emporter sa pointe, ou à mourir sous les murailles. J'avais même ouï dire qu'il avait mesuré trigonométriquement la hauteur de la petite tour, afin de se pourvoir d'échelles pour l'escalader. Vous n'auriez pas voulu que je réduisisse un respectable docteur en théologie, quoique membre d'une communion différente de la nôtre, à commettre cet acte de violence; ma conscience en aurait été chargée.

— Mais vous savez aussi, monsieur le marquis, reprit le curé, que le docteur Dibdin fut si courroucé de la dilapidation que votre bibliothèque avait soufferte, qu'il avoua qu'il aurait voulu être armé des pouvoirs de notre Église pour lancer un anathème contre ceux qui en avaient été coupables.

— Je présume, répliqua notre hôte, que son ressentiment était proportionné à son désappointement.

— Pas du tout! s'écria le curé; car il parlait avec tant d'enthousiasme de la valeur de ce qui vous reste, que je suis convaincu que, s'il n'avait cru devoir céder à vos instantes prières, le château de Haut-Lieu aurait occupé au moins vingt pages dans le bel ouvrage dont il nous a envoyé un exemplaire, et qui sera un monument durable de son zèle et de son érudition (1).

— Le docteur Dibdin est la politesse même, dit le marquis; et quand nous aurons pris notre café (le voici qui arrive), nous nous rendrons à la petite tour. Comme Monsieur n'a pas méprisé mon humble dîner, j'espère qu'il aura la même indulgence pour une bibliothèque en désordre, et je m'estimerai heureux s'il y trouve quelque chose qui puisse l'amuser. D'ailleurs, mon cher curé, vous avez tous les droits possibles sur ces livres, puisque, sans votre intervention, leur propriétaire ne les aurait jamais revus. »

Quoique ce dernier acte de politesse lui eût été en quelque sorte arraché malgré lui par le curé, et que le désir de cacher la nudité de son domaine et l'étendue de ses pertes parussent toujours lutter contre sa disposition naturelle à obliger, il me fut impossible de prendre sur moi de ne pas accepter une offre que les règles strictes de la civilité auraient peut-être dû me faire refuser. Mais renoncer à voir les restes d'une collection assez curieuse pour avoir inspiré au docteur Dibdin le projet de recourir à une escalade, c'eût été un acte d'abnégation dont je ne me sentis pas la force.

Cependant La Jeunesse avait apporté le café tel qu'on n'en boit que sur le continent (2), sur un plateau couvert d'une serviette, afin qu'on pût croire qu'il était d'argent,

1. C'est le Voyage Bibliographique *qui a été traduit par MM. Crapelet et Liquet. Nous avons surnommé ailleurs le révérend M. Dibdin, un vrai Don Quichotte de bibliomanie, le docteur Syntaxe des bouquinistes.*

2. Il est rare, en effet, que le café soit bien fait en Angleterre, où l'art de faire le thé est poussé si loin.

et du *pousse-café* de la Martinique dans un porte-liqueurs qui était certainement de ce métal. Notre repas ainsi terminé, le marquis me fit monter par un escalier dérobé. Je fus introduit dans une grande galerie, de forme régulière, et qui avait près de cent pieds de longueur, mais tellement dilapidée et ruinée, que je tins constamment mes yeux fixés sur le plancher, de crainte que mon hôte ne se crût obligé de faire une apologie pour tous les tableaux délabrés, les tapisseries tombant en lambeaux, et, ce qui était encore pire, les fenêtres brisées par le vent.

« Nous avons tâché de rendre la petite tour un peu plus habitable, me dit le marquis en traversant à la hâte ce séjour de désolation. C'était ici autrefois la galerie de tableaux; et dans le boudoir qui est à l'autre bout, et qui sert à présent de bibliothèque, nous conservions quelques tableaux précieux de chevalet, dont la dimension exigeait qu'on les considérât de plus près. »

En parlant ainsi, il écarta un pan de la tapisserie déjà mentionnée, et nous entrâmes dans l'appartement dont il venait de parler.

C'était une salle octogone, répondant à la forme extérieure de la petite tour dont elle occupait l'intérieur. Quatre des côtés étaient percés de croisées garnies de petits vitraux semblables à ceux qu'on voit dans les églises, et chacune de ces fenêtres offrait un point de vue magnifique sur la Loire et sur toute la contrée à travers laquelle serpente ce fleuve majestueux. Les vitraux étaient peints; et les rayons du soleil couchant, qui brillaient de tout leur éclat à travers deux de ces croisées, montraient un assemblage d'emblèmes religieux et d'armoiries féodales qu'il était presque impossible de regarder sans être ébloui. Mais les deux autres fenêtres, n'étant plus exposées à l'influence de cet astre, pouvaient être contemplées avec plus de facilité; on devinait qu'elles étaient garnies de vitraux qui, dans l'origine, ne leur avaient pas été destinés. J'appris ensuite qu'ils avaient appartenu à la chapelle du château, avant qu'elle eût été profanée et pillée. Le marquis s'était amusé, pendant plusieurs mois, à accomplir ce *rifacciamento* avec l'aide du curé et de l'universel La Jeunesse; et, quoiqu'ils n'eussent fait qu'assembler des fragments souvent fort petits, cependant les vitraux peints, à moins qu'on ne les examinât de très près et d'un œil d'antiquaire, produisaient un effet fort agréable.

Les côtés de l'appartement qui n'avaient pas de fenêtres étaient, à l'exception de l'espace nécessaire pour la petite porte, garnis d'armoires à tablettes, en bois de noyer parfaitement sculpté, et à qui le temps avait donné une couleur foncée de châtaigne mûre. Quelques-unes étaient en bois blanc, et elles avaient été faites récemment pour suppléer au déficit occasionné par la dévastation. Sur ces tablettes étaient déposés les restes précieux échappés au naufrage d'une magnifique bibliothèque.

Le père du marquis avait été un homme instruit, et son aïeul s'était rendu célèbre par l'étendue de ses connaissances, même à la cour de Louis XIV, où la littérature était, en quelque sorte, regardée comme un objet à la mode. Ces deux seigneurs, dont la fortune était considérable, et qui s'étaient libéralement livrés à leur goût, avaient fait de telles augmentations à une ancienne bibliothèque gothique fort curieuse, qui leur venait de leurs ancêtres, qu'il existait en France peu de collections de livres qu'on pût comparer à celle du château de Haut-Lieu. Elle avait été complètement dispersée par suite d'une tentative mal avisée faite par le marquis actuel, en 1790, pour dissiper un rassemblement révolutionnaire. Heureusement le curé qui, par sa conduite charitable et modérée et par ses vertus évangéliques, avait beaucoup de crédit sur l'esprit des paysans du voisinage, obtint de plusieurs d'entre eux, pour quelques sous, et souvent même pour un petit verre d'eau-de-vie, des ouvrages qui avaient coûté des sommes considérables, et dont les coquins qui avaient pillé le château s'étaient emparés uniquement par envie de mal faire. Ce digne ecclésiastique avait ainsi racheté un aussi grand nombre de livres appartenant à son seigneur, que sa petite fortune le lui permettait; et c'était grâce à ce soin généreux qu'ils étaient retournés dans la petite tour où je les trouvai. On ne peut donc pas être surpris qu'il fût fier et charmé de montrer aux étrangers la collection dont il était le restaurateur.

En dépit des volumes dépareillés et mutilés, et de toutes les autres mortifications qu'un amateur éprouve quand il visite une bibliothèque mal tenue, il se trouvait dans celle de Haut-Lieu beaucoup d'ouvrages faits, comme le dit Bayes (1), pour surprendre et enchanter le bibliomane; et, comme le docteur Ferrier le dit avec toute la sensibilité d'un amateur, on y voyait un grand nombre de ces ouvrages rares et curieux:

De ces petits formats, jadis dorés sur tranche,

des missels richement enluminés, des manuscrits de 1380, de 1320, ou même de plus ancienne date; enfin, des ouvrages imprimés en caractères gothiques pendant le quinzième et le seizième siècle. Mais j'ai dessein d'en rendre un compte plus détaillé, si je puis en obtenir la permission du marquis.

En attendant, il me suffira de dire qu'enchanté du jour que j'avais passé à Haut-Lieu, j'y fis de fréquentes visites, et que la clé de la tour octogone était toujours à ma dis-

1. *Poète ridicule, personnage de* la Répétition *(*the Rehearsal*), comédie par le duc de Buckingham.*

position. Ce fut alors que je me pris d'une belle passion pour une partie de l'histoire de France que je n'avais jamais suffisamment étudiée, malgré l'importance de ses rapports avec celle de l'Europe en général, et quoique traitée par un ancien historien inimitable (1). En même temps, pour satisfaire les désirs de mon digne hôte, je m'occupai de temps en temps de quelques mémoires de sa famille qui avaient été heureusement conservés, et contenant des détails curieux sur l'alliance de cette maison avec une famille écossaise, alliance à laquelle j'avais dû, dans l'origine, les bonnes grâces du marquis de Haut-Lieu.

Je méditai sur cet objet, *more meo*, jusqu'à l'instant où je quittai la France pour aller retrouver le roastbeef et le feu de houille de la Grande-Bretagne; ce qui n'eut lieu qu'après que j'eus mis en ordre ces réminiscences gauloises. Enfin le résultat de mes méditations prit la forme dont mes lecteurs pourront juger dans un instant, si cette préface ne les épouvante pas.

Que le public accueille cet ouvrage avec bonté, et je ne regretterai pas mon absence momentanée de mon pays.

1. *On nous permettra de rappeler ici à l'attention des lecteurs un ouvrage qui n'existait pas encore lors de la première édition de* Quentin Durward, *et qui leur offrira un thème curieux de comparaison, c'est l'*Histoire des ducs de Bourgogne, *par M. de Barante.*

1. LE CONTRASTE

Voyez ces deux portraits; ce sont ceux de deux frères.
SHAKESPEARE. *Hamlet,* acte III, scène 4.

LA fin du quinzième siècle prépara pour l'avenir une suite d'événements dont le résultat fut d'élever la France à cet état formidable de puissance qui a toujours été depuis le principal objet de la jalousie des autres nations de l'Europe. Avant cette époque, il ne s'agissait de rien moins que de son existence dans sa lutte contre les Anglais, déjà maîtres de ses plus belles provinces; et tous les efforts de son roi, toute la bravoure de ses habitants, purent à peine préserver la nation du joug de l'étranger.

Ce n'était pas le seul danger qu'elle eût à craindre; les princes qui possédaient les grands fiefs de la couronne, et particulièrement les ducs de Bourgogne et de Bretagne, en étaient venus à rendre si légères leurs chaînes féodales, qu'ils ne se faisaient aucun scrupule de lever l'étendard contre leur seigneur suzerain, le roi de France, sous les plus faibles prétextes.

En temps de paix, ils gouvernaient leurs provinces en princes absolus; et la maison de Bourgogne, maîtresse du pays qui portait ce nom, et de la partie la plus riche et la plus belle de la Flandre, était si riche et si puissante par elle-même, qu'elle ne le cédait à la couronne de France ni en force ni en splendeur.

A l'imitation des grands feudataires, chaque vassal inférieur de la couronne s'arrogeait autant d'indépendance que le lui permettaient la distance où il était du point central de l'autorité, l'étendue de son fief et les fortifications de sa tour féodale: tous ces petits tyrans, affranchis de la juridiction des lois, se livraient impunément à tous les caprices et à tous les excès de l'oppression et de la cruauté. Dans l'Auvergne seule on comptait plus de trois cents de ces nobles indépendants, pour qui le pillage, le meurtre et l'inceste n'étaient que des actes ordinaires et familiers.

Outre ces maux, un autre fléau, fruit des longues guerres entre l'Angleterre et la France, ajoutait encore aux malheurs de cet infortuné pays. De nombreux corps de soldats, réunis en bandes sous des chefs qu'ils choisissaient eux-mêmes parmi les aventuriers les plus braves et les plus heureux, s'étaient formés, en diverses parties de la France, du rebut de tous les autres pays. Ces soldats mercenaires vendaient leurs services au plus offrant; et, quand ils ne trouvaient pas à les vendre, ils continuaient la guerre pour leur compte, s'emparaient de tours et de châteaux convertis par eux en places de retraite, faisaient des prisonniers dont ils exigeaient des rançons, mettaient à contribution les villages et les maisons isolées; enfin justifiaient, par toutes sortes de rapines, les épithètes de *tondeurs* et d'*écorcheurs* qui leur avaient été données.

Au milieu des misères et des horreurs que faisait naître un état si déplorable des affaires publiques, la prodigalité était portée jusqu'à l'excès par les nobles subalternes, qui, jaloux d'imiter les grands princes, dépensaient, en déployant un luxe grossier, mais magnifique, les richesses qu'ils extorquaient au peuple. Un ton de galanterie romanesque et chevaleresque (qui cependant dégénérait souvent en licence) était le trait caractéristique des relations entre les deux sexes. On parlait encore le langage de la chevalerie errante, et l'on continuait à s'assujettir à ses formes, quand déjà le chaste sentiment d'un amour honorable et la généreuse bravoure qu'il inspire avaient cessé d'en adoucir et d'en réparer les extravagances. Les joutes et les tournois, les divertissements et les fêtes multipliées de chaque petite cour de France, attiraient dans ce royaume tout aventurier qui ne savait où aller; et, en y arrivant, il était rare qu'il ne trouvât pas quelque occasion d'y donner des preuves de ce courage aveugle, de cet esprit téméraire et entreprenant, auxquels sa patrie plus heureuse n'offrait pas de théâtre.

A cette époque, la Providence, pour sauver ce beau royaume des maux de toute espèce dont il était menacé, fit monter sur le trône chancelant le roi Louis XI, dont le caractère, tout odieux qu'il était en lui-même, sut faire face aux maux du temps, les combattit, et, jusqu'à un certain point, les neutralisa; comme les poisons de qualités opposées, à ce que disent les anciens livres de médecine, ont la vertu de réagir l'un sur l'autre et d'empêcher réciproquement leur effet.

Assez brave, quand un but utile et politique l'exigeait, Louis n'avait pas la moindre étincelle de cette valeur romanesque, ni de cette noble fierté qui y tient de si près ou qu'elle fait naître, et qui continue à combattre pour le point d'honneur quand le but d'utilité est atteint. Calme, artificieux, attentif avant tout à son intérêt personnel, il savait sacrifier tout orgueil, toute passion, qui pouvaient le compromettre. Il avait grand soin de déguiser ses sentiments et ses vues à tout ce qui l'approchait, et on l'entendit répéter souvent que le roi qui ne savait pas dissimuler ne savait pas régner; et que, quant à lui, s'il croyait que son bonnet connût ses secrets, il le jetterait au feu. Personne, ni dans son siècle, ni dans aucun autre, ne sut mieux tirer parti des faiblesses des autres, et éviter en même temps de donner avantage sur lui, en cédant inconsidérément aux siennes.

Il était cruel et vindicatif, au point de trouver du plaisir aux exécutions fréquentes qu'il commandait. Mais de même qu'aucun mouvement de pitié ne le portait jamais à épargner ceux qu'il pouvait condamner sans rien craindre, jamais aucun désir de vengeance ne lui fit commettre un acte prématuré de violence. Rarement il s'élançait sur sa proie avant qu'elle fût à sa portée, et qu'il ne lui restât aucun moyen de fuir; tous ses mouvements étaient déguisés avec tant de soin, que ce n'était ordinairement que par le succès qu'il avait obtenu, qu'on apprenait le but que ses manœuvres avaient voulu atteindre.

De même, l'avarice de Louis faisait place à une apparence de prodigalité quand il fallait qu'il gagnât le favori ou le ministre d'un prince rival, soit pour détourner une attaque dont il était menacé, soit pour rompre une confédération dirigée contre lui. Il aimait le plaisir et les divertissements; mais ni l'amour, ni la chasse, quoique ce fussent ses passions dominantes, ne l'empêchèrent jamais de donner régulièrement ses soins aux affaires publiques et à l'administration de son royaume. Il avait une connaissance profonde des hommes; et il l'avait acquise en se mêlant personnellement dans tous les rangs de la vie privée. Quoique naturellement fier et hautain, il ne faisait aucune attention aux distinctions arbitraires de la société; et, quoiqu'une telle conduite fût regardée à cette époque comme aussi étrange que peu naturelle, il n'hésitait pas à choisir dans le rang le plus bas les hommes à qui il confiait les emplois les plus importants; mais ces hommes, il savait si bien les choisir, qu'il se trompait rarement sur leurs qualités.

Il y avait cependant des contradictions dans le caractère de ce monarque aussi habile qu'artificieux, car l'homme n'est pas toujours d'accord avec lui-même. Quoique Louis fût le plus faux et le plus trompeur des hommes, quelques-unes des plus grandes erreurs de sa vie vinrent de la confiance trop aveugle qu'il accorda à l'honneur et à l'intégrité des autres. Les fautes qu'il commit dans ce genre semblent avoir eu pour cause un raffinement excessif de sa politique, qui lui persuadait de feindre une confiance sans réserve envers ceux qu'il se proposait de tromper; car, dans sa conduite ordinaire, il était aussi méfiant et aussi soupçonneux qu'aucun tyran qui ait jamais existé. Deux traits peuvent encore servir à compléter l'esquisse du portrait de ce monarque terrible parmi les souverains turbulents de son époque, et qui pourrait être comparé à un gardien au milieu des bêtes féroces qu'il domine par sa seule prudence et son habileté supérieure, mais par lesquelles il serait mis en pièces s'il ne les domptait en leur distribuant avec adresse et discernement la nourriture et les coups.

Le premier de ces traits caractéristiques de Louis XI était une superstition excessive, fléau dont le ciel afflige souvent ceux qui refusent d'écouter les avis de la religion. Jamais Louis ne chercha à apaiser le remords de ses actes criminels en changeant quelque chose à son système machiavélique; mais il s'efforçait, quoique en vain, de calmer sa conscience et de la réduire au silence par des pratiques superstitieuses, des pénitences sévères, et des donations libérales au clergé.

Le second, et il se trouve quelquefois étrangement associé au premier, était le goût des plaisirs crapuleux et des débauches secrètes. Le plus sage, ou du moins le plus astucieux des souverains de son temps, il aimait passionnément la vie privée; homme d'esprit lui-même, il jouissait des plaisanteries et des réparties de la conversation, plus qu'on n'aurait pu s'y attendre d'après les autres traits de son caractère. Il s'engageait même dans des intrigues obscures et dans des aventures comiques, avec une facilité qui n'était guère d'accord avec son naturel méfiant et ombrageux. Enfin, il avait un goût si prononcé pour les anecdotes de ce genre de galanterie ignoble, qu'il en fit faire une collection, bien connue des bibliomanes, pour lesquels la *bonne* édition de cet ouvrage est d'un très grand prix, et qui seuls doivent se permettre d'y jeter les yeux (1).

Le ciel fait servir à ses desseins les ravages de la tempête comme la pluie la plus douce. Ce fut par le moyen du caractère prudent et énergique, quoique fort peu aimable, de ce monarque, qu'il lui plut de rendre à la grande nation française les bienfaits d'un gouvernement civil, qu'elle avait presque entièrement perdu au moment de son avènement à la couronne.

Avant de succéder à son père, Louis avait donné plus de preuves de vices que de talents. Sa première femme, Marguerite d'Écosse, avait succombé sous les traits de la calomnie, dans la cour de son mari, sans les encouragements duquel personne n'eût osé prononcer un seul mot injurieux contre cette aimable princesse. Il avait été fils ingrat et rebelle, tantôt conspirant pour s'emparer de la personne de son père, tantôt lui faisant la guerre ouvertement. Pour le premier de ces crimes, il fut banni dans le Dauphiné, qui était son apanage, et qu'il gouverna avec beaucoup de sagesse. Après le second, il fut réduit à un exil absolu, et forcé de recourir à la merci et presque à la charité du duc de Bourgogne et de son fils, à la cour desquels il reçut, jusqu'à la mort de son père arrivée en 1461, une hospitalité dont il les paya ensuite assez mal.

1. *Cette* editio princeps, *très recherchée des connaisseurs lorsqu'elle est bien conservée, est intitulée:* les Cent Nouvelles Nouvelles, contenant Cent Histoires Nouveaux, qui sont moult plaisant à raconter en toutes bonnes compagnies, par manière de joyeuxeté. *Paris, Antoine Verard, sans date d'année d'impression; in-folio, gothique.*

Louis XI commençait à peine à régner, qu'il fut presque subjugué par une ligue que formèrent contre lui les grands vassaux de sa couronne, et à la tête de laquelle était le duc de Bourgogne, ou, pour mieux dire, son fils, le comte de Charolais. Ils levèrent une armée formidable, firent le blocus de Paris, et livrèrent, sous les murs mêmes de cette capitale, une bataille dont le succès douteux mit la monarchie française à deux doigts de sa perte. Il résulte souvent de ces batailles, dont l'événement est contesté, que le plus sage des deux généraux en recueille, sinon l'honneur, du moins le véritable fruit. Louis, qui avait donné à celle de Montlhéry des preuves de courage, sut, par sa prudence, tirer de cette journée incertaine autant de profit que si elle eût été pour lui une victoire complète. Il temporisa jusqu'à ce que ses ennemis eussent rompu leur ligue, et il sema avec tant d'adresse la méfiance et la jalousie entre ces grandes puissances, que leur *alliance du bien public,* comme ils la nommaient, mais dont le véritable but était de renverser la monarchie française et de n'en laisser subsister que l'ombre, fut complètement dissoute, et ne se renouvela jamais d'une manière si formidable.

Depuis cette époque, Louis, n'ayant rien à craindre de l'Angleterre, déchirée par ses guerres civiles entre les maisons d'York et de Lancastre, s'occupa, pendant plusieurs années, en médecin habile, mais sans pitié, à guérir les blessures du corps politique, ou plutôt à arrêter, tantôt par des remèdes doux, tantôt en employant le fer et le feu, les progrès de la gangrène mortelle dont il était attaqué. Ne pouvant réprimer entièrement les brigandages des compagnies franches et les actes d'oppression d'une noblesse enhardie par l'impunité, il chercha du moins à y mettre des bornes, et peu à peu, à force d'attention et de persévérance, il augmenta, d'une part, l'autorité royale, et diminua, de l'autre, le pouvoir de ceux qui la contrebalançaient.

Le roi de France était pourtant toujours entouré d'inquiétudes et de périls. Quoique les membres de la ligue du bien public ne fussent pas d'accord entre eux, ils existaient encore, et les tronçons du serpent pouvaient se réunir et redevenir dangereux; mais Louis avait surtout à craindre la puissance croissante du duc de Bourgogne, alors un des plus grands princes de l'Europe, et qui ne perdait guère de son rang par la dépendance précaire où se trouvait son duché de la couronne de France.

Charles, surnommé l'Intrépide, ou plutôt le Téméraire, car son courage était allié à une folle audace, portait alors la couronne ducale de Bourgogne, et il brûlait de la changer en couronne royale et indépendante. Le caractère de ce duc formait, sous tous les rapports, un contraste parfait avec celui de Louis XI.

Celui-ci était calme, réfléchi et plein d'adresse, ne poursuivant jamais une entreprise désespérée, et n'en abandonnant aucune dont le succès était probable, quoique éloigné. Le génie du duc était tout différent: il se précipitait dans le péril, parce qu'il l'aimait, et n'était arrêté par aucune difficulté, parce qu'il les méprisait. Louis ne sacrifiait jamais son intérêt à ses passions; Charles, au contraire, ne sacrifiait ni ses passions, ni même ses fantaisies, à aucune considération. Malgré les liens de parenté qui les unissaient, malgré les secours que le duc et son père avaient accordés à Louis pendant son exil, lorsqu'il était dauphin, il régnait entre eux une haine et un mépris réciproques. Le duc de Bourgogne méprisait la politique cauteleuse du roi; il l'accusait de manquer de courage, quand il le voyait employer l'argent et les négociations pour se procurer des avantages dont, à sa place, il se serait assuré à main armée; et il le haïssait, non seulement à cause de l'ingratitude dont ce prince avait payé ses services, mais pour les injures personnelles qu'il en avait reçues. Il ne pouvait lui pardonner les imputations que les ambassadeurs de Louis s'étaient permises contre lui pendant la vie de son père, et surtout l'appui que le roi de France accordait en secret aux mécontents de Gand, de Liège et d'autres grandes villes de Flandre. Ces cités, jalouses de leurs privilèges et fières de leurs richesses, étaient souvent en insurrection contre leurs seigneurs suzerains, et ne manquaient jamais de trouver des secours secrets à la cour de Louis, qui saisissait toutes les occasions de fomenter des troubles dans les États d'un vassal devenu trop puissant.

Louis rendait au duc sa haine et son mépris avec une égale énergie, quoiqu'il cachât ses sentiments sous un voile moins transparent. Il était impossible qu'un prince d'une sagacité profonde ne méprisât pas cette obstination opiniâtre qui ne renonçait jamais à ses desseins, quelques suites fatales que pût avoir sa persévérance, et cette témérité impétueuse qui se précipitait dans la carrière sans se donner le temps de réfléchir sur les obstacles qu'elle pouvait y rencontrer. Cependant le roi haïssait le duc Charles encore plus qu'il ne le méprisait, et ces deux sentiments de mépris et de haine acquéraient un nouveau degré d'intensité par la crainte qui s'y joignait; car il savait que l'attaque d'un taureau courroucé, auquel il comparait le duc de Bourgogne, est toujours redoutable, quoique cet animal fonde sur son ennemi les yeux fermés. Cette crainte n'était pas seulement causée par la richesse des domaines de la maison de Bourgogne, par la discipline de ses belliqueux habitants et par la masse de leur population nombreuse; elle avait aussi pour objet les qualités personnelles qui rendaient le duc formidable. Doué d'une bravoure qu'il portait jusqu'à la témérité et même au-delà, prodigue dans ses dépenses, splendide dans sa cour, dans son costume, dans tout ce qui l'entourait, déployant partout la magnificence héréditaire de la maison de Bourgogne, Charles le Téméraire attirait à son service tous les esprits ardents de ce siècle, tous ceux dont le caractère était analogue au sien; et Louis ne voyait que trop clairement ce que pouvait tenter et exécuter une pareille troupe d'hommes résolus, sous les ordres d'un chef dont le caractère était aussi indomptable que le leur.

Une autre circonstance augmentait l'animosité de Louis contre un vassal devenu trop puissant. Il en avait reçu des services dont il n'avait jamais eu dessein de s'acquitter, et il était souvent dans la nécessité de temporiser avec lui, d'endurer même des éclats de pétulance insolente, et injurieuse à la dignité royale, sans pouvoir le traiter autrement que comme *son beau cousin de Bourgogne.*

C'est à l'année 1468, lorsque la haine divisait les deux princes plus que jamais, quoiqu'il existât alors entre eux une trêve trompeuse et peu sûre, comme cela arrivait souvent, que se rattache le commencement de notre histoire. On pensera peut-être que le rang et la condition du personnage que nous allons faire paraître le premier sur la scène, n'exigeait guère une dissertation sur la situation relative de deux grands princes; mais les passions des grands, leurs querelles et leurs réconciliations intéressent la fortune de tout ce qui les approche; et l'on verra, par la suite de cette histoire, que ce chapitre préliminaire était nécessaire pour qu'on pût bien comprendre les aventures de celui dont nous allons parler.

2. LE VOYAGEUR

Eh bien! le monde est l'huître, et ce fer l'ouvrira.
PISTOL.

PAR une délicieuse matinée d'été, avant que le soleil s'armât de ses rayons brûlants, et pendant que la rosée rafraîchissait et parfumait encore l'atmosphère, un jeune homme, arrivant du nord-est, s'approcha du gué d'une petite rivière, ou, pour mieux dire, d'un grand ruisseau, tributaire du Cher, près du château royal de Plessis, dont les nombreuses tours noires s'élevaient dans le lointain au-dessus de la vaste forêt qui l'entourait. Ces bois comprenaient une *noble-chasse,* ou parc royal fermé par une clôture, qu'on nommait, dans le latin du Moyen Âge, *plexitium,* ce qui fit donner le nom de Plessis à un si grand nombre de villages en France. Pour les distinguer des autres portant le même nom, on appelait Plessis-lès-Tours le château et le village dont il est ici question. Ils étaient situés à environ deux milles vers le sud de la belle ville, capitale de l'ancienne Touraine, dont la riche campagne a été nommée le jardin de la France.

Sur la rive opposée à celle dont le voyageur s'approchait, deux hommes, qui paraissaient occupés d'une conversation sérieuse, semblaient de temps en temps examiner ses mouvements; car, se trouvant sur une position beaucoup plus élevée que la sienne, ils avaient pu l'apercevoir à une distance considérable.

Le jeune voyageur pouvait avoir de dix-neuf à vingt ans. Ses traits et son extérieur prévenaient en sa faveur, mais annonçaient que le pays dans lequel il se trouvait ne lui avait pas donné le jour. Son habit gris fort court et son haut-de-chausses étaient coupés à la mode de Flandre plutôt qu'à celle de France, et son élégante toque bleue, surmontée d'une branche de houx et d'une plume d'aigle, le faisait reconnaître pour un Écossais. Son costume était fort propre, et arrangé avec le soin d'un jeune homme qui n'ignore pas qu'il est bien tourné. Il portait sur le dos un havresac qui semblait contenir son petit bagage; sa main gauche était couverte d'un de ces gants qui servaient à tenir un faucon, quoiqu'il n'eût pas d'oiseau, et il tenait de la main droite un épieu de chasseur. A son épaule gauche était fixée une écharpe brodée, à laquelle était suspendu un petit sac de velours écarlate, semblable à ceux que portaient les fauconniers de distinction, et où ils mettaient la nourriture de leurs faucons et tous les objets nécessaires pour cette chasse favorite. Cette écharpe était croisée par une autre bandoulière qui soutenait un couteau de chasse. Au lieu des bottes qu'on portait à cette époque, ses jambes étaient couvertes de brodequins de peau de daim à demi tannée.

Quoique sa taille n'eût pas atteint tout son développement, il était grand, bien fait, et la légèreté de sa marche prouvait que, s'il voyageait en piéton, il y trouvait plus de plaisir que de fatigue. Il avait le teint blanc, quoique un peu bruni, soit par l'influence des rayons du soleil de ce climat étranger, soit parce qu'il avait été constamment exposé au grand air dans sa terre natale.

Ses traits, sans être parfaitement réguliers, étaient agréables et pleins de candeur. Un demi-sourire, qui semblait naître de l'heureuse insouciance de la jeunesse, montrait de temps en temps que ses dents étaient bien rangées, et blanches comme de l'ivoire; ses yeux bleus, brillants et pleins de gaieté, se fixaient sur chaque objet qu'ils rencontraient, avec une expression de bonne humeur, de joyeuse franchise et de bonne résolution.

Le salut du petit nombre de voyageurs qu'il rencontrait

Le roi Louis XI.
Vignette de Théophile Fragonard,
gravée par Porret.
Ed. P. M. Pourrat et Cie.
Bibl. de l'Arsenal.

sur la route, dans ces temps dangereux, était reçu et rendu par lui suivant le mérite de chacun. Le militaire traîneur, moitié soldat, moitié brigand, mesurait le jeune homme des yeux, comme pour calculer les chances du butin et d'une résistance déterminée; mais il voyait bientôt dans les regards du jeune voyageur une assurance qui faisait tellement pencher la balance du dernier côté, qu'il renonçait à son projet criminel pour lui dire avec humeur: « Bonjour, camarade! » Salut auquel le jeune Écossais répondait d'un ton tout aussi martial, quoique moins bourru. Le pèlerin et le frère mendiant répondaient à sa salutation respectueuse par une bénédiction paternelle; et la jeune paysanne aux yeux noirs se retournant pour le regarder quand elle l'avait dépassé de quelques pas, ils échangeaient ensemble un bonjour en souriant. En un mot, il y avait en lui quelque chose qui excitait naturellement l'attention et il exerçait une attraction véritable, qui prenait sa source dans la réunion d'une franchise intrépide, d'une humeur enjouée, d'un air spirituel, d'un extérieur agréable. Tout son aspect semblait aussi indiquer un jeune homme entré dans le monde sans la moindre crainte des dangers qui en assiègent toutes les avenues, et n'ayant guère pourtant d'autres moyens de lutter contre les obstacles, qu'un esprit plein de vivacité et une bravoure naturelle: or, c'est avec de tels caractères que la jeunesse sympathise le plus volontiers, comme c'est pour ceux-là aussi que la vieillesse et l'expérience éprouvent un intérêt affectueux.

Le jeune homme dont nous venons de faire le portrait avait été aperçu depuis longtemps par les deux individus qui se promenaient le long de la petite rivière, sur le bord opposé où étaient situés le parc et le château; mais, comme il descendait la rive escarpée avec la légèreté d'un daim courant vers une fontaine pour s'y désaltérer, le moins âgé des deux dit à l'autre:

« C'est notre jeune homme, c'est le Bohémien; s'il essaie de passer la rivière, il est perdu: les eaux sont enflées, la rivière n'est pas guéable.

— Qu'il fasse cette découverte lui-même, compère, répondit le plus âgé; il est possible que cela épargne une corde et fasse mentir un proverbe.

— Je ne le reconnais qu'à sa toque bleue, reprit le premier, car je ne puis distinguer sa figure: écoutez! il crie pour nous demander si l'eau est profonde.

— Il n'a qu'à l'essayer, répliqua l'autre; il n'y a en ce monde rien de tel que l'expérience. »

Cependant le jeune homme, voyant qu'on ne lui faisait aucun signe pour le détourner de son intention, et prenant le silence de ceux à qui il s'adressait pour une assurance qu'il ne courait aucun risque, entra dans le ruisseau sans hésiter et sans autre délai que celui qui fut nécessaire pour ôter ses brodequins. Le plus âgé des deux inconnus lui cria au même instant de prendre garde à lui; et, se tournant vers son compagnon:

« Par la mort-Dieu, compère, lui dit-il à demi-voix, vous avez fait encore une méprise; ce n'est pas le bavard de Bohémien. »

Mais cet avis arriva trop tard pour le jeune homme: ou il ne l'entendit pas, ou il ne put en profiter, car il avait déjà perdu pied; la mort eût été inévitable pour tout homme moins alerte et moins habitué à nager, la rivière étant alors aussi profonde que rapide.

« Par sainte Anne! s'écria le même interlocuteur, c'est un jeune homme intéressant! Courez, compère, et réparez votre méprise en le secourant si vous le pouvez: il est de votre troupe; et si les vieux dictons ne mentent pas, l'eau ne le noiera point. »

Dans le fait, le jeune voyageur nageait si vigoureusement, et fendait l'eau avec tant de dextérité, que, malgré l'impétuosité du courant, il aborda à la rive opposée presque en ligne droite de l'endroit d'où il était parti.

Pendant ce temps, le moins âgé des deux inconnus avait couru sur le bord de l'eau pour donner du secours au nageur, tandis que l'autre le suivait à pas lents, se disant en lui-même, chemin faisant: « Sur mon âme, le voilà à terre; il empoigne son épieu: si je ne me presse davantage, il battra mon compère pour la seule action charitable que je l'aie jamais vu faire dans sa vie. »

Il avait quelque raison pour supposer que tel serait le dénouement de cette aventure; car le brave Écossais avait déjà accosté le Samaritain qui venait à son secours, en s'écriant d'un ton courroucé: « Chien discourtois! pourquoi ne m'avez-vous pas répondu quand je vous ai demandé si la rivière était guéable? Que le diable m'emporte si je ne vous apprends à mieux connaître une autre fois les égards qui sont dus à un étranger. »

Il accompagnait ces paroles de ce mouvement formidable de son bâton qu'on appelle *le moulinet,* parce qu'on tient le bâton par le milieu en brandissant les deux bouts dans tous les sens, comme les ailes d'un moulin que le vent fait tourner. Son antagoniste, se voyant ainsi menacé, mit la main sur son épée; car c'était un de ces hommes qui, en toute occasion, sont toujours plus disposés à agir qu'à discourir. Mais son compagnon plus réfléchi, étant arrivé en ce moment, lui ordonna de se modérer, et, se tournant vers le jeune homme, l'accusa à son tour d'imprudence et de précipitation pour s'être jeté dans une rivière dont les eaux étaient enflées; et d'un emportement injuste, pour vouloir chercher querelle à un homme qui accourait à son secours.

En entendant un homme d'un âge avancé et d'un air respectable lui adresser de tels reproches, le jeune Écossais baissa sur-le-champ son bâton, et répondit qu'il serait bien fâché d'être injuste envers eux, mais que véritablement il lui semblait qu'ils l'avaient laissé mettre ses jours en péril, faute d'avoir daigné dire un mot pour l'avertir; ce qui ne convenait ni à d'honnêtes gens ni à de bons chrétiens, encore moins à de respectables bourgeois, comme ils paraissaient être.

« Beau fils, dit le plus âgé, à votre air et à votre accent, on voit que vous êtes étranger; et vous devriez songer que, quoique vous parliez facilement notre langue, il ne nous est pas aussi aisé de comprendre vos discours.

— Eh bien! mon père, répondit le jeune homme, je m'embarrasse fort peu du bain que je viens de prendre, et je vous pardonnerai d'en avoir été la cause en partie, pourvu que vous m'indiquiez quelque endroit où je puisse faire sécher mes habits, car je n'en ai pas d'autres, et il faut que je tâche de les conserver dans un état présentable.

— Pour qui nous prenez-vous, beau fils? lui demanda le même interlocuteur, au lieu de répondre à sa question.

— Pour de bons bourgeois, sans contredit, répondit l'Écossais; ou bien, tenez, vous, mon maître, vous m'avez l'air d'un trafiquant d'argent ou d'un marchand de grains, et votre compagnon me semble un boucher ou un nourrisseur de bestiaux.

— Vous avez admirablement deviné nos professions, dit en souriant celui qui venait de l'interroger. Il est très vrai que je trafique en argent autant que je le puis, et le métier de mon compère a quelque analogie avec celui de boucher. Quant à vous, nous tâcherons de vous servir: mais il faut d'abord que je sache qui vous êtes, et où vous allez; car, dans le moment actuel, les routes sont remplies de voyageurs à pied et à cheval, qui ont dans la tête tout autre chose que des principes d'honnêteté et la crainte de Dieu. »

Le jeune homme jeta un regard vif et pénétrant sur l'individu qui lui parlait ainsi, et sur son compagnon silencieux, comme pour s'assurer s'ils méritaient la confiance qu'on lui demandait; et voici quel fut le résultat de ses observations.

Le plus âgé de ces deux hommes, celui que son costume et sa tournure rendaient le plus remarquable, ressemblait au négociant ou au marchand de cette époque. Sa jaquette, ses hauts-de-chausses et son manteau étaient d'une même étoffe, d'une couleur brune, et montraient tellement la corde, que l'esprit malin du jeune Écossais en conclut qu'il fallait que celui qui les portait fût très riche ou très pauvre; et il inclinait vers la première supposition. Ses vêtements étaient très courts et étroits, mode non adoptée alors par la noblesse, ni même par des citoyens d'une classe respectable, qui portaient des habits fort lâches et descendant à mi-jambes.

L'expression de sa physionomie était en quelque sorte prévenante et repoussante à la fois; ses traits prononcés, ses joues flétries et ses yeux creux avaient pourtant une expression de malice et de gaieté qui se trouvait en rapport avec le caractère du jeune aventurier. Mais, d'une autre part, ses gros sourcils noirs avaient quelque chose d'imposant et de sinistre. Peut-être cet effet devenait-il encore plus frappant à cause du chapeau à forme basse, en fourrure, qui, lui couvrant le front, ajoutait une ombre de plus à celle de ses épais sourcils; mais il est certain que le jeune étranger éprouva quelque difficulté pour concilier le regard de cet inconnu avec le reste de son extérieur, qui n'avait rien de distingué. Son chapeau surtout, partie du costume sur laquelle tous les gens de qualité portaient quelque bijou en or ou en argent, n'avait d'autre ornement qu'une plaque de plomb représentant la Vierge, semblable à celles que les pauvres pèlerins rapportaient de Lorette.

Son compagnon était un homme robuste, de moyenne taille, et plus jeune d'une dizaine d'années. Il avait ce qu'on appelle l'air *en dessous*, et un sourire sinistre, quand par hasard il souriait, ce qui ne lui arrivait jamais que par forme de réponse à certains signes secrets qu'il échangeait avec l'autre inconnu. Il était armé d'une épée et d'un poignard, et l'Écossais remarqua qu'il cachait sous son habit uni un *jaseran* ou cotte de mailles flexible, telle qu'en portaient souvent, dans ces temps périlleux, même les hommes qui n'avaient pas pris le parti des armes, mais que leur profession obligeait à de fréquents voyages; ce qui le confirma dans l'idée que ce pouvait être un boucher, un nourrisseur de bestiaux, ou un homme occupé de quelque métier de ce genre.

Le jeune Écossais n'eut besoin que d'un instant pour faire les observations dont il nous a fallu quelque temps pour rendre compte, et il répondit, après un moment de silence et en faisant une légère salutation: « Je ne sais à qui je puis avoir l'honneur de parler, mais il m'est indifférent qu'on sache que je suis un cadet écossais, et que je viens chercher fortune en France ou ailleurs, suivant la coutume de mes compatriotes.

— Pâques-Dieu! s'écria l'aîné des deux inconnus, et c'est une excellente coutume. Vous semblez un garçon de bonne mine, et de l'âge qu'il faut pour réussir avec les hommes et avec les femmes. Eh bien! qu'en dites-vous? je suis commerçant, et j'ai besoin d'un jeune homme pour m'aider dans mon trafic. Mais je suppose que vous êtes trop gentilhomme pour vous mêler des travaux ignobles du négoce.

— Mon beau monsieur, si vous me faites cette offre sérieusement, ce dont j'ai quelque doute, je vous dois des remerciements, et je vous prie de les agréer; mais je crois que je ne vous serais pas fort utile dans votre commerce.

— Oh! je crois bien que tu es plus habile à tirer de l'arc qu'à rédiger un mémoire de marchandises, et que tu sais manier un sabre mieux que la plume; n'est-il pas vrai?

— Je suis un homme de bruyères, monsieur, et par conséquent archer, comme nous le disons. Mais j'ai été dans un couvent, et les bons pères m'ont appris à lire, à écrire, et même à compter.

— Pâques-Dieu! cela est trop magnifique. Par Notre-Dame d'Embrun, tu es un véritable prodige, l'ami!

— Riez tant qu'il vous plaira, mon beau maître, répliqua le jeune homme qui n'était pas très satisfait du ton de plaisanterie de sa nouvelle connaissance; quant à moi, je pense que je ferais bien d'aller me sécher, au lieu de m'amuser ici à répondre à vos questions, tandis que l'eau découle de mes habits.

— Pâques-Dieu! s'écria le même inconnu en riant encore plus haut, le proverbe ne ment jamais: *fier comme un Écossais*. Allons, jeune homme, vous êtes d'un pays que j'estime, ayant fait autrefois commerce avec l'Écosse. Les Écossais sont un peuple pauvre et honnête. Si vous voulez nous accompagner au village, je vous donnerai un verre de vin chaud et un bon déjeuner, pour vous dédommager de votre bain. Mais, Tête-Bleue! que faites-vous de ce gant de chasse sur votre main? Ne savez-vous pas que la chasse à l'oiseau n'est pas permise dans un parc royal?

— C'est ce que m'a appris un coquin de forestier du duc de Bourgogne. Je n'avais fait que lâcher sur un héron, près de Péronne, le faucon que j'avais apporté d'Écosse, et sur lequel je comptais pour fixer l'attention sur moi; le pendard le perça d'une flèche.

— Et que fîtes-vous alors?

— Je le battis, répondit le jeune brave en brandissant son bâton; je le battis autant qu'un chrétien peut en battre un autre sans le tuer; car je ne voulais pas avoir sa mort à me reprocher.

— Savez-vous que si vous étiez tombé entre les mains du

duc de Bourgogne, il vous aurait fait pendre comme une châtaigne?

— Oui, on m'a dit qu'en fait de cette besogne, il y va aussi vite que le roi de France; mais, comme cela était arrivé près de Péronne, je sautai par-dessus la frontière, et je me moquai de lui. S'il n'avait pas été un prince si emporté, j'aurais peut-être pris du service dans ses troupes.

— Il aura à regretter la perte d'un tel paladin, si la trêve vient à se rompre! »

Et celui qui parlait ainsi jeta en même temps un coup d'œil sur son compagnon; celui-ci répondit par un de ces sourires en dessous qui animaient un moment sa physionomie, comme un éclair illumine un instant un ciel d'hiver.

Le jeune Écossais les regarda tour à tour, en enfonçant son bonnet sur l'œil droit, en homme qui ne veut servir de jouet à personne.

« Mes maîtres, leur dit-il avec fermeté, et vous surtout qui êtes le plus âgé, et qui devriez être le plus sage, il faudra, je crois, que je vous apprenne qu'il n'est ni sage ni prudent de plaisanter à mes dépens. Le ton de votre conversation ne me plaît nullement. Je sais entendre la plaisanterie, souffrir une réprimande de la part d'un homme plus âgé que moi, et même l'en remercier quand je sens que je l'ai méritée; mais je n'aime pas à être traité comme un enfant, quand Dieu sait que je me crois assez homme pour vous frotter convenablement tous les deux, si vous me poussez à bout. »

Celui à qui il s'adressait particulièrement semblait prêt à étouffer de rire en l'entendant parler ainsi. La main de son compagnon se portait de nouveau sur la garde de son épée, lorsque le jeune homme lui assena sur le poignet un coup de bâton si bien appliqué qu'il lui eût été impossible de s'en servir: cet incident ne fit qu'augmenter la bonne humeur de l'autre.

« Holà! holà! très vaillant Écossais! s'écria-t-il pourtant; par amour pour ta chère patrie! Et vous, compère, point de regards menaçants. Pâques-Dieu! il faut de la justice dans le commerce, et un bain peut servir de compensation pour un coup donné sur le poignet avec tant de grâce et d'agilité. Écoutez-moi, l'ami, ajouta-t-il en s'adressant au jeune étranger avec une gravité sérieuse qui lui en imposa et lui inspira du respect en dépit de lui-même: plus de violence; il ne serait pas sage de vous y livrer contre moi, et vous voyez que mon compère est suffisamment payé. Quel est votre nom?

— Quand on me fait une question avec civilité, je puis y répondre de même, et je suis disposé à avoir pour vous le respect dû à votre âge, à moins que vous n'épuisiez ma patience par vos railleries. Ici, en France et en Flandre, on s'est amusé à m'appeler le *varlet* au sac de velours, à cause du sac à faucon que je porte; mais mon véritable nom, dans mon pays, est Quentin Durward.

— Durward! et ce nom est-il celui d'un gentilhomme?

— Depuis quinze générations. Et c'est ce qui fait que je ne me soucie pas de suivre une autre profession que celle des armes.

— Véritable Écossais! j'en réponds: surabondance de sang, surabondance d'orgueil, et grande pénurie de ducats. Eh bien! compère, marchez en avant et faites-nous préparer à déjeuner au bosquet des Mûriers, car ce jeune homme fera autant d'honneur au repas qu'une souris affamée en ferait au fromage d'une ménagère. Et quant au Bohémien, écoute-moi. »

Il lui dit quelques mots à l'oreille; son compagnon n'y répondit que par un sourire d'intelligence qui avait quelque chose de sombre, et il partit d'un assez bon pas.

« Eh bien! dit le premier au jeune Durward, maintenant nous allons faire route ensemble; et en traversant la forêt, nous pourrons entendre la messe à la chapelle de Saint-Hubert; car il n'est pas juste de s'occuper des besoins du corps avant d'avoir songé à ceux de l'âme. »

Durward, en bon catholique, n'avait pas d'objection à faire à cette proposition, quoiqu'il eût probablement désiré commencer par faire sécher ses habits et prendre quelques rafraîchissements. Ils eurent bientôt perdu de vue le compagnon du marchand; mais, en suivant le même chemin de grands arbres entremêlés de buissons et de broussailles qu'il avait pris, ils entrèrent bientôt dans un bois planté et traversé par de longues avenues dans lesquelles ils voyaient passer des troupeaux de daims, dont la sécurité semblait annoncer qu'ils sentaient que ce parc était un asile pour eux.

« Vous me demandiez si j'étais bon archer, dit le jeune Écossais; donnez-moi un arc et une couple de flèches, et je vous réponds que vous aurez de la venaison.

— Pâques-Dieu! mon jeune ami, prenez-y bien garde. Mon compère a l'œil ouvert sur les daims; il est chargé d'y veiller, et c'est un garde rigide.

— Il ressemble plutôt à un boucher qu'à un joyeux forestier. Je ne puis croire que ce visage de pendard appartienne à quelqu'un qui connaisse les nobles règles de la vénerie.

— Ah! mon jeune ami, mon compère n'a pas la figure prévenante à la première vue, et cependant aucun de ceux qui ont eu affaire à lui n'a jamais été s'en plaindre. »

Quentin Durward trouva quelque chose de singulier et de désagréablement expressif dans le ton dont ces derniers mots avaient été prononcés, et, levant tout à coup les yeux sur son compagnon, il crut voir sur sa physionomie, dans le sourire qui crispait ses lèvres, et dans le clignement de son œil noir et plein de vivacité, de quoi justifier la surprise qu'il éprouvait.

« J'ai entendu parler de voleurs, de brigands, de coupe-jarrets, pensa-t-il en lui-même; ne serait-il pas possible que le drôle qui est en avant fût un assassin, et que celui-ci fût chargé de lui amener sa proie dans un endroit convenable? Je me tiendrai sur mes gardes, et ils n'auront guère de moi que de bons horions écossais. »

Tandis qu'il réfléchissait ainsi, ils arrivèrent à une clairière où les grands arbres de la forêt étaient plus écartés les uns des autres. La terre, nettoyée des buissons et des broussailles, y était couverte d'un tapis de la plus riche verdure, qui, protégée par les grands arbres contre l'ardeur brûlante du soleil, était plus fraîche et plus belle qu'on ne la trouve généralement en France. Les arbres, en cet endroit retiré, étaient principalement des bouleaux et des ormes gigantesques qui s'élevaient comme des montagnes de feuilles. Au milieu de ces superbes enfants de la terre, dans l'endroit le plus découvert, s'élevait une humble chapelle près de laquelle coulait un petit ruisseau. L'architecture en était simple et même grossière. A quelques pas, on voyait une cabane pour l'ermite ou le prêtre qui se consacrait au service de l'autel dans ce lieu solitaire. Dans une niche pratiquée au-dessus de la porte, une petite statue représentait saint Hubert, avec un cor passé autour du cou, et deux lévriers à ses pieds. La situation de cette chapelle, au milieu d'un parc rempli de gibier, avait fait naître naturellement l'idée de la dédier au saint qui est le patron des chasseurs (1).

1. Chaque état avait dans le Moyen Âge son saint protecteur. La chasse, qui, avec ses jeux et ses hasards, faisait l'occupation d'un si grand nombre et l'amusement de tous, était placée sous la direction de saint Hubert. — Ce saint des forêts était fils de Bertrand, duc d'Aquitaine, et fut, lorsqu'il était simple séculier, courtisan du roi Pépin. Passionné pour la chasse, il avait coutume de négliger d'assister aux offices divins. Un jour qu'il se

Le vieillard, suivi du jeune Durward, dirigea ses pas vers ce petit édifice consacré par la religion; et, comme ils en approchaient, le prêtre, revêtu de ses ornements sacerdotaux, sortit de sa cellule pour entrer dans la chapelle. Durward s'inclina profondément devant lui, par respect pour son caractère sacré; mais son compagnon porta plus loin la dévotion, et mit un genou en terre pour recevoir la bénédiction du saint homme. Il le suivit dans l'église à pas lents, et d'un air qui exprimait la contrition et l'humilité la plus sincère.

L'intérieur de la chapelle était orné de manière à rappeler les occupations auxquelles s'était livré le saint patron quand il était sur la terre. Les plus riches dépouilles des animaux qu'on poursuit à la chasse dans différents pays tenaient lieu de tapisserie et de tenture autour de l'autel et dans toute l'église. On y voyait suspendus le long des murs, des cors, des arcs, des carquois, mêlés avec des têtes de cerfs, de loups et d'autres animaux; en un mot, tous les ornements avaient un caractère forestier.

La messe même y répondit, car elle fut très courte, étant ce que l'on appelait une *messe de chasse*, telle qu'on la célébrait devant les nobles et les grands qui, en assistant à cette solennité, étaient ordinairement impatients de pouvoir se livrer à leur amusement favori.

Pendant cette courte cérémonie, le compagnon de Dur-

livrait à son passe-temps favori, un cerf parut devant lui portant un crucifix attaché entre ses cornes, et il entendit une voix qui le menaçait d'une punition éternelle s'il ne se repentait pas de ses péchés. Il se retira du monde et prit les ordres, sa femme s'étant aussi enfermée dans un cloître. Hubert devint ensuite évêque de Maëstricht et de Liège, et son zèle pour détruire les restes de l'idolâtrie lui a fait donner le titre d'apôtre des Ardennes et du Brabant. On attribuait à ses descendants le pouvoir de guérir les personnes mordues par un chien enragé.

ward parut y donner l'attention la plus entière et la plus scrupuleuse; tandis que le jeune écossais, n'étant pas tout à fait aussi occupé de pensées religieuses, ne pouvait s'empêcher de se reprocher intérieurement d'avoir pu concevoir des soupçons injurieux contre un homme qui paraissait si humble et si dévot. Bien loin de le regarder alors comme associé et complice de brigands, il était presque tenté de le prendre pour un saint.

Quand la messe fut finie, ils sortirent ensemble de la chapelle, et l'inconnu dit à Durward: « Nous sommes maintenant à peu de distance du village, et vous pouvez rompre le jeûne en toute sûreté de conscience. Suivez-moi. »

Tournant sur la droite, et prenant un chemin qui montait graduellement, il recommanda à son compagnon d'avoir grand soin de ne pas s'écarter du sentier, et d'en garder le milieu autant qu'il le pourrait.

Durward lui demanda pourquoi il lui recommandait cette précaution:

« C'est que nous sommes près de la cour, jeune homme; et, Pâques-Dieu! on ne marche pas dans cette région comme sur vos montagnes couvertes de bruyères. A l'exception du sentier que nous suivons, chaque toise de terrain est rendue dangereuse et presque impraticable par des pièges et des trappes armées de faux qui tranchent les membres du voyageur imprudent, comme la serpette du jardinier coupe une branche d'aubépine. Des pointes de fer vous traverseraient les pieds, et il y a des fosses assez profondes pour vous y ensevelir à jamais. Vous êtes maintenant dans l'enceinte du domaine royal, et nous allons voir tout à l'heure la façade du château.

— Si j'étais le roi de France, je ne me donnerais pas tant de peine pour placer autour de ma demeure des pièges et des trappes. Au lieu de cela, je tâcherais de gouverner si bien que personne n'oserait en approcher avec de mauvaises intentions; et quant à ceux qui y viendraient avec des sentiments de paix et d'affection, plus le nombre en serait grand, plus j'en serais charmé. »

Le compagnon de l'Écossais regarda autour de lui d'un air alarmé, et lui dit: « Silence, sire varlet au sac de velours, silence! car j'ai oublié de vous dire que les feuilles de ces arbres ont des oreilles, et qu'elles rapportent dans le cabinet du roi tout ce qu'elles entendent.

— Je m'en inquiète fort peu, répondit Quentin Durward; j'ai dans la bouche une langue écossaise, et elle est assez hardie pour dire ce que je pense en face du roi Louis: que Dieu le protège! Et quant aux oreilles dont vous parlez, si je les voyais sur une tête humaine, je les abattrais avec mon couteau de chasse. »

3. LE CHÂTEAU

Un imposant château se présente à la vue;
Par des portes de fer l'entrée est défendue,
Les murs en sont épais et les fossés profonds;
On y voit des créneaux, des tours, des bastions,
Et des soldats armés veillent sur les murailles.

Anonyme.

Tandis que Durward et sa nouvelle connaissance parlaient ainsi, ils arrivèrent vis-à-vis de la façade de Plessis-lès-Tours, château qui, même dans ces temps dangereux, où les grands étaient obligés de résider dans des places fortes, était remarquable par les précautions jalouses qu'on prenait pour en rendre l'accès difficile.

A partir de la lisière du bois où le jeune Écossais s'était

arrêté avec son compagnon pour contempler cette résidence royale, s'étendait, ou pour mieux dire, s'élevait, quoique par une montée fort douce, une esplanade découverte, sur laquelle on ne voyait ni arbre, ni arbuste, à l'exception d'un chêne gigantesque, à demi mort de vieillesse. Cet espace avait été laissé ouvert, conformément aux règles de fortification de tous les siècles, afin que l'ennemi ne pût approcher des murs à couvert et sans être aperçu du haut du château, situé à l'extrémité de cette esplanade.

Le château était entouré de trois remparts extérieurs garnis de créneaux et de tourelles de distance en distance, et notamment à tous les angles. Le second mur s'élevait plus haut que le premier, et était construit de manière à commander celui-ci, si l'ennemi parvenait à s'en emparer; il en était de même du troisième, qui formait la barrière intérieure. Autour du mur extérieur (ce dont le Français informa son compagnon, attendu qu'étant placés plus bas que le niveau des fondations ils ne pouvaient l'apercevoir) on avait creusé un fossé d'environ vingt pieds de profondeur, où l'eau arrivait au moyen d'une saignée qu'on avait faite au Cher, ou plutôt à une de ses branches tributaires. Un second fossé régnait au pied du second mur; un troisième défendait pareillement la dernière muraille, et tous trois étaient également de dimension peu ordinaire. Les rives intérieure et extérieure de ce triple fossé étaient garnies de palissades en fer qui atteignaient le même but que ce qu'on appelle des *chevaux de frise* en termes de fortification moderne, car chaque pieu de fer se terminait en différentes pointes bien aiguës, et divergeant en tous sens, de sorte qu'on ne pouvait risquer une escalade sans s'exposer à une mort certaine.

Dans l'intérieur de l'enceinte formée par le troisième mur, s'élevait le château, composé de bâtiments construits à différentes époques, dont le plus ancien était une tour noircie par le temps, qui semblait un géant éthiopien d'une taille démesurée; l'absence de toute autre fenêtre plus grande que des barbacanes pratiquées à distances inégales, pour servir à la défense de la forteresse, faisait naître, à l'approche de cette tour, cette sensation pénible qu'on éprouve en voyant un aveugle.

Les autres bâtiments ne semblaient pas devoir être beaucoup plus agréables pour ceux qui les habitaient, car toutes les fenêtres s'ouvraient sur une cour intérieure, de sorte que tout l'extérieur annonçait une prison plutôt qu'un palais. Le roi régnant avait même ajouté à cette ressemblance, en faisant construire les fortifications nouvelles de manière à ce qu'on ne pût les distinguer des anciennes; car il était, comme la plupart des gens soupçonneux, très jaloux de cacher ses soupçons. On avait employé pour cela des briques et des pierres de la couleur la plus sombre, et mêlé de la suie dans le ciment, de manière que tous les bâtiments avaient uniformément la même teinte d'antiquité.

Cette place formidable n'avait qu'une seule entrée, du moins Durward n'en vit qu'une seule sur toute la façade; elle était flanquée, selon l'usage, de deux fortes tours, et défendue par une herse en fer et un pont-levis. La herse était baissée, et le pont-levis levé. Des tours semblables s'élevaient de même à la seconde et à la troisième enceintes; mais elles n'étaient pas sur la même ligne que celles de la première, car on ne pouvait aller directement d'une porte à l'autre; mais après avoir passé la première, on avait à faire une cinquantaine de pas entre les deux premiers murs avant d'arriver à la seconde; et en supposant que ce fût une troupe ennemie, elle était exposée aux traits dont on pouvait l'accabler des deux côtés. De même, après avoir passé la seconde porte, il fallait dévier encore une fois de la ligne droite pour gagner la troisième; de

Le voyageur.
Vignette de Théophile Fragonard,
gravée par Porret.
Ed. P. M. Pourrat et Cie.
Bibl. de l'Arsenal.

sorte que, pour entrer dans la cour, au centre de laquelle s'élevaient les bâtiments, il fallait traverser deux défilés étroits et dangereux, en prêtant le flanc à des décharges d'artillerie, et forcer trois portes défendues de la manière la plus formidable.

Venant d'un pays non moins désolé par une guerre étrangère que par les divisions intestines, et dont la surface inégale et montagneuse, fertile en rochers et en torrents, offre tant de situations admirablement fortifiées, le jeune Durward connaissait assez bien tous les différents moyens par lesquels les hommes, dans ce siècle encore un peu barbare, cherchaient à protéger leurs habitations; mais il avoua franchement à son compagnon qu'il n'aurait pas cru qu'il fût au pouvoir de l'art de faire tant dans un lieu où la nature avait fait si peu; car le château, comme nous l'avons donné à entendre, n'était situé que sur une éminence peu élevée, à laquelle on montait par une rampe fort douce, depuis l'endroit où Quentin s'était arrêté.

Pour ajouter à sa surprise, son compagnon lui apprit qu'à l'exception du sentier tournant par lequel ils étaient arrivés, tous les environs du château étaient, de même que la partie de bois qu'ils venaient de traverser, parsemés de pièges, de trappes, de fosses et d'embûches de toutes sortes, qui menaçaient de mort quiconque oserait s'y hasarder sans guide; il y avait sur les murs des espèces de guérites en fer, appelées *nids d'hirondelles*, d'où les sentinelles, lui dit-il, régulièrement postées, pouvaient tirer presque à coup sûr contre quiconque oserait se présenter sans avoir le signal ou le mot d'ordre, qui était changé chaque jour; les archers de la garde royale remplissaient nuit et jour ce devoir, pour lequel ils recevaient du roi Louis profit et honneur, une forte paye et de riches habits.

« Et maintenant, jeune homme, ajouta-t-il, dites-moi si

vous avez jamais vu un château aussi fort, et si vous pensez qu'il existe des gens assez hardis pour le prendre d'assaut? »

Durward était resté longtemps les yeux fixés sur cette forteresse, dont la vue l'intéressait à un tel point qu'il en oubliait que ses vêtements étaient mouillés. A la question qui venait de lui être faite, ses yeux étincelèrent, et son visage s'anima de nouvelles couleurs, semblable à un homme entreprenant qui médite un trait de hardiesse:

« C'est une place très forte, et bien gardée, répondit-il; mais il n'y a rien d'impossible pour les braves.

— Et en connaissez-vous dans votre pays qui y réussiraient? demanda le vieillard d'un ton un peu dédaigneux.

— Je n'oserais l'affirmer; mais il s'y trouve des milliers d'hommes qui, pour une bonne cause, ne reculeraient pas devant cette entreprise.

— Oui-da! et vous vous comptez peut-être dans ce nombre?

— Je ferais mal de me vanter quand il n'y a aucun danger; mais mon père a fait un trait assez hardi, et je me flatte que je ne suis point bâtard.

— Eh bien! vous pourriez trouver à qui parler, et même des compatriotes; car les archers écossais de la garde du roi Louis sont en sentinelle sur ces murs, trois cents gentilshommes des meilleures maisons de votre pays.

— En ce cas, si j'étais le roi Louis, je me confierais en ces trois cents gentilshommes écossais, j'abattrais ces murs pour combler les fossés; j'appellerais près de moi mes pairs et mes paladins, et je vivrais en roi, faisant rompre des lances dans des tournois, donnant des festins le jour à mes nobles, dansant la nuit avec les dames, et ne craignant pas plus un ennemi qu'une mouche. »

Son compagnon sourit encore; et, tournant le dos au

château, dont il lui dit qu'ils s'étaient un peu trop approchés, il le fit rentrer dans le bois, en prenant un chemin plus large et plus battu que le sentier par lequel ils étaient venus:

« Cette route, lui dit-il, conduit au village du Plessis; et, comme étranger, vous trouverez à vous y loger honorablement et raisonnablement. A environ deux milles plus loin, est la belle ville de Tours, qui donne son nom à cette riche et superbe province. Mais le village du Plessis, ou Plessis-du-Parc, comme on l'appelle à cause de sa proximité du château du roi et du parc royal qui l'entoure, vous fournira un asile plus voisin et non moins hospitalier.

— Je vous remercie de vos renseignements, mon bon maître, mais mon séjour ici ne sera pas long, et si je trouve au village du Plessis, Plessis-le-Parc ou Plessis-l'Étang, un morceau de viande à manger et quelque chose de meilleur que de l'eau à boire, mes affaires y seront bientôt terminées.

— Je m'imaginais que vous aviez quelque ami à voir dans ces environs.

— C'est la vérité, le propre frère de ma mère; et avant qu'il quittât les montagnes d'Angus, c'était le plus bel homme dont *les brogues* (1) en eussent foulé les bruyères.

— Et comment le nommez-vous? Je vous le ferai chercher; car il ne serait pas prudent à vous de monter au château. On pourrait vous prendre pour un espion.

— Par la main de mon père, me prendre pour un espion! Celui qui oserait me donner un nom pareil, sentirait le froid du fer que je porte. Quant au nom de mon oncle, je n'ai nulle raison pour le cacher. Il se nomme Lesly. C'est un nom noble et honorable.

1. Sandales à brodequins.

— Je n'en doute nullement; mais il se trouve dans la garde écossaise trois personnes qui le portent.

— Mon oncle se nomme Ludovic Lesly.

— Mais parmi les trois Lesly, deux portent le nom de Ludovic.

— On surnommait mon parent Ludovic à la cicatrice; car nos noms de famille sont si communs en Écosse que, lorsqu'on n'a pas de terre dont on puisse prendre le nom pour se distinguer, on porte toujours un sobriquet.

— Un nom de guerre, vous voulez dire? Mais je vois que le Lesly dont vous parlez est celui que nous surnommons *le Balafré,* à cause de la cicatrice qu'il porte sur la figure. C'est un brave homme et un bon soldat. Je désire pouvoir vous faciliter une entrevue avec lui, car il appartient à un corps dont les devoirs sont stricts, et ceux qui le composent sortent rarement du château, à moins que ce ne soit pour escorter la personne du roi. Et maintenant, jeune homme, répondez à une question. Je parie que vous désirez entrer, comme votre oncle, dans la garde écossaise. Si tel est votre projet, il est un peu hardi, d'autant plus que vous êtes fort jeune, et que l'expérience de quelques années est nécessaire pour remplir les hautes fonctions auxquelles vous aspirez.

— Il est possible que j'aie eu quelque idée semblable, mais, si cela est, la fantaisie en est passée.

— Que voulez-vous dire, jeune homme? Parlez-vous avec ce ton de légèreté d'une garde dans laquelle les plus nobles de vos compatriotes sont jaloux d'être admis?

— Je leur en fais mon compliment. Pour parler franchement, j'aurais assez aimé entrer au service du roi Louis; mais malgré les beaux habits et la bonne paye, je préfère le grand air à ces cages de fer qu'on voit là-haut; à ces *nids d'hirondelles,* comme vous appelez ces espèces de boîtes à poivre. D'ailleurs, je vous avouerai que je n'aime pas un château dans les environs duquel on voit croître des chênes qui portent des glands semblables à celui que j'aperçois (1).

— Je devine ce que vous voulez dire, mais expliquez-vous plus clairement.

— Soit. Regardez ce gros chêne qui est à quelques portées de flèche du château: ne voyez-vous pas pendu à une branche de cet arbre un homme en jaquette grise pareille à la mienne?

— C'est ma foi vrai! Pâques-Dieu! voyez ce que c'est que d'avoir des yeux jeunes! J'apercevais bien quelque chose, mais je croyais que c'était un corbeau perché dans les branches. Au surplus, ce spectacle n'a rien de nouveau, jeune homme: quand l'été fera place à l'automne, qu'il y aura de longs clairs de lune, et que les routes deviendront peu sûres, vous verrez accrochés à ce même chêne des groupes de dix et même de vingt glands semblables. Mais qu'importe? chacun d'eux sert d'épouvantail pour effrayer les coquins; et pour chaque drôle qui est suspendu de cette manière, l'honnête homme peut compter qu'il y a en France un brigand, un traître, un voleur de grand chemin, un pillard ou un oppresseur de moins. Vous devez y reconnaître, jeune homme, des preuves de la justice de notre souverain.

— Cela peut être; mais si j'étais le roi Louis, je les ferais pendre un peu plus loin de mon palais. Dans mon pays nous suspendons des corbeaux morts dans les endroits fréquentés par les corbeaux vivants, mais non pas dans nos jardins ou dans nos pigeonniers. L'odeur de ce cada-

1. *L'original emploie l'expression de* covintree, *qui sert quelquefois à désigner les grands arbres placés devant les châteaux écossais. La limite précise serait difficile à fixer, mais c'est là où le laird venait recevoir les hôtes d'un rang distingué, et les reconduisait au moment du départ.*

vre... Fi! je crois la sentir à la distance où nous en sommes.

— Si vous vivez assez pour devenir un honnête et loyal serviteur de notre prince, mon bon jeune homme, vous apprendrez qu'il n'y a pas de parfum qui vaille l'odeur d'un traître mort.

— Je ne désirerai jamais vivre assez longtemps pour perdre l'odorat et la vue. Montrez-moi un traître vivant, et voilà mon bras et mon épée; quand il est mort, ma haine ne peut lui survivre. Mais je crois que nous arrivons au village; et j'espère vous y prouver que ni le bain que j'ai pris, ni le dégoût que j'ai éprouvé, ne m'ont ôté l'appétit pour déjeuner. Ainsi, mon bon ami, à l'hôtellerie, et par le plus court chemin. Cependant, un moment, avant de recevoir de vous l'hospitalité, dites-moi quel est votre nom?

— On me nomme maître Pierre. Je ne suis pas marchand de titres; je suis un homme tout uni, qui a de quoi vivre de mon bien: voilà comment on m'appelle.

— Maître Pierre, soit! dit Quentin, je suis charmé qu'un heureux hasard nous ait fait faire connaissance; car j'ai besoin de quelques mots de bon avis, et je sais en être reconnaissant.»

Tandis qu'ils parlaient ainsi, la tour de l'église et un grand crucifix de bois qui s'élevait au-dessus des arbres leur annonçaient qu'ils étaient à l'entrée du village.

Mais maître Pierre se détournant un peu du chemin qui venait d'aboutir à une grande route, lui dit que l'auberge où il avait dessein de le conduire était dans un endroit un peu écarté, et qu'on n'y recevait que des voyageurs de la meilleure espèce:

« Si vous désignez par-là ceux qui voyagent avec la bourse la mieux garnie, dit le jeune Écossais, je ne suis pas de ce nombre, et j'aime autant avoir affaire à vos *escorcheurs* de la grande route qu'à ceux de votre hôtellerie.

— Pâques-Dieu! comme vous êtes prudents, vous autres Écossais! Un Anglais se jette tout droit dans une taverne, boit et mange tout ce qu'il y trouve de mieux, et ne songe à l'écot que lorsqu'il a le ventre plein. Mais vous oubliez, maître Quentin, puisque Quentin est votre nom, vous oubliez que je vous dois un déjeuner pour le bain que ma méprise vous a valu; c'est la pénitence de mon tort à votre égard.

— En vérité, j'avais oublié le bain, le tort et la pénitence; car mes vêtements se sont séchés sur moi, ou à peu près, en marchant. Cependant je ne refuserai pas votre offre obligeante; car j'ai dîné hier fort légèrement, et je n'ai pas soupé. Vous semblez être un vieux bourgeois respectable, et je ne vois pas pourquoi je n'accepterais pas votre courtoisie. »

Le Français sourit à part lui; car il voyait clairement que son jeune compagnon, quoique presque mourant de faim selon toute apparence, avait quelque peine à se faire à l'idée de déjeuner aux dépens d'un étranger, et qu'il s'efforçait de réduire son orgueil au silence, par la réflexion, que, lorsqu'il s'agissait d'obligations si légères, celui qui consentait à en être redevable montrait autant de complaisance que celui qui faisait la politesse.

Cependant ils entrèrent dans une avenue étroite ombragée par de beaux ormes, au bout de laquelle une grande porte les conduisit dans la cour d'une auberge plus vaste qu'une auberge n'est ordinairement, et destinée au logement des nobles et des courtisans qui avaient quelque affaire au château voisin, où il était rare que Louis XI accordât un appartement à qui que ce fût de sa cour, excepté en cas de nécessité absolue. Un écusson portant les fleurs de lis ornait la principale porte d'un grand bâtiment irrégulier; mais, ni dans la cour, ni dans la maison, on ne remarquait cet air actif, empressé, par lequel les garçons et domestiques d'un semblable établissement annonçaient alors le nombre de leurs hôtes et la multitude de leurs occupations: il semblait que le caractère sombre et insociable du château royal situé dans le voisinage avait communiqué une partie du sérieux glacial et mélancolique qui y régnait, à une maison destinée à être le temple de la gaieté, du plaisir et de la bonne chère.

Maître Pierre, sans appeler personne et sans même approcher de la principale entrée, leva le loquet d'une petite porte, et précéda son compagnon dans une grande salle. La flamme d'un fagot brillait dans la cheminée, près de laquelle tout était disposé pour un déjeuner solide.

« Mon compère n'a rien oublié, dit le Français à Durward: vous devez avoir froid, voilà un bon feu; vous devez avoir faim, et vous allez avoir à déjeuner. »

Maître Pierre siffla: l'aubergiste entra, et répondit à son *bonjour* par un salut respectueux; mais il ne montra nullement cette humeur babillarde, attribut caractéristique des maîtres d'auberge français de tous les siècles.

« Quelqu'un devait venir ordonner un déjeuner, dit maître Pierre; l'a-t-il fait? »

L'aubergiste ne répondit que par une profonde inclination de tête; et, tout en apportant les divers mets qui devaient composer le déjeuner et en les plaçant sur la table, il ne dit pas un seul mot pour en faire valoir le mérite. Le repas cependant était digne de tous les éloges que les aubergistes français sont dans l'usage de donner aux fruits de leur savoir-faire, comme les lecteurs pourront en juger dans le chapitre suivant.

4. LE DÉJEUNER

Juste ciel! quels coups de dents! — Que de pain!
Voyage d'Yorick.

Nous avons laissé notre jeune étranger en France, dans une situation plus agréable qu'aucune de celles dans lesquelles il s'était trouvé depuis son arrivée sur le territoire des anciens Gaulois. Le déjeuner, comme nous l'avons donné à entendre en finissant le dernier chapitre, était admirable. Il y avait un pâté de Périgord, sur lequel un gastronome aurait voulu vivre et mourir, comme les mangeurs de lotus d'Homère, oubliant parents, patrie, et toutes les obligations sociales. Sa croûte magnifique s'élevait comme les remparts d'une grande capitale, emblème des richesses qu'ils sont chargés de protéger. Il y avait encore un ragoût exquis avec cette petite pointe d'ail que les Gascons aiment, et que les Écossais ne haïssent point; de plus, un jambon délicat qui avait naguère fait partie d'un noble sanglier de la forêt voisine de Montrichard. Le pain était aussi blanc que délicieux, et avait la forme de petites boules (d'où les Français ont tiré le nom de *boulanger*): la croûte en était si appétissante, qu'avec de l'eau seule elle aurait pu passer pour une friandise. Mais il y avait autre chose que de l'eau pour l'assaisonner; car on voyait sur la table un de ces flacons de cuir qu'on appelait *bottrines*, et qui contenait environ deux pintes du meilleur vin de Beaune.

Tant de bonnes choses auraient, comme on dit, donné de l'appétit à un mort. Quel effet devaient-elles donc produire sur un jeune homme d'environ vingt ans, qui depuis deux jours (car il faut dire la vérité) n'avait presque vécu que des fruits à demi mûrs que le hasard lui avait fait trouver, et d'une ration assez modique de pain d'orge. Il se jeta d'abord sur le ragoût, et le plat fut bientôt vide. Il attaqua ensuite le superbe pâté, y fit une entaille qui pénétra jusqu'à ses fondements, et revint à la charge plus d'une fois, en l'arrosant de temps en temps d'un verre de vin, au grand étonnement de l'hôte, et au grand amusement de maître Pierre.

Celui-ci surtout, probablement parce qu'il se trouvait avoir fait une meilleure action qu'il ne l'avait cru, semblait enchanté de l'appétit du jeune Écossais; quand enfin il remarqua que son activité commençait à se ralentir, il chercha à lui faire faire de nouveaux efforts, en ordonnant que l'on apportât des fruits confits, des darioles, et toutes les autres friandises qu'il put imaginer pour prolonger le repas. Tandis qu'il l'occupait ainsi, son visage exprimait une sorte de bonne humeur qui allait jusqu'à la bienveillance, et toute différente de sa physionomie ordinaire, qui était froide, sévère et caustique. Les gens âgés prennent toujours quelque plaisir à voir les jouissances et les exercices de la jeunesse, lorsque leur esprit, dans sa situation naturelle, n'est troublé ni par un sentiment secret d'envie, ni par une folle émulation.

De son côté, Quentin Durward, tout en employant son temps d'une manière si agréable, ne put s'empêcher de découvrir que les traits de l'homme qui le régalait si bien, et qu'il avait d'abord trouvés si repoussants, gagnaient beaucoup quand celui qui les considérait était sous l'influence de quelques verres de vin de Beaune; et ce fut avec un ton de cordialité qu'il reprocha à maître Pierre de rire de son appétit et de ne rien manger lui-même:

« Je fais pénitence, répondit maître Pierre, et je ne puis prendre avant midi que quelques confitures et un verre d'eau; puis, se tournant vers l'hôte, il ajouta: Dites à la dame de là-haut de m'en apporter.

« Eh bien! continua maître Pierre quand l'aubergiste fut parti, vous ai-je tenu parole relativement au déjeuner que je vous avais promis?

— C'est le meilleur que j'aie fait depuis que j'ai quitté Glen-Houlakin, répondit l'Écossais.

— Glen quoi? s'écria maître Pierre: avez-vous envie d'évoquer le diable en prononçant de pareils mots?

— Gen-Houlakin, mon bon monsieur, c'est-à-dire la vallée des moucherons. C'est le nom de notre ancien domaine. Vous avez acquis le droit d'en rire, si cela vous plaît.

— Je n'ai pas la moindre intention de vous offenser, mon jeune ami; mais je voulais vous dire que, si le repas que vous venez de faire est de votre goût, les archers de la garde écossaise en font un aussi bon et peut-être un meilleur tous les jours.

— Je n'en suis pas surpris. S'ils sont enfermés toute la nuit dans les *nids d'hirondelles,* ils doivent avoir le matin un terrible appétit.

— Et ils ont abondamment de quoi le satisfaire; ils n'ont pas besoin, comme les Bourguignons, d'aller le dos nu, afin de pouvoir se remplir le ventre. Ils sont vêtus comme des comtes, et font ripaille comme des abbés.

— J'en suis bien aise pour eux.

— Et pourquoi ne pas prendre de service parmi eux, jeune homme? Je suis sûr que votre oncle pourrait vous faire entrer dans la compagnie, dès qu'il y aura une place vacante; et, je vous le dirai tout bas, j'ai moi-même quelque crédit, et je puis vous être utile: je présume que vous savez monter à cheval aussi bien que tirer de l'arc?

— Tous ceux qui ont porté le nom de Durward sont aussi bons écuyers que qui que ce soit qui ait jamais appuyé son soulier ferré sur l'étrier, et je ne sais trop pourquoi je n'accepterais pas votre offre obligeante. La vie et l'habit sont deux choses indispensables; mais cependant, voyez-vous, les hommes comme moi pensent à l'honneur, à l'avancement, à de hauts faits d'armes. Votre roi Louis, — que Dieu le protège, car il est ami et allié de l'Écosse — mais il reste toujours dans ce château, ou ne fait qu'aller d'une ville fortifiée à une autre. Il gagne des cités et des provinces par des ambassades politiques, et non à la pointe de l'épée. Or, quant à moi, je suis de l'avis des Douglas, qui ont toujours tenu la campagne parce qu'ils aimaient mieux entendre le chant de l'alouette que le cri de la souris.

— Jeune homme, ne jugez pas témérairement des actions des souverains. Louis cherche à épargner le sang de ses sujets, mais il n'est pas avare du sien. Il a fait ses preuves de courage à Montlhéry.

— Oui, mais il y a de cela une douzaine d'années ou davantage. Or, j'aimerais à suivre un maître qui voudrait conserver son honneur aussi brillant que son écusson, et qui serait toujours le premier au milieu de la mêlée.

— Pourquoi donc n'êtes-vous pas resté à Bruxelles avec le duc de Bourgogne? Il vous mettrait à même d'avoir les os brisés tous les jours; et de peur que l'occasion ne vous en manquât, il se chargerait de vous les rompre lui-même, surtout s'il apprenait que vous avez battu un de ses forestiers.

— C'est la vérité. Ma mauvaise étoile m'a fermé cette porte.

— Mais il ne manque pas de chefs qui braveraient le diable; et sous lesquels un jeune étourdi peut trouver du service? Que pensez-vous, par exemple, de Guillaume de la Marck?

— Quoi! l'homme à la longue barbe, le Sanglier des Ardennes! Moi! je servirais un chef de pillards et d'assassins; un brigand qui tuerait un paysan pour s'emparer de sa casaque; qui massacre les prêtres et les pèlerins comme si c'étaient des chevaliers et des hommes d'armes! Ce serait imprimer une tache ineffaçable sur l'écusson de mon père.

— Eh bien! mon jeune cerveau brûlé, si le Sanglier vous paraît trop scrupuleux, pourquoi ne pas suivre le jeune duc de Gueldre (1).

— Je suivrais plutôt le diable! Que je vous dise un mot à l'oreille. C'est un fardeau trop pesant pour la terre. L'enfer s'ouvre déjà pour lui. On dit qu'il tient son père en prison, et qu'il a même osé le frapper. Pouvez-vous le croire? »

Maître Pierre parut un peu décontenancé en voyant l'horreur naïve avec laquelle le jeune Écossais parlait de l'ingratitude d'un fils, et il lui répondit:

« Vous ignorez, jeune homme, combien les liens du sang sont faibles pour les hommes d'un rang élevé. Quittant alors le ton sentimental qu'il avait pris d'abord, il ajouta avec une sorte de gaieté: D'ailleurs, si le duc a battu son père, je vous réponds que ce père l'avait battu plus d'une fois: ainsi ce n'est qu'un solde de compte.

— Je suis surpris de vous entendre parler ainsi, dit le jeune Écossais en rougissant d'indignation. Une tête grise comme la vôtre devrait savoir mieux choisir ses sujets

1. C'était Adolphe, fils d'Arnold et de Catherine de Bourbon. Il se trouve peu mêlé à notre sujet, quoiqu'il soit un des caractères les plus atroces de ce temps. Il fit la guerre contre son père, et dans le cours de cette lutte dénaturée, le vieillard étant devenu son prisonnier, il le traita avec la violence la plus brutale; on dit même qu'il alla jusqu'à le frapper. Irrité de tant d'outrages, Arnold déshérita ce fils indigne, et vendit à Charles de Bourgogne tous ses droits sur le duché de Gueldre et le comté de Zutphen. Marie de Bourgogne, fille de Charles, rendit ses biens à Adolphe, qui fut tué en 1477.

de plaisanterie. Si le vieux duc a battu son fils dans son enfance, il ne l'a point battu assez. Il aurait mieux valu qu'il le fît périr sous les verges, que de le laisser vivre pour faire rougir toute la chrétienté du baptême d'un tel monstre!

— A ce compte, et de la manière dont vous épluchez le caractère des princes et des chefs, je crois que ce que vous avez de mieux à faire, c'est de devenir capitaine vous-même; car où un homme si sage en trouvera-t-il un qui soit digne de lui commander?

— Vous riez à mes dépens, maître Pierre, et vous avez peut-être raison. Mais vous ne m'avez pas nommé un chef plein de vaillance, qui a de bonnes troupes à ses ordres, et sous lequel on pourrait prendre du service assez honorablement.

— Je ne devine pas qui vous voulez dire.

— Eh! celui qui est comme le tombeau de Mahomet (maudit soit le prophète!) suspendu entre les deux pierres d'aimant; celui qu'on ne peut appeler ni Français ni Bourguignon, mais qui sait maintenir la balance entre eux, et se faire craindre et servir par les deux princes, quelque puissants qu'ils soient.

— Je ne devine pas encore qui vous voulez dire, répéta maître Pierre d'un air pensif.

— Et qui serait-ce, sinon le noble Louis de Luxembourg, comte de Saint-Pol, et grand connétable de France? Il se maintient à la tête de sa petite armée, levant la tête aussi haut que le roi Louis et le duc Charles, et se balançant entre eux, comme l'enfant placé au milieu d'une planche, dont deux de ses compagnons font monter et descendre successivement chacun des deux bouts (1).

1. Cette portion du règne de Louis XI fut très troublée par les intrigues du comte de Saint-Pol, qui, affectant l'indépendance,

— Et l'enfant dont vous parlez est celui des trois qui peut faire la chute la plus dangereuse. Mais écoutez-moi, mon jeune ami, vous à qui le pillage paraît un tel crime: savez-vous bien que votre politique comte de Saint-Pol est celui qui a le premier donné l'exemple d'incendier les campagnes pendant la guerre; et qu'avant les honteuses dévastations qu'il a commises, les deux partis ménageaient les villages et les villes ouvertes qui ne faisaient pas résistance?

— Sur ma foi, si la chose est ainsi, je commencerai à croire que pas un de ces grands hommes ne vaut mieux que l'autre, et que faire un choix parmi eux, c'est comme si l'on choisissait un arbre pour y être pendu. Mais ce comte de Saint-Pol, ce connétable, a trouvé moyen de se mettre en possession de la ville qui porte le nom de mon saint patron, de Saint-Quentin (1). (Ici le jeune Écossais fit un signe de croix.) Et il me semble que si j'étais là, mon bon patron veillerait un peu sur moi; car il est moins occupé que certains saints qui ont un bien plus grand nombre de personnes de leur nom: et cependant il faut qu'il ait oublié le pauvre Quentin Durward, son fils spirituel, puisqu'il le laisse un jour sans nourriture, et que le lendemain il l'abandonne à la protection de saint Julien, et à l'hospitalité d'un étranger, achetée par un bain pris dans la fameuse rivière du Cher, ou dans quelqu'une de celles qui vont s'y jeter.

traitait à la fois avec l'Angleterre, la France et la Bourgogne. Suivant le destin ordinaire des hommes dont la politique est si variable, le connétable finit par s'attirer l'animosité de tous ces voisins puissants qu'il avait tour à tour joués et trompés. Le duc de Bourgogne le livra au roi de France, qui le fit juger et promptement exécuter pour crime de trahison, l'an 1475.

1. C'est la possession de cette ville de Saint-Quentin qui mit le connétable en état de se livrer aux intrigues politiques qui finirent par lui coûter si cher.

— Ne blasphème pas les saints, mon jeune ami, dit maître Pierre. Saint Julien est le fidèle patron des voyageurs, et il est possible que le bienheureux saint Quentin ait fait beaucoup plus et beaucoup mieux que tu ne te l'imagines. »

Comme il parlait encore, la porte s'ouvrit, et une jeune fille paraissant avoir quinze ans apporta un plateau couvert d'une belle serviette de damas, sur lequel était un compotier rempli de ces prunes sèches pour lesquelles la ville de Tours a été renommée dans tous les temps. Il s'y trouvait aussi une coupe richement ciselée, espèce d'ouvrages que les orfèvres de cette ville exécutaient autrefois avec un art qui les distinguait de ceux des autres villes de France, et même de la capitale. La forme en était si élégante, que Durward ne songea pas à examiner si elle était d'argent, ou seulement d'étain, comme le gobelet placé devant lui sur la table, et qui était si brillant qu'on aurait pu le croire d'un métal plus précieux.

Mais la vue de la jeune personne qui tenait le plateau attira l'attention de Durward, beaucoup plus que les objets qui y étaient placés.

Il eut bientôt découvert qu'une profusion de longues tresses de beaux cheveux noirs, qu'elle portait de même que les jeunes Écossaises, sans autre ornement qu'une guirlande de feuilles de lierre, formaient un voile naturel autour de son visage, dont les traits réguliers, les yeux noirs et l'air pensif, auraient pu rappeler la mélancolique Melpomène; mais il y avait sur ses joues une nuance de carmin, et sur ses lèvres et dans son regard, un sourire qui portait à croire que la gaieté n'était pas étrangère à une physionomie si séduisante, quoique ce ne fût pas son expression la plus habituelle. Quentin crut même pouvoir distinguer que des circonstances affligeantes étaient la cause qui prêtait à la figure d'une si jeune et si jolie personne l'apparence d'une gravité qui n'accompagne pas ordinairement la beauté dans sa première jeunesse; et, comme l'imagination d'un jeune homme est prompte à tirer des conclusions des données les plus légères, il lui plut d'inférer de ce qui va suivre, que la destinée de cette charmante inconnue était enveloppée de mystère et de silence.

« Que veut dire ceci, Jacqueline? dit maître Pierre dès qu'elle entra. N'avais-je pas demandé que dame Perrette m'apportât ce dont j'avais besoin? Pâques-Dieu! est-elle ou se croit-elle trop grande dame pour me servir?

— Ma mère est mal à l'aise, répondit Jacqueline à la hâte et du ton le plus humble; elle ne se porte pas bien, et garde la chambre.

— Elle la garde seule, j'espère! s'écria maître Pierre avec une sorte d'emphase; je suis *un vieux routier,* et ce n'est pas à moi qu'on en fait accroire par une maladie prétendue. »

A ces paroles Jacqueline pâlit, et chancela même; car il faut avouer que le ton et le regard de maître Pierre, toujours durs, caustiques et désagréables, devenaient sinistres et alarmants quand ils exprimaient la colère ou le soupçon.

La galanterie de notre jeune montagnard prit l'éveil sur-le-champ, et il s'approcha de Jacqueline pour la soulager du fardeau qu'elle portait, et qu'elle lui remit d'un air pensif, en jetant sur le bourgeois en courroux un regard timide et inquiet. Il eût été contre nature de résister à l'expression de ces yeux tendres qui semblaient implorer la compassion; et maître Pierre lui dit, non plus d'un air de mécontentement, mais avec autant de douceur que sa physionomie pouvait en exprimer:

« Je ne te blâme pas, Jacqueline; car tu es trop jeune pour être déjà ce qu'il est dur de penser que tu dois être un jour... fausse et perfide comme tout le reste de ton sexe frivole. Personne n'est parvenu à l'âge d'homme sans avoir été à portée de vous connaître toutes, et voici un cavalier écossais qui te dira la même chose (1). »

Jacqueline jeta les yeux un instant sur le jeune étranger, comme pour obéir à maître Pierre; mais ce regard, quelque rapide qu'il fût, parut à Durward un appel touchant à sa générosité. Avec l'empressement d'un jeune homme, et le respect romanesque pour le beau sexe que lui avait inspiré son éducation, il répondit à l'instant qu'il jetterait le gant du combat à tout antagoniste de son rang et de son âge qui oserait dire que des traits semblables à ceux qu'il voyait pouvaient ne pas être animés par l'âme la plus pure.

Les joues de la jeune fille se couvrirent d'une pâleur mortelle, et elle jeta un regard craintif sur maître Pierre, à qui la bravade du jeune Écossais parut n'inspirer qu'un sourire de mépris plutôt que d'approbation. Quentin, dont la seconde pensée corrigeait ordinairement la première, rougit d'avoir prononcé quelques mots qui pouvaient passer pour une fanfaronnade devant un vieillard pacifique par état; et, se condamnant à une sorte de réparation aussi juste que proportionnée à sa faute, il résolut de supporter patiemment le ridicule qu'il avait mérité. Il présenta à maître Pierre le plateau dont il s'était chargé, en rougissant et avec un air d'embarras qu'il cherchait vainement à cacher.

« Vous êtes un jeune fou, lui dit maître Pierre; et vous ne connaissez pas mieux les femmes que les princes, dont Dieu, ajouta-t-il en faisant le signe de la croix dévotement, tient les cœurs dans sa main droite.

— Et qui tient donc les cœurs des femmes? demanda

1. Un profond dédain pour l'intelligence et les qualités du beau sexe faisait une partie du caractère fort peu aimable de Louis, et n'était certes pas la meilleure.

Quentin, déterminé à ne pas s'en laisser imposer par l'air de supériorité de cet homme extraordinaire, dont les manières hautaines et insouciantes exerçaient sur lui une influence dont il était un peu humilié.

— Je crois qu'il faut faire cette question à quelque autre, répondit maître Pierre avec beaucoup de sang-froid. »

Cette nouvelle rebuffade ne déconcerta pourtant pas entièrement Quentin Durward. A coup sûr, pensa-t-il, ce n'est pas pour la misérable obligation d'un déjeuner, quelque substantiel et excellent qu'il fût, que j'aurais tant de déférence envers ce bourgeois de Tours! On s'attache les chiens et les faucons en les nourrissant; c'est par les liens de l'amitié et des services qu'on peut enchaîner le cœur de l'homme. Mais ce bourgeois est vraiment extraordinaire; et cette apparition enchanteresse — qui va déjà disparaître —, un être si parfait ne peut appartenir à si bas lieu, il ne peut même dépendre de ce riche marchand, quoique celui-ci semble exercer à son égard une sorte d'autorité comme il le fait sans doute sur tout ce que le hasard jette dans son petit cercle. Il est étonnant quelles idées d'importance ces Flamands et ces Français attachent à la richesse — infiniment plus qu'elle n'en mérite; car je suppose que ce vieux marchand s'imagine devoir à son argent la considération que j'accorde à son âge. Moi, gentilhomme écossais d'une ancienne race, d'une naissance distinguée, et lui un marchand de Tours!

Telles étaient les idées qui se succédaient rapidement dans l'esprit du jeune Durward, tandis que maître Pierre disait à Jacqueline, en souriant, et en passant la main sur ses longs cheveux:

« Ce jeune homme me servira, Jacqueline; tu peux te retirer. Je dirai à ta négligente mère qu'elle a tort de t'exposer aux yeux sans nécessité.

— C'était seulement pour vous servir, répondit la jeune fille: j'espère que vous ne serez pas mécontent de votre parente, puisque . . .

— Pâques-Dieu! s'écria maître Pierre en l'interrompant d'un ton vif, mais sans dureté, avez-vous envie de discuter avec moi, ou restez-vous ici pour regarder ce jeune homme? Retirez-vous. Il est noble; il suffira pour me servir. »

Jacqueline sortit; et Durward était si occupé de sa disparition subite, qu'elle rompit le fil de ses réflexions; et il obéit machinalement quand maître Pierre, se jetant nonchalamment sur son grand fauteuil, lui dit du ton d'un homme habitué à commander: « Placez ce plateau près de moi. »

Le marchand, fronçant les sourcils, les fit retomber sur ses yeux pleins de vivacité, de manière qu'à peine étaient-ils visibles, quoiqu'ils lançassent quelquefois un rayon rapide et brillant comme ceux du soleil qui se couche derrière un sombre nuage, à travers lequel il brille par intervalles.

« N'est-ce pas une charmante créature? dit maître Pierre en levant la tête et fixant un regard ferme sur Quentin en lui faisant cette question; une fille fort aimable pour une servante d'auberge? Elle figurerait bien à la table d'un honnête bourgeois; mais cela a reçu une mauvaise éducation; cela a une origine basse. »

Il arrive quelquefois qu'un mot jeté au hasard démolit un splendide château qu'on vient de construire dans les airs; et, en pareille occasion, l'architecte ne sait pas beaucoup de gré à celui qui a laissé tomber le mot fatal, alors même qu'il a parlé sans intention de nuire. Quentin se sentit déconcerté, et il était disposé à se mettre en courroux, sans trop savoir pourquoi, contre ce vieillard, pour l'avoir informé que cette créature enchanteresse n'était ni plus ni moins que ce que ses occupations annonçaient: une servante d'auberge, une servante d'un ordre supérieur, à la vérité (une nièce peut-être ou une parente de l'aubergiste), mais une servante enfin, obligée de se conformer à l'humeur de tous les hôtes, et particulièrement à celle de ce maître Pierre, qui paraissait être assez fantasque et assez riche pour vouloir que ses caprices devinssent autant de lois.

Une pensée se présentait encore à son esprit: c'était qu'il devait faire comprendre au vieillard la différence qui existait entre leurs conditions, et lui faire sentir que, quelque riche qu'il pût être, sa richesse ne pouvait le faire marcher l'égal d'un Durward de Glen-Houlakin. Cependant, quand il levait les yeux sur maître Pierre, dans l'intention de lui dire quelques mots à ce sujet, il trouvait dans sa physionomie, malgré ses yeux baissés, ses traits amaigris, et ses vêtements communs, quelque chose qui l'empêchait de faire valoir cette supériorité qu'il croyait avoir sur le marchand. Au contraire, plus il le regardait, plus il le considérait avec attention, et plus il sentait redoubler sa curiosité de savoir qui était cet homme et quel était son rang; il se le représentait alors comme un des premiers magistrats, ou tout au moins un syndic de Tours; en un mot, pour un homme habitué, de manière ou d'autre, à exiger et à obtenir le respect.

Cependant maître Pierre semblait se livrer de nouveau à une rêverie dont il ne sortit que pour faire dévotement le signe de la croix, après quoi il mangea quelques prunes et un biscuit. Il fit signe ensuite à Quentin de lui donner la coupe dont nous avons déjà parlé; mais comme celui-ci la lui présentait, il ajouta avant de la prendre:

« Vous m'avez dit que vous êtes noble, je crois?

— Sans doute, je le suis, répondit l'Écossais, si quinze générations suffisent pour cela. Je vous l'ai déjà dit; mais ne vous gênez pas, maître Pierre: on m'a toujours appris que le devoir du plus jeune est de servir le plus âgé.

— C'est une excellente maxime », répondit le marchand en recevant la coupe que Quentin lui présentait, et en y versant de l'eau d'une aiguière qui semblait de même métal, sans paraître avoir, au sujet des convenances sociales, le moindre de ces scrupules que Quentin peut-être s'était attendu à voir naître en lui.

« Au diable soient l'aisance et la familiarité de ce bourgeois! pensa le jeune homme. Il se fait servir par un noble Écossais avec aussi peu de cérémonie que j'en montrerais moi-même envers un paysan de Glen-Isla. »

Cependant maître Pierre, ayant vidé sa coupe, dit à son compagnon:

« D'après le goût que vous avez montré pour le vin de Beaune, je m'imagine que vous n'êtes pas tenté de me faire raison avec la liqueur que je viens de boire. Mais j'ai sur moi un élixir qui peut changer en vin délicieux l'eau qui sort du rocher. »

Tout en parlant ainsi, il prit dans son sein une grande bourse de peau de loutre de mer, et fit tomber une pluie de petites pièces d'argent, jusqu'à ce qu'il en eût rempli à moitié la coupe, qui n'était pas des plus larges:

« Vous devez plus de reconnaissance à votre patron saint Quentin, et à saint Julien, que vous ne semblez le penser, jeune homme, dit alors maître Pierre, et je vous conseille de faire quelques aumônes en leur nom. Restez dans cette hôtellerie jusqu'à ce que vous voyiez votre parent le Balafré, qui sera relevé de garde ce soir. J'aurai soin de le faire informer qu'il peut vous trouver ici, car j'ai affaire au château. »

Quentin Durward ouvrait la bouche pour s'excuser d'accepter le présent que lui offrait la libéralité de son nouvel ami; mais maître Pierre, fronçant ses gros sourcils, se redressant, et prenant un air plus imposant qu'il ne l'avait encore fait, lui dit d'un ton d'autorité:

« Point de réplique, jeune homme, et faites ce qui vous est ordonné. »

A ces mots, il sortit de l'appartement, et fit signe à Quentin qu'il ne devait pas le suivre.

Le jeune Écossais resta stupéfait, ne sachant que penser de tout ce qui venait de lui arriver. Son premier mouvement, le plus naturel, sinon le plus noble, fut de jeter un coup d'œil sur la coupe, qui était plus qu'à demi pleine de pièces d'argent, quantité dont peut-être il n'avait jamais eu le quart à sa disposition pendant tout le cours de sa vie. Mais sa dignité, comme gentilhomme, lui permettait-elle d'accepter l'argent de ce riche plébéien? C'était une question délicate; car, quoiqu'il vînt de faire un excellent déjeuner, il n'était pas en fonds, soit pour retourner à Dijon, dans le cas où il voudrait entrer au service du duc de Bourgogne, au risque de s'exposer à son courroux, soit pour se rendre à Saint-Quentin, s'il donnait la préférence au connétable de Saint-Pol, car il était déterminé à offrir ses services à l'un de ces deux seigneurs, sinon au roi de France. La résolution à laquelle il s'arrêta fut peut-être la plus sage qu'il pût prendre dans la circonstance; c'était de se laisser guider par les conseils de son oncle. En attendant, il mit l'argent dans son sac de velours, et appela l'hôte pour lui dire d'emporter la coupe d'argent, et pour lui faire en même temps quelques questions sur ce marchand si libéral, et qui savait si bien prendre un ton d'autorité.

Le maître de la maison arriva à l'instant; et, s'il ne fut pas très communicatif, au moins fut-il moins silencieux qu'il ne l'avait été jusqu'alors. Il refusa positivement de reprendre la coupe d'argent. Il n'en avait aucun droit, lui dit-il: elle appartenait à maître Pierre, qui en avait fait présent à celui à qui il venait de donner à déjeuner. Il avait à la vérité quatre hanaps (1) d'argent qui lui avaient été laissés par sa grand-mère, d'heureuse mémoire, mais qui ne ressemblaient pas plus à ce beau vase ciselé qu'un navet ne ressemble à une pêche. C'était une de ces fameuses coupes de Tours, travaillées par Martin Dominique, artiste qui pouvait défier tout Paris.

« Et qui est ce maître Pierre qui fait de si beaux présents aux étrangers? lui demanda Quentin en l'interrompant.

— Qui est maître Pierre? répéta l'hôte en laissant échapper ces paroles de sa bouche aussi lentement que si elles eussent été distillées.

— Sans doute, dit Durward d'un ton vif et impérieux. Quel est ce maître Pierre qui se donne les airs d'être si libéral, et qui est cette espèce de boucher qu'il a envoyé en avant pour ordonner le déjeuner?

— Ma foi, monsieur, quant à ce qu'est maître Pierre, vous auriez dû lui faire cette question à lui-même; et, pour celui qui est venu donner ordre de préparer le déjeuner, Dieu nous préserve de faire connaissance de plus près avec lui!

— Il y a quelque mystère dans tout cela! Ce maître Pierre m'a dit qu'il était marchand.

— S'il vous l'a dit, c'est que c'est la vérité.

— Et quel genre de commerce fait-il?

— Oh! un très beau commerce. Entre autres choses, il a établi ici des manufactures de soieries qui peuvent le disputer à ces riches étoffes que les Vénitiens apportent de l'Inde et du Cathay. Vous avez vu de grandes plantations de mûriers en venant ici: elles ont été faites par ordre de maître Pierre, pour nourrir les vers à soie.

1. Espèce de coupe. Ce vieux mot français est employé par l'auteur.

— Et cette jeune personne qui a apporté ce plateau, qui est-elle, mon cher ami?

— Ma locataire, ainsi qu'une tutrice plus âgée, qui est quelque tante ou quelque cousine, à ce que je pense.

— Et êtes-vous dans l'usage d'employer vos locataires à servir vos hôtes? J'ai remarqué que maître Pierre ne voulait rien recevoir ni de votre main ni de celle de votre garçon.

— Les gens riches ont leurs fantaisies, parce qu'ils peuvent les payer. Ce n'est pas la première fois que maître Pierre a trouvé le moyen de se faire servir par des nobles. »

Le jeune Écossais se trouva un peu offensé de cette observation; mais, déguisant son humeur, il demanda à son hôte s'il pouvait avoir un appartement chez lui pour la journée, et peut-être pour plus longtemps.

« Sans contredit, et pour tout le temps que vous le désirerez.

— Et, comme je vais loger sous le même toit que ces deux dames, pourrait-il m'être permis de leur présenter mes respects?

— Je n'en sais trop rien. Elles ne sortent point, et ne reçoivent aucune visite.

— A l'exception de celles de maître Pierre, sans doute?

— Il ne m'est pas permis de citer aucune exception, répondit l'aubergiste avec une assurance respectueuse. »

Quentin avait une idée assez haute de son importance, si on considère le peu de moyens qu'il avait pour la soutenir. Un peu mortifié par la réponse de l'hôte, il n'hésita pas à se prévaloir d'un usage assez commun dans ce siècle:

« Portez à ces dames, lui dit-il, un flacon de *vernat* (1); offrez-leur mes très humbles respects, et dites-leur que Quen-

1. Espèce de liqueur.

tin Durward, de la maison de Glen-Houlakin, honorable cavalier écossais, et logeant en ce moment, comme elles, dans cette hôtellerie, leur demande la permission de leur présenter personnellement ses hommages. »

L'hôte sortit, revint presque au même instant, et annonça que les dames offraient leurs remerciements au cavalier écossais, ne croyaient pas devoir accepter le rafraîchissement offert, et regrettaient de ne pouvoir recevoir sa visite, attendu la retraite dans laquelle elles vivaient.

Quentin se mordit les lèvres; puis, se versant un coup du *vernat* qu'on avait refusé, et que l'hôte avait placé sur la table, il dit en lui-même: Par la messe! voici un pays bien étrange. Des marchands et des ouvriers y ont les manières et la munificence de grands seigneurs, et de petites filles qui tiennent leur cour dans un cabaret, se donnent des airs comme si elles étaient des princesses déguisées! Je reverrai pourtant cette belle aux sourcils noirs, ou les choses iraient bien mal.

Ayant pris cette sage résolution, il demanda à être conduit dans l'appartement qui lui était destiné.

L'aubergiste le fit monter par un escalier tournant qui aboutissait à une galerie sur laquelle donnaient plusieurs portes, comme celles des cellules d'un couvent; cette ressemblance n'excita pas une grande admiration en notre héros, qui se souvenait avec beaucoup d'ennui de l'avant-goût qu'il avait eu de bonne heure de la vie monastique. L'hôte s'arrêta au bout de la galerie, choisit une clé dans le trousseau qu'il portait à sa ceinture, ouvrit une porte, et montra à Durward une chambre formant l'intérieur d'une tourelle. Elle était étroite à la vérité, mais fort propre, un peu écartée des autres, garnie d'un fort beau lit, et de meubles fort supérieurs à ceux qu'on trouve ordinairement dans les auberges; elle lui parut, au total, un petit palais.

« J'espère, Monsieur, que vous trouverez votre appartement agréable, lui dit l'hôte en se retirant. C'est un devoir pour moi de satisfaire tous les amis de maître Pierre. »

« L'heureux plongeon que j'ai fait ce matin! s'écria Quentin, qui, en parlant ainsi, pirouetta de contentement dans sa chambre, dès que l'hôte fut parti; jamais bonheur n'a été si grand sur terre ou sous l'eau. C'est un véritable déluge de bonne fortune. »

En parlant ainsi, il s'approcha de la petite fenêtre qui éclairait sa chambre. Comme la tourelle s'avançait considérablement au-delà de la ligne du bâtiment, ou découvrait non seulement le joli jardin assez étendu de l'auberge, mais encore la plantation de mûriers qu'on disait que maître Pierre avait fait faire pour élever des vers à soie. En détournant les yeux de ces objets éloignés, on découvrait, directement le long du mur, une seconde tourelle éclairée par une fenêtre qui faisait face à celle où notre héros se trouvait en ce moment.

Or, il serait difficile à un homme qui a vingt ans de plus que n'en avait alors Quentin, de dire pourquoi cette seconde tourelle et cette seconde croisée l'intéressaient plus que le joli jardin et la belle plantation de mûriers; car, hélas! une tourelle, dont la croisée n'est qu'entrouverte pour admettre l'air et ne pas laisser pénétrer le soleil ou les regards trop curieux peut-être, n'est vue qu'avec indifférence par des yeux de quarante ans et plus, quand même ils verraient suspendu tout à côté un luth à moitié caché sous un léger voile de soie verte. Mais à l'âge heureux de Durward, de tels *accidents*, comme un peintre les appellerait, forment une base suffisante pour y fonder cent visions aériennes, dont le souvenir fait sourire et soupirer, soupirer et sourire l'homme d'un âge mûr.

Comme on peut supposer que notre ami Quentin désirait en apprendre un peu plus sur sa belle voisine, la propriétaire du luth et du voile; comme on peut supposer du moins qu'il prenait quelque intérêt à savoir si ce n'était point par hasard cette même jeune personne qu'il avait vue servir maître Pierre avec tant d'humilité, on doit bien présumer qu'il ne se mit point la moitié du corps hors de la fenêtre, la bouche ouverte et les yeux pétillants de curiosité. Durward connaissait mieux l'art de prendre les oiseaux. Se cachant avec soin derrière la muraille, il avança la tête avec précaution, et se contenta de regarder à travers les barreaux d'une jalousie: ce fut à tous ces soins réunis que ses yeux durent le plaisir de voir un joli bras, blanc de lis et fait au tour, prendre l'instrument suspendu; et au bout de quelques moments, ses oreilles partagèrent la récompense de son adroite manœuvre.

L'habitante de la petite tourelle, la propriétaire du luth et du voile, chanta précisément un petit air tel que ceux que nous supposons généralement que chantaient les grandes dames du temps de la chevalerie, tandis que les chevaliers et les troubadours les écoutaient en soupirant. Les paroles n'avaient pas assez de sentiment, d'esprit et d'imagination pour détourner l'attention de la musique, et la musique n'était pas assez savante pour empêcher d'écouter les paroles. Le poète et le musicien semblaient si nécessaires l'un à l'autre, que si l'on avait lu la chanson sans accompagnement, ou qu'on eût joué l'air sur un instrument sans lui prêter le secours de la voix, les vers aussi bien que les notes auraient perdu tout leur mérite. Peut-être avons-nous tort de conserver ici une chanson qui n'a été faite ni pour être lue ni pour être récitée, mais seulement pour être chantée. Ces lambeaux d'ancienne poésie ont toujours eu des attraits pour nous; et, comme l'air est perdu pour toujours, à moins qu'il n'arrive que Bishop (1)

1. Compositeur anglais, célèbre en Angleterre.

en retrouve les notes, ou que quelque rossignol apprenne à Stephens (1) à les gazouiller, nous courons le risque de compromettre notre goût et celui de la dame au luth, en insérant ici des vers dans lesquels on ne trouve qu'une simplicité sans ornement.

Comte Guy, l'heure est arrivée;
L'astre du jour a quitté l'horizon.
Fleur d'oranger embaume le vallon;
Sur l'Océan la brise s'est levée;
A chanter son amour
L'alouette a passé le jour,
Et près de sa compagne en paix attend l'aurore:
L'oiseau, le vent, la fleur
Connaissent l'instant du bonheur,
Pourquoi donc, comte Guy, ne viens-tu pas encore?

La villageoise, sous l'ombrage,
De son amant écoute la leçon;
Le chevalier vient au pied d'un balcon
Chanter sa dame et son doux esclavage.
L'étoile du berger,
D'amour fidèle messager,
Éclipse tous les feux dont le ciel se décore:
On voit grands et petits
A son influence soumis,
Pourquoi donc, comte Guy, ne viens-tu pas encore?

Quoi que le lecteur puisse penser de cette chanson si simple, elle produisit un effet puissant sur Quentin, lorsqu'il l'entendit chanter par une voix douce et mélodieuse dont les accents se mariaient aux soupirs d'un doux zéphyr qui apportait jusqu'à la fenêtre les parfums des fleurs du jardin. Le visage de celle qui chantait ne pouvait être

1. *Miss Stephens, cantatrice distinguée.*

reconnu qu'imparfaitement; ce qui jetait sur cette scène comme un charme de mystère.

A la fin du second couplet, Durward ne put s'empêcher de se montrer un peu plus à découvert, en faisant une tentative pour mieux voir la sirène qui l'enchantait. La musique cessa à l'instant; la fenêtre se ferma, un rideau fut tiré, et l'on mit fin par là aux observations du voisin de la seconde tourelle.

Quentin fut aussi mortifié que surpris des suites de sa précipitation, mais il se consola par l'espoir que la dame au luth n'abandonnerait pas si facilement un instrument dont elle jouait si bien, et qu'elle ne serait pas assez cruelle pour se priver de l'air pur et du plaisir d'ouvrir sa croisée, dans l'intention peu généreuse de jouir seule des doux sons de sa voix: peut-être même qu'un peu de vanité personnelle vint se mêler à ces réflexions consolantes. Si, comme il le soupçonnait, l'habitante de la tourelle voisine était une belle demoiselle à longs cheveux noirs, il ne pouvait s'empêcher de croire qu'un jeune cavalier, beau, bien fait, plein de feu et de vivacité, occupait la seconde; et les romans, ces sages instituteurs de la jeunesse, lui avaient appris que, si les demoiselles étaient timides et réservées, elles étaient également assez curieuses de connaître les affaires de leurs voisins, et y prenaient quelquefois intérêt.

Tandis que Quentin faisait ces réflexions, un garçon de l'auberge vint l'informer qu'un cavalier demandait à lui parler.

5. L'HOMME D'ARMES

Barbu comme un chat-pard, jurant comme un démon,
Et prêt à défier la bouche d'un canon
Pour cette bulle d'air qu'on appelle la gloire.

SHAKESPEARE. *Comme il vous plaira.*

LE cavalier qui attendait Quentin Durward dans l'appartement où il avait déjeuné était un de ceux dont Louis XI avait dit depuis longtemps qu'ils tenaient entre leurs mains la fortune de la France, parce que c'était à eux qu'il avait confié la garde de sa personne royale.

Ce corps célèbre, qu'on nommait les archers de la garde écossaise, avait été formé par Charles VI, avec plus de raison qu'on ne peut en alléguer généralement pour entourer le trône d'une troupe de soldats mercenaires. Les dissensions qui avaient arraché à ce monarque plus de la moitié de son royaume, et la fidélité douteuse et chancelante de la noblesse qui défendait encore sa cause, rendaient imprudent et impolitique de confier à ses sujets le soin de sa sûreté personnelle.

Les Écossais étaient les ennemis héréditaires de l'Angleterre, les anciens amis, et, à ce qu'il semblait, les alliés naturels de la France. Ils étaient pauvres, courageux et fidèles. La population surabondante de l'Écosse, le pays de l'Europe qui voyait partir le plus grand nombre de hardis aventuriers, fournissait toujours de quoi recruter leurs rangs. Leurs prétentions à une antique noblesse leur donnaient en outre le droit d'approcher de la personne d'un monarque de plus près que toute autre troupe, tandis que leur petit nombre empêchait qu'ils ne pussent se mutiner, et s'ériger en maîtres là où ils devaient obéir.

D'une autre part, les monarques français s'étaient fait

une politique de se concilier l'affection de ce corps d'élite, en leur accordant des privilèges honorifiques, et une paye considérable, que la plupart d'entre eux dépensaient avec une profusion vraiment militaire, pour soutenir leur rang. Chacun d'eux avait le grade et les honneurs de gentilhomme, et leurs fonctions, en les approchant de la personne du roi, leur donnaient de l'importance à leurs propres yeux, comme à ceux de tous les Français. Ils étaient armés, équipés et montés somptueusement, et chacun d'eux avait le droit d'entretenir un écuyer, un page, un varlet, et deux serviteurs dont l'un était nommé *le coutelier*, d'après le grand couteau qu'il portait pour dépêcher ceux que son maître avait renversés dans la mêlée. Avec cette suite, et un équipage qui y répondait, un archer de la garde écossaise était un homme de qualité et d'importance; et comme les places vacantes étaient ordinairement accordées à ceux qui avaient appris le service en qualité de pages ou de varlets, on envoyait souvent les cadets des meilleures familles d'Écosse servir sous quelque ami ou quelque parent, jusqu'à ce qu'il se présentât une chance d'avancement.

Le coutelier et son compagnon, n'étant pas nobles, et par conséquent ne pouvant prétendre à cette promotion, se recrutaient parmi des gens de qualité inférieure; mais, comme ils avaient une bonne paye, leurs maîtres trouvaient aisément parmi leurs concitoyens errants des hommes aussi braves que pleins de force pour les servir en cette qualité.

Ludovic Lesly, ou, comme nous l'appellerons plus fréquemment, le Balafré, car c'était sous ce nom qu'il était généralement connu en France, était un homme de près de six pieds, robuste; les traits déjà peu gracieux de son visage semblaient encore plus durs par suite d'une énorme cicatrice qui partait du haut du front, passait tout à côté de l'œil droit, traversait la joue, et se terminait au bas de l'oreille. Cette suture profonde, tantôt écarlate, tantôt pourpre, quelquefois presque noire, était toujours hideuse, par le contraste qu'elle formait avec la couleur de son visage agité ou calme, enflammé par un mouvement de passion, ou offrant habituellement la couleur sombre de son teint hâlé par le soleil.

Son costume et ses armes étaient splendides. Il portait la toque écossaise, surmontée d'un panache, avec une vierge d'argent en guise de cocarde. Cet ornement avait été donné par le roi à la garde écossaise, parce que dans un de ses accès de piété superstitieuse, il avait consacré les épées de cette troupe au service de la sainte Vierge. Il avait même été, suivant quelques historiens, jusqu'à en nommer Notre-Dame le capitaine-général, et à en signer le brevet pour elle. Le hausse-col du Balafré, ses brassards et ses gantelets, étaient du plus bel acier damasquiné en argent: et son haubert, ou sa cotte de mailles, brillait comme la gelée d'une matinée d'hiver sur la bruyère. Il portait un surtout flottant, ou casaque de velours blanc, ouvert sur les côtés comme l'habit d'un héraut, et ayant par-devant et par-derrière une grande croix blanche brodée en argent. Ses cuissards et ses genouillères étaient aussi de mailles, et ses souliers étaient couverts en acier. Un poignard, à lame large et bien affilée, qu'on nommait *la merci de Dieu,* était attaché à son côté droit, un baudrier richement brodé, passé sur son épaule, soutenait un grand sabre; mais, pour plus de commodité, il tenait à la main en ce moment cette arme pesante, que les règles de son service ne lui permettaient jamais de quitter.

Quoique Durward, de même que tous les jeunes Écossais de ce temps, eût été habitué de bonne heure aux armes et à la guerre, il pensa qu'il n'avait jamais vu un homme d'armes d'un air plus martial, et plus complètement équipé, que celui qui l'embrassa en ce moment; et c'était le frère de sa mère, Ludovic Lesly le Balafré. Cependant l'expression d'une physionomie qui n'était rien moins que prévenante pensa presque le faire reculer, tandis que son cher oncle, lui caressant les deux joues l'une après l'autre avec ses moustaches rudes, félicitait son neveu de son arrivée en France, et lui demandait en même temps quelles nouvelles il apportait d'Écosse:

« Rien de bon, mon cher oncle, répondit Durward; mais je suis charmé de voir que vous m'avez reconnu si aisément.

— Je t'aurais reconnu, mon garçon, dit le Balafré, quand je t'aurais rencontré dans les landes de Bordeaux, monté sur des échasses, comme une cigogne (1). Mais assieds-toi, assieds-toi: et, si tu as de mauvaises nouvelles à m'apprendre, nous aurons du vin pour nous aider à les supporter. Holà, hé! Petite-Mesure, notre bon hôte! Du vin, du meilleur, et à l'instant. »

L'accent écossais était aussi familier alors dans les tavernes des environs du Plessis, que l'est aujourd'hui l'accent suisse dans les guinguettes modernes de Paris et, dès qu'on l'entendit, on obéit avec une promptitude sans égale et la précipitation de la crainte. Un flacon de vin de Champagne fut bientôt placé entre l'oncle et le neveu. L'oncle s'en versa un grand verre, tandis que le neveu n'en prit que la moitié d'un, pour répondre à la politesse de son parent, en lui faisant observer qu'il avait déjà bu du vin ce matin.

« Cette excuse serait bonne dans la bouche de ta sœur, mon neveu, dit le Balafré; il ne faut pas craindre ainsi la bouteille, si tu veux avoir de la barbe au menton et devenir bon soldat. Mais voyons, déboutonnez-vous; que dit le

1. Les béquilles ou échasses servent en Écosse pour passer les rivières, et étaient employées par les paysans des Landes pour traverser les déserts de sable.

courrier d'Écosse? donnez-moi les nouvelles de Glen-Houlakin. Comment se porte ma sœur?

— Elle est morte, bel oncle, répondit Quentin douloureusement.

— Morte! répéta son oncle, d'un ton qui annonçait plus de surprise que d'affliction; comment diable! Elle était de cinq ans plus jeune que moi, et je ne me suis jamais mieux porté. Morte! cela est impossible! je n'ai jamais eu même un mal de tête, si ce n'est après deux ou trois jours de ripaille avec les confrères de la joyeuse science. Ainsi donc ma pauvre sœur est morte! Et votre père, mon neveu, est-il remarié? »

Avant que son neveu eût eu le temps de lui répondre, il lut sa réponse dans la surprise que lui causa cette question, et ajouta: « Il ne l'est pas? J'aurais juré qu'Allan Durward n'était pas homme à vivre sans femme. Il aimait à voir sa maison en bon ordre. Il aimait à regarder une jolie femme, et cependant il était austère dans ses principes. Le mariage lui procurait tout cela. Quant à moi, je m'en soucie fort peu, et je puis regarder une jolie femme sans penser au sacrement; je ne suis pas assez saint pour cela.

— Hélas! mon cher oncle, il y avait près d'un an que ma mère était veuve quand elle mourut. Lorsque Glen-Houlakin fut attaqué par les Ogilvies, mon père, mes deux oncles, mes deux frères aînés, sept de nos parents, le ménestrel, l'intendant et six autres de nos gens furent tués en défendant le château. Il ne reste pas un seul foyer, ni pierre sur pierre dans tout Glen-Houlakin.

— Par la croix de saint André (1)! c'est ce que j'appelle un véritable sac. Oui, ces Ogilvies ont toujours été de

1. Jurement tout écossais. La croix de saint André est l'emblème national de l'Écosse.

fâcheux voisins pour Glen-Houlakin. C'est une mauvaise chance, mais c'est le destin de la guerre . . . le destin de la guerre . . .! Et quand ce désastre arriva-t-il, beau neveu? »

En faisant cette question, il avala un grand verre de vin; et il secoua la tête d'un air solennel, quand son neveu lui répondit qu'il y avait eu un an à la Saint-Jude que toute sa famille avait péri:

« Voyez! dit le Balafré, ne vous disais-je pas que c'était la chance de la guerre? C'est ce jour-là même que j'ai emporté d'assaut, avec vingt de mes camarades, le château de Roche-Noire, appartenant à Amaury Bras-de-Fer, capitaine des Francs-Lanciers, dont vous avez dû entendre parler. Je le tuai sur le seuil de sa porte; et je gagnai assez d'or dans cette affaire pour en faire cette belle chaîne, qui avait autrefois le double de la longueur que vous lui voyez. Et cela me fait penser qu'il faut que j'en consacre une partie à une destination religieuse. André! holà! André. »

André entra sur-le-champ. C'était le coutelier du Balafré. Il était, en général, équipé de même que son maître, si ce n'est qu'il n'avait d'autre armure défensive qu'une cuirasse plus grossièrement fabriquée, que sa toque était sans panache, et son surtout d'un drap commun au lieu d'être de velours. Ôtant de son cou sa chaîne d'or, le Balafré en arracha, avec les dents, environ la longueur de quatre pouces à l'un des bouts, et remit ce fragment à André:

« Portez ceci de ma part, lui dit-il, à mon joyeux compère le père Boniface, moine de Saint-Martin. Saluez-le de ma part en lui rappelant qu'il ne pouvait pas dire Dieu vous aide, la dernière fois que nous nous quittâmes à minuit. Dites-lui que mon frère, ma sœur et plusieurs autres de mes parents sont morts et partis pour l'autre monde, et que je le prie de dire des messes pour le salut de leurs âmes autant qu'il en pourra dire pour ce bout de chaîne d'or; et s'il faut quelque chose de plus pour les tirer du purgatoire, qu'il le fasse à crédit. Et écoutez-moi; comme c'étaient des gens vivant bien, et n'étant souillés par aucune hérésie, il peut se faire qu'ils aient déjà un pied hors du purgatoire; et en ce cas, voyez-vous, je désire qu'il emploie cet or en malédictions contre une race appelée les Ogilvies, et en malédictions des meilleures qu'ait l'Église pour les atteindre. Vous me comprenez bien? »

André répondit par un signe de tête affirmatif:

« Mais prends bien garde, continua le Balafré, qu'aucun de ces chaînons ne trouve le chemin d'un cabaret avant que le moine y ait touché; car si cela t'arrive, j'userai sur ton dos tant de sangles et de courroies qu'il ne te restera pas plus de peau qu'à saint Barthélemy. Attends, je vois que tu couves des yeux ce flacon de vin; eh bien! tu ne partiras pas sans y avoir goûté. »

A ces mots il lui en versa une rasade, et le coutelier, après avoir bu, partit pour exécuter ses ordres:

« Et maintenant, mon neveu, dites-moi ce que vous devîntes dans cette fâcheuse affaire.

— Je combattis avec ceux qui étaient plus âgés et plus vigoureux que moi, jusqu'à ce qu'ils eussent tous succombé, et je reçus une cruelle blessure.

— Pas pire que celle que je reçus il y a dix ans, à ce qu'il me semble. Regardez cette cicatrice. Jamais la lame d'un Ogilvie n'a creusé un sillon si profond.

— Ceux qu'ils creusèrent en cette occasion ne l'étaient que trop, répondit Durward douloureusement; mais ils finirent par se lasser du carnage, et, quand on remarqua qu'il me restait un souffle de vie, ma mère obtint, à force de prières, qu'on ne me le ravirait pas. Un savant moine d'Aberbrothock (1), qui était par hasard au château lors de l'atta-

1. *La même abbaye est mentionnée dans* l'Antiquaire.

que, et qui pensa périr lui-même dans la mêlée, obtint la permission de bander ma blessure, et de me faire transporter en lieu de sûreté; mais ce ne fut que sur la parole que ma mère et lui donnèrent, que je me ferais moine.

— Moine! s'écria son oncle, par saint André! c'est ce qui ne m'est jamais arrivé. Personne, depuis mon enfance jusqu'à ce jour, n'a seulement rêvé de me faire moine. Et cependant j'en suis surpris quand j'y pense; car excepté la lecture et l'écriture, que je n'ai jamais pu apprendre; la psalmodie, qui m'a toujours été insupportable; le costume, qui rend les bons pères semblables à des fous et à des mendiants, Notre-Dame me pardonne! (ici il fit un signe de croix); et leurs jeûnes, qui ne conviennent pas à mon appétit, je ne vois pas ce qui m'aurait manqué pour faire un aussi bon moine que mon petit compère de Saint-Martin. Mais, je ne sais pourquoi, personne ne me l'a jamais proposé. Ainsi donc, beau neveu, vous deviez être moine! Et pourquoi, s'il vous plaît?

— Pour que la maison de mon père s'éteignît dans le cloître ou dans la tombe.

— Je vois, je comprends; rusés coquins! oui, très rusés! Ils auraient pu se tromper dans leurs calculs pourtant; car voyez-vous, beau neveu, je me souviens du chanoine Robersart, qui avait prononcé ses vœux, et qui sortit ensuite du cloître et devint capitaine de troupes franches. Il avait une maîtresse, la plus jolie fille que j'aie jamais vue, et trois enfants charmants. Il ne faut pas se fier aux moines, beau neveu: il ne faut pas s'y fier. Ils peuvent devenir soldats et pères quand vous vous y attendez le moins. Mais continuez votre histoire.

— J'ai peu de choses à y ajouter, si ce n'est que, regardant ma pauvre mère comme en quelque sorte responsable pour moi, je pris l'habit de novice, je me soumis aux règles du cloître, et j'appris même à lire et à écrire.

— A lire et à écrire! s'écria-t-il; je ne puis le croire: jamais un Durward, que je sache, ne put écrire son nom, et un Lesly pas davantage. C'est du moins ce que je puis garantir pour un de ces derniers; je ne suis pas plus en état d'écrire que de voler dans les airs. Mais, au nom de saint Louis, comment vous ont-ils appris tout cela?

— Ce qui me paraissait d'abord difficile est devenu plus aisé avec le temps. Ma blessure et la grande perte de sang qui en avait été la suite m'avaient fort affaibli; je désirais faire plaisir à mon sauveur, le père Pierre, de sorte que je m'appliquai de bon cœur à ma tâche; mais, après avoir langui plusieurs mois, ma bonne mère mourut; et comme ma santé était alors parfaitement rétablie, je communiquai à mon bienfaiteur, qui était le sous-prieur du couvent, ma répugnance à prononcer les vœux. Il fut alors décidé entre nous que, puisque ma vocation ne m'appelait pas au cloître, j'irais chercher fortune dans le monde; mais que, pour mettre le sous-prieur à l'abri du courroux des Ogilvies, mon départ aurait l'air d'une fuite; pour y donner plus de vraisemblance, j'emportai avec moi un faucon de l'abbé; mais je reçus une permission régulière de départ, écrite et signée par lui, comme je puis en justifier.

— Voilà qui est bien, parfaitement bien. Notre roi s'inquiétera fort peu que tu aies volé un faucon; mais il a en horreur tout ce qui ressemble à un moine qui a jeté le froc aux orties. Et je présume que le trésor que tu portes avec toi ne te gêne pas pour marcher?

— Seulement quelques pièces d'argent, bel oncle; car je dois être franc avec vous.

— Diable! c'est là le pire! Mais, quoique je ne fasse jamais de grandes épargnes sur ma paye, parce que, dans ces temps dangereux, ce serait être mal avisé de garder beaucoup d'argent sur soi, j'ai toujours quelque bijou en or que je porte pour l'ornement de ma personne, une chaîne, par exemple, parce qu'au besoin on peut en détacher quelques chaînons. Mais vous me demanderez, beau neveu, comment je puis me procurer des babioles de cette espèce, ajouta le Balafré en secouant sa chaîne d'un air de triomphe; on ne les trouve pas suspendues à tous les buissons; elles ne croissent pas dans les champs comme ces graines de narcisse avec lesquelles les enfants font des colliers; mais vous pouvez en gagner de semblables de la même manière que j'ai gagné celle-ci, au service du bon roi de France, où il y a toujours une fortune à trouver, pourvu qu'on ait l'esprit de la chercher. Il ne s'agit pour cela que de risquer sa vie ou ses membres.

— J'ai entendu dire, répondit Quentin, qui voulait éviter de prendre une détermination avant d'être mieux instruit, que le duc de Bourgogne tient un plus grand état de maison que le roi de France, et qu'il y a plus d'honneur à gagner sous ses bannières; qu'on y frappe d'estoc et de taille, et qu'on y voit de hauts faits d'armes; tandis que le roi très-chrétien n'emploie pour gagner ses victoires que la langue de ses ambassadeurs.

— Vous parlez comme un jeune insensé, beau neveu; et pourtant je crois que, lors de mon arrivée ici, j'étais aussi simple que vous. Je ne pouvais me représenter un roi que comme un homme assis sous un dais magnifique, faisant bonne chère avec ses grands vassaux et ses paladins, se nourrissant de blanc-manger, avec une grande couronne d'or sur le front, ou chargeant à la tête de ses troupes, comme Charlemagne dans les romans, ou comme Robert Bruce et William Wallace dans notre histoire. Mais un mot à l'oreille, mon garçon. Ce n'est là que l'image de la lune dans un seau: c'est la politique, la politique qui fait tout. Notre roi a trouvé le secret de se battre avec les épées des autres, et de prendre dans leur bourse de quoi payer ses soldats. Ah! jamais prince plus sage n'endossa la pourpre. Et cependant il n'en use guère, car je le vois souvent plus simplement vêtu qu'il ne me conviendrait de l'être.

— Mais vous ne répondez pas à mon objection, bel oncle. Puisqu'il faut que je serve en pays étranger, je voudrais servir quelque part où une action d'éclat, si j'avais le bonheur d'en faire une, pût me faire distinguer.

— Je vous comprends, beau neveu, je vous comprends assez bien; mais vous n'êtes pas mûr pour cette sorte d'affaires. Le duc de Bourgogne est une tête chaude, un homme impétueux, un cœur doublé de fer: il charge à la tête de ses nobles et de ses chevaliers de l'Artois et du Hainaut; pensez-vous que, si vous étiez là ou que j'y fusse moi-même, nous irions plus en avant que le duc et toute la brave noblesse de son pays? Si nous ne les suivions pas d'assez près, nous aurions la chance d'être livrés entre les mains du grand prévôt de l'armée comme traîneurs; si nous étions sur le même rang, on dirait que nous ne faisons que notre devoir et gagner notre paye; mais, si le hasard voulait que je me trouvasse de la longueur d'une pique en avant des autres, ce qui est difficile et dangereux dans une telle mêlée où chacun fait de son mieux; eh bien! le duc crierait dans son jargon flamand, comme quand il voit porter un bon coup: Ah! *gut getroffen!* une bonne lance; un bon Écossais; qu'on lui donne un florin pour boire à notre santé; mais ni rang, ni terres, ni argent, n'arrivent à l'étranger dans un tel service; tout est pour les enfants du sol.

— Et au nom du ciel! quipeut y avoir plus de droits, bel oncle?

— Celui qui protège les enfants du sol, répondit le Balafré en se redressant de toute sa hauteur. Voici comme parle le roi Louis:

« Mon bon paysan, songez à votre charrue, à votre houe,

« à votre herse, à votre serpette, à tous vos instruments de « culture; voici un brave Écossais qui se battra pour vous, « et vous n'aurez que la peine de le payer. Et vous, sérénis- « sime duc, illustre comte, très puissant marquis, enchaî- « nez votre courage bouillant jusqu'à ce qu'on en ait « besoin, car il est sujet à se tromper de chemin et à vous « nuire à vous-même; voici mes compagnies franches, mes « gardes françaises, voici par-dessus tous mes archers « écossais et mon brave Ludovic le Balafré: ils se battront « aussi bien et mieux que vous dont la valeur indisciplinée « fit perdre à vos pères les batailles de Crécy et d'Azin- « court. » Or, ne voyez-vous pas, beau neveu, dans lequel de ces deux États un cavalier de fortune doit tenir le plus haut rang et parvenir au plus haut degré d'honneur?

— Je crois que je vous entends, bel oncle; mais, à mon avis, il ne peut y avoir d'honneur à gagner où il n'y a pas de risque à courir. Je vous demande pardon; mais il me semble que c'est une vie d'indolent et de paresseux, que de monter la garde autour d'un vieillard à qui personne ne songe à nuire, et de passer les jours d'été et les nuits d'hiver sur le haut des murailles, enfermé dans une cage de fer, de peur que vous ne désertiez de votre poste. Mon oncle! mon oncle! c'est rester sur le perchoir comme le faucon qu'on ne mène jamais en chasse.

— Par saint Martin de Tours, le jeune homme a du feu; on reconnaît en lui le sang des Lesly. C'est moi trait pour trait, avec un grain de folie de plus. Écoutez-moi, mon neveu: vive le roi de France! à peine se passe-t-il un jour sans qu'il ait à donner à quelqu'un de nous quelque commission qui peut lui rapporter honneur et profit. Ne croyez pas que toutes les actions les plus braves et les plus dangereuses se fassent à la lumière du jour. Je pourrais vous citer quelques faits d'armes, tels que des châteaux pris d'assaut, des prisonniers enlevés, et d'autres semblables, pour lesquels quelqu'un dont je tairai le nom a couru plus de dangers et gagné plus de faveurs qu'aucun des enragés qui suivent l'enragé duc de Bourgogne. Et, pendant qu'on est ainsi occupé, s'il plaît à Sa Majesté de se tenir à l'écart et dans le lointain, qu'importe? Il n'en a que plus de liberté d'esprit pour apprécier les aventuriers qu'il emploie, et les récompenser dignement. Il juge mieux leurs dangers et leurs faits d'armes que s'il y avait pris part personnellement. Oh! c'est un monarque politique et plein de sagacité! »

Quentin garda le silence quelques instants, et lui dit ensuite en baissant la voix, mais d'un ton expressif:

« Le bon père Pierre avait coutume de dire qu'il pouvait y avoir beaucoup de danger dans les actions par lesquelles on n'acquiert que peu de gloire. Je n'ai pas besoin de vous dire, bel oncle, que je suppose toutes ces commissions honorables.

— Pour qui me prenez-vous, beau neveu? s'écria le Balafré d'un ton un peu sévère. Il est vrai que je n'ai pas été élevé dans un cloître, et que je ne sais ni lire ni écrire; mais je suis le frère de votre mère, je suis un Lesly loyal. Pensez-vous que je sois homme à vous engager à faire quelque chose indigne de vous? Le meilleur chevalier de toute la France, Du Guesclin lui-même, s'il vivait encore, se ferait honneur de compter mes hauts faits parmi les siens.

— Je ne doute nullement de ce que vous me dites, bel oncle; mon malheureux destin ne m'a laissé que vous dont je puisse recevoir des avis. Mais est-il vrai, comme on le dit, que le roi tient ici, dans son château du Plessis, une cour bien maigre? Point de nobles ni de courtisans à sa suite; point de grands feudataires ni de grands officiers de la couronne près de lui: quelques amusements presque solitaires, que partagent seulement les officiers de sa maison; des conseils secrets, auxquels n'assistent que des hommes d'une origine basse et obscure; la noblesse et le rang mis à l'écart; des gens sortis de la lie du peuple admis à la faveur royale: tout cela paraît irrégulier, et ne ressemble guère à la conduite de son père, le noble Charles, qui arracha des ongles du lion anglais plus de la moitié du royaume de France.

— Vous parlez comme un enfant sans cervelle; et, comme un enfant, vous ne faites que produire toujours les mêmes sons en frappant sur une nouvelle corde. Faites bien attention! Si le roi emploie Olivier le Dain, son barbier, pour ce que Olivier peut faire mieux qu'aucun pair du royaume, le royaume n'y gagne-t-il pas? S'il ordonne à son vigoureux grand-prévôt Tristan d'arrêter tel ou tel bourgeois séditieux, de le débarrasser de tel ou tel noble turbulent, l'affaire est faite, et l'on n'y pense plus; au lieu que, s'il confiait cette commission à un duc ou à un pair de France, celui-ci lui enverrait peut-être en réponse un message pour le braver. De même, s'il plaît au roi de confier à Ludovic le Balafré, qui n'a pas d'autre titre, une mission qu'il exécutera, au lieu d'en charger le grand connétable, qui le trahirait peut-être, n'est-ce pas une preuve de sagesse? Par-dessus tout, un monarque de ce caractère n'est-il pas le prince qu'il faut à des cavaliers de fortune, qui doivent aller où leurs services sont le plus recherchés et le mieux appréciés? Oui, oui, jeune homme, je vous dis que Louis sait choisir ses confidents, connaître leur capacité, et proportionner la charge aux épaules de chacun, comme on dit. Il ne ressemble pas au roi de Castille, qui mourait de soif parce que le grand échanson n'était pas derrière lui pour lui présenter sa coupe. Mais j'entends la cloche de Saint-Martin; il faut que je retourne au château. Adieu, passez le temps joyeusement, et demain à huit heures présentez-vous au pont-levis, et demandez-moi à la sentinelle. Ayez bien soin de ne pas vous écarter du droit chemin, du sentier battu; car il pourrait vous en coûter un membre, et vous le regretteriez sans doute. Vous verrez le roi, et vous apprendrez à le juger par vous-même. Adieu! »

A ces mots, le Balafré partit à la hâte, oubliant, dans sa précipitation, de payer le vin qu'il avait demandé; défaut de mémoire auquel sont sujets les hommes de son caractère, et que l'aubergiste ne crut pas devoir relever, sans doute à cause du respect que lui inspiraient son panache flottant et sa grande lame à double poignée.

On pourrait supposer que Durward, resté seul, se serait retiré dans sa tourelle, dans l'espoir d'y entendre de nouveau les sons enchanteurs qui lui avaient procuré dans la matinée une rêverie délicieuse; mais cet incident était un chapitre de roman, et la conversation qu'il venait d'avoir avec son oncle lui avait ouvert une page de l'histoire véritable de la vie. Le sujet n'en était pas fort agréable; les réflexions et les souvenirs qu'il faisait naître devaient écarter toute autre idée, et surtout les idées tendres et riantes.

Il prit le parti d'aller faire une promenade solitaire sur les bords du Cher au cours rapide, après avoir eu soin de demander à l'hôte quel chemin il pouvait suivre sans avoir à craindre que des trappes et des pièges apportassent à sa marche une interruption désagréable. Là il s'efforça de rappeler le calme dans son esprit agité, et de réfléchir au parti qu'il devait prendre, son entretien avec son oncle lui ayant encore laissé quelque incertitude à cet égard.

6. LES BOHÉMIENS

Il cheminait si gaîment,
Si vite, si lestement,
Qu'il se mit enfin en danse
Sous la potence.
Ancienne chanson.

L'ÉDUCATION qu'avait reçue Quentin Durward n'était pas de nature à faire germer dans le cœur de doux sentiments, ni même à y graver des principes bien purs de morale. On lui avait appris, à lui comme à tous les Durward, que la chasse était le seul amusement qui lui convînt, et la guerre leur unique occupation sérieuse; le grand devoir de toute leur vie était de souffrir avec fermeté, et de chercher à rendre au centuple les maux que pouvaient leur faire leurs ennemis féodaux, qui avaient enfin presque exterminé leur race; et cependant il se mêlait à ces haines héréditaires un esprit de chevalerie grossière, et même de courtoisie, qui en adoucissait la rigueur; de sorte que la vengeance, seule justice qui fût connue, ne s'exerçait pas sans quelque égard pour l'humanité et la générosité. D'une autre part, les leçons du bon vieux moine, que le jeune Durward avait peut-être écoutées, dans l'adversité et pendant une longue maladie, avec plus de profit qu'il ne l'eût fait s'il eût été heureux et bien portant, lui avaient donné des idées plus justes sur les devoirs qu'impose l'humanité: aussi, si l'on fait attention à l'ignorance générale qui régnait alors, aux préjugés qu'on avait conçus en faveur de l'état militaire, et à la manière dont il avait été élevé, le jeune Quentin était à même de comprendre les devoirs moraux qui convenaient à sa situation dans le monde, avec plus de justesse qu'on ne le faisait généralement alors.

Ce fut avec embarras et désappointement qu'il réfléchit sur son entrevue avec son oncle. Il avait conçu de grandes espérances; car, quoiqu'il ne fût pas question à cette époque de communications épistolaires, un pèlerin, un commerçant aventureux, ou un soldat estropié, prononçaient quelquefois le nom de Lesly à Glen-Houlakin, et vantaient tous, d'un commun accord, son courage indomptable et les succès qu'il avait obtenus dans diverses expéditions dont son maître l'avait chargé. L'imagination du jeune Quentin avait complété l'esquisse à sa manière: les exploits de son oncle, auxquels la relation ne faisait probablement rien perdre, lui représentaient cet aventurier semblable aux champions et aux chevaliers errants chantés par les ménestrels gagnant des couronnes et des filles de roi à la pointe de l'épée et de la lance. Il était maintenant forcé de le placer à un degré beaucoup plus bas sur l'échelle de la chevalerie; et cependant, aveuglé par le respect qu'il avait pour ses parents et pour ceux dont l'âge était au-dessus du sien, soutenu par les préventions favorables qu'il avait conçues sur son compte, dépourvu d'expérience, et passionnément attaché à la mémoire de sa mère, il ne voyait pas sous son véritable jour le caractère du seul frère de cette mère chérie, soldat mercenaire, comme il y en avait tant, ne valant ni beaucoup plus ni beaucoup moins que la plupart des gens de la même profession, dont la présence ajoutait encore aux maux qui déchiraient la France.

Sans être cruel de gaieté de cœur, le Balafré avait contracté, par habitude, beaucoup d'indifférence pour la vie et les souffrances des hommes. Il était profondément ignorant, avide du butin, peu scrupuleux sur les moyens d'en faire, et en dépensant le produit avec prodigalité pour satisfaire ses passions. L'habitude de donner une attention exclusive à ses besoins et à ses intérêts avait fait de lui un des êtres les plus égoïstes de l'univers; de sorte qu'il était rarement en état, comme le lecteur peut l'avoir remarqué, d'aller bien loin sur aucun sujet, sans considérer en quoi il pouvait lui être applicable, ou, comme on le dit, sans en faire sa propre cause, mais par un sentiment bien différent de ceux qu'inspire un désintéressement généreux. Il faut ajouter encore que le cercle étroit de ses devoirs et de ses plaisirs avait circonscrit peu à peu ses pensées, ses désirs et ses espérances, et calmé jusqu'à un certain point cette soif ardente d'honneur, ce désir de se distinguer par les armes, qui l'avaient autrefois animé.

En un mot, le Balafré était un soldat actif, endurci, égoïste, à esprit étroit, infatigable et hardi dans l'exécution de ses devoirs, mais ne connaissant presque rien au-delà, si ce n'est l'observance des pratiques d'une dévotion superstitieuse, à laquelle il faisait diversion de temps en temps en vidant quelques bouteilles avec le frère Boniface, son camarade et son confesseur. Si son génie avait eu une portée plus étendue, il aurait probablement obtenu quelque grade important; car le roi, qui connaissait individuellement chaque soldat de sa garde, avait beaucoup de confiance dans le courage et dans la fidélité du Balafré. D'ailleurs, l'Écossais avait eu assez de bon sens ou d'adresse pour pénétrer l'humeur de ce monarque, et pour trouver les moyens de la flatter; mais ses talents étaient d'un genre trop borné pour qu'il pût être appelé à un rang plus élevé; et, quoique Louis lui accordât souvent un sourire et quelques faveurs, le Balafré n'en resta pas moins simple archer dans la garde écossaise.

Sans avoir parfaitement défini quel était le caractère de son oncle, Quentin n'en fut pas moins choqué de l'indifférence avec laquelle il avait appris la destruction de toute la famille de son beau-frère, et il fut surpris qu'un si proche parent ne lui eût pas offert l'aide de sa bourse, qu'il aurait été dans la nécessité de lui demander directement, sans la générosité de maître Pierre. Il ne rendait pourtant pas justice à son oncle, en supposant que l'avarice était la cause de ce manque d'attention. N'ayant pas lui-même besoin d'argent en ce moment, il n'était pas venu à l'esprit du Balafré que son neveu pût en être dépourvu; autrement il regardait un si proche parent comme faisant tellement partie de lui-même, qu'il aurait fait pour son neveu vivant, ce qu'il avait tâché de faire pour les âmes de sa sœur et de ses autres parents décédés. Mais, quel que fût le motif de cette négligence, elle n'en était pas plus satisfaisante pour Durward, et il regretta plus d'une fois de ne pas avoir pris du service dans l'armée du duc de Bourgogne, avant sa querelle avec le forestier.

« Quoi que je fusse devenu, pensait-il, j'aurais toujours pu me consoler par la réflexion que j'avais en mon oncle un ami sûr en cas d'événements fâcheux; mais à présent je l'ai vu, et malheureusement pour lui j'ai trouvé plus de secours dans un marchand étranger que dans le frère de ma propre mère, mon compatriote et noble cavalier. On croirait que le coup de sabre qui l'a privé de tous les agréments de la figure lui a fait perdre en même temps tout le sang écossais qui coulait dans ses veines. »

Durward fut fâché de n'avoir pas trouvé l'occasion de parler de maître Pierre au Balafré, pour tâcher d'apprendre quelque chose de plus sur ce personnage mystérieux: mais son oncle lui avait fait des questions si rapides et si multipliées, et la cloche de Saint-Martin de Tours avait terminé leur conférence si subitement, qu'il n'avait pas eu le temps d'y songer. Il se rappelait que ce vieillard paraissait revêche et morose, qu'il semblait aimer à lâcher des sarcasmes; mais il était généreux et libéral dans sa conduite, et un tel étranger, pensa-t-il, vaut mieux qu'un parent insensible.

« Que dit notre vieux proverbe écossais? ajoutait-il encore: *Mieux vaut bon étranger que parent étranger* (1). Je découvrirai cet homme; la tâche ne doit pas être bien difficile, s'il est aussi riche que mon hôte le prétend. Au moins, il me donnera de bons avis sur ce que je dois faire; et, s'il voyage en pays étranger, comme le font bien des marchands, je ne sais pas si l'on ne peut pas trouver des aventures à son service tout aussi bien que dans les gardes du roi Louis. »

Tandis que cette pensée se présentait à l'esprit de Quentin, une voix secrète, partant du fond du cœur, dans lequel il se passe tant de choses à notre insu, ou du moins sans que nous voulions nous les avouer, lui disait bien bas que peut-être l'habitante de la tourelle, la dame au luth et au voile, serait du voyage auquel il songeait.

En ce moment le jeune Quentin rencontra deux hommes à physionomie grave, probablement habitants de la ville de Tours. Ôtant son bonnet avec le respect qu'un jeune homme doit à la vieillesse, il les pria de lui indiquer la maison de maître Pierre.

— La maison de qui, mon fils? dit l'un des passants.

— De maître Pierre, répondit Durward; le riche marchand de soie qui a fait planter tous ces mûriers.

— Jeune homme, dit celui qui était le plus près de lui, vous avez commencé bien jeune un sot métier.

— Et vous devriez savoir mieux adresser vos sornettes, ajouta l'autre. Ce n'est pas ainsi que des bouffons, des vagabonds étrangers, doivent parler au syndic de Tours.

1. Mieux vaut bon étranger que parent étranger. *Ce mot est gravé sur le poignard d'un homme qui n'a eu que trop de motifs pour choisir une telle devise. Il fut légué par lui à mon père, et se lie à une série d'aventures étranges qui pourront être racontées un jour. L'arme est à présent en ma possession.*

Quentin fut tellement surpris que deux hommes qui avaient l'air décent se trouvassent offensés d'une question si simple, et qu'il leur avait adressée avec la plus grande politesse, qu'il lui fut impossible de se fâcher à son tour du ton de dureté avec lequel ils y avaient répondu. Il resta immobile quelques instants, les regardant pendant qu'ils s'éloignaient en doublant le pas et en tournant de temps en temps la tête de son côté, comme s'ils eussent désiré se mettre le plus tôt possible hors de sa portée.

Il fit la même question à une troupe de vignerons qu'il rencontra ensuite, et ceux-ci, pour toute réponse, lui demandèrent s'il voulait parler de maître Pierre le maître d'école, ou de maître Pierre le charpentier, ou de maître Pierre le bedeau, ou de cinq ou six autres maîtres Pierre. Les renseignements qu'il obtint sur tous ces maîtres Pierre ne convenant nullement à celui qu'il cherchait, les paysans l'accusèrent d'être un impertinent qui ne voulait que se moquer d'eux, et ils montraient même quelques dispositions à passer à des voies de fait contre lui pour le payer de ses railleries; mais le plus âgé, qui paraissait avoir quelque influence sur les autres, les engagea à ne se permettre aucun acte de violence:

« Est-ce que vous ne voyez pas à son accent et à son bonnet de fou, leur dit-il, que c'est un de ces charlatans étrangers que les uns appellent magiciens, ou sorciers, et les autres jongleurs? Et qui sait les tours qu'ils ont à nous jouer? On m'en a cité un qui avait payé un liard à un pauvre homme pour manger tout son saoul de raisin dans son vignoble, et il en a mangé plus que la charge d'une charrette, sans défaire tant seulement un bouton de sa jaquette. Ainsi, laissons-le passer tranquillement; allons-nous-en, lui de son côté, et nous du nôtre. Et vous, l'ami, de crainte de pire, passez votre chemin, au nom de Dieu, de Notre-Dame de Marmoutiers et de saint Martin de Tours, et ne nous ennuyez plus de votre maître Pierre, qui, pour ce que nous en savons, peut bien n'être qu'un autre nom pour désigner le diable. »

Le jeune Ecossais, ne se trouvant pas le plus fort, jugea que ce qu'il avait de mieux à faire était de continuer sa marche sans rien répondre. Mais les paysans, qui s'étaient d'abord éloignés de lui avec une sorte d'horreur que leur inspiraient les talents qu'ils lui supposaient pour la sorcellerie et pour dévorer leurs raisins, reprirent courage quand ils se trouvèrent à une certaine distance; ils s'arrêtèrent, poussèrent de grands cris, le chargèrent de malédictions, et finirent par lancer contre lui une grêle de pierres, quoiqu'ils fussent trop loin pour pouvoir atteindre ou du moins blesser l'objet de leur courroux. Quentin, tout en continuant son chemin, commença à croire à son tour qu'il était sous l'influence d'un charme, ou que les paysans de la Touraine étaient les plus stupides, les plus brutaux et les plus inhospitaliers de toute la France. Ce qui lui arriva quelques instants après tendit à le confirmer dans cette opinion.

Une petite éminence s'élevait sur les rives de la magnifique et rapide rivière dont nous avons déjà parlé plus d'une fois; et, précisément en face de son chemin, Durward aperçut deux ou trois grands châtaigniers si heureusement placés, qu'ils formaient un groupe remarquable. A quelques pas, trois ou quatre paysans, immobiles, levaient les yeux, et semblaient les fixer sur les branches de l'arbre le plus près d'eux. Les méditations de la jeunesse sont rarement assez profondes pour ne pas céder à la plus légère impulsion de la curiosité aussi aisément qu'un caillou, que la main laisse échapper par hasard, rompt la surface d'un étang limpide. Quentin doubla le pas, et arriva sur la colline assez à temps pour voir l'horrible spectacle qui attirait les regards des paysans. C'était un homme pendu à une des branches du châtaignier, et qui expirait dans les dernières convulsions de l'agonie.

« Que ne coupez-vous la corde? s'écria Durward, dont la main était toujours aussi prête à secourir le malheur des autres qu'à venger son honneur quand il le croyait attaqué. »

Un des paysans, pâle comme la cendre, tourna vers lui des yeux qui n'avaient d'autre expression que celle de la crainte, en lui montrant du doigt une marque taillée sur l'écorce de l'arbre, portant la même ressemblance grossière à une *fleur de lis*, que certaines entailles talismaniques, bien connues de nos officiers du fisc, ont avec la *flèche du roi* (1). Ne sachant pas ce que signifiait ce symbole, et s'en inquiétant peu, Quentin grimpa sur l'arbre avec l'agilité de l'once, tira de sa poche cet instrument compagnon inséparable du montagnard et du chasseur, son fidèle *skene dhu* (2), et, criant à ceux qui étaient en bas de recevoir le corps dans leurs bras, il coupa la corde avant qu'une minute se fût passée depuis qu'il avait aperçu cette scène.

Mais son humanité fut mal secondée par les spectateurs. Bien loin d'être d'aucun secours à Durward, ils parurent épouvantés de son audace, et prirent la fuite d'un commun accord, comme s'ils eussent craint que leur présence

1. Broad arrow. *On appelle ainsi en Angleterre les lettres initiales H. M.* His Majesty *(Sa Majesté), qui servent à désigner les caisses contenant les objets à l'usage du roi ou pour le service de l'État; c'est un symbole employé surtout dans les magasins de la marine, les entrepôts de douanes, etc.*

2. *Mot à mot* couteau noir; *espèce de couteau sans charnière, jadis fort en usage parmi les Highlanders, qui se mettaient rarement en route sans cette arme peu élégante. On s'en sert fort peu aujourd'hui.*

suffît pour les faire regarder comme complices de sa témérité.

Le corps, n'étant soutenu par personne, tomba lourdement sur la terre, et Quentin, descendant précipitamment de l'arbre, eut le vif déplaisir de voir que la dernière étincelle de la vie était déjà éteinte en lui. Il n'abandonna pourtant pas son projet charitable sans faire de nouveaux efforts. Il dénoua le nœud fatal qui serrait le cou du malheureux, déboutonna son pourpoint, lui jeta de l'eau sur le visage, et eut recours à tous les moyens pratiqués ordinairement pour ranimer les fonctions suspendues de la vie.

Tandis qu'il prenait ainsi des soins qui lui étaient inspirés par l'humanité, il entendit autour de lui des clameurs sauvages en une langue qu'il ne comprenait pas; et à peine avait-il eu le temps de remarquer qu'il était environné d'hommes et de femmes d'un air singulier et étranger, qu'il se sentit saisir rudement par les deux bras, et qu'on lui mit un couteau sur la gorge.

« Pâle esclave d'Éblis! s'écria un homme en mauvais français; volez-vous celui que vous avez assassiné? Mais nous vous tenons, et vous allez nous le payer. »

Dès que ces paroles eurent été prononcées, les lames de couteau brillèrent de toutes parts autour de Quentin, et ces êtres féroces et courroucés qui l'entouraient avaient l'air de loups prêts à se jeter sur leur proie.

Son courage et sa présence d'esprit le tirèrent pourtant d'affaire. « Que voulez-vous dire, mes maîtres? s'écria-t-il. Si ce corps est celui d'un de vos amis, je viens de couper, par pure charité, la corde qui le suspendait; et vous feriez mieux de chercher à le rappeler à la vie, que de maltraiter un étranger innocent qui n'a voulu que le sauver, s'il eût été possible. »

Cependant les femmes s'étaient emparées du corps du défunt; elles continuaient les mêmes efforts qu'avait déjà faits Durward pour ranimer en lui le principe de la vie: mais, n'obtenant pas plus de succès, elles renoncèrent à leurs tentatives infructueuses. La bande entière alors s'abandonna à toutes les démonstrations de chagrin usitées dans l'Orient, les femmes poussant des cris de douleur et s'arrachant leurs longs cheveux noirs, tandis que les hommes semblaient déchirer leurs vêtements, et se couvraient la tête de poussière. La cérémonie de leur deuil les occupa tellement, qu'ils ne firent plus aucune attention à Durward, la vue de la corde coupée leur ayant fait reconnaître son innocence. Le plus sage parti qu'il eût à prendre était sans doute de laisser cette espèce de caste sauvage se livrer à ses lamentations; mais, habitué au mépris de tous les dangers, il éprouvait dans toute sa force la curiosité de la jeunesse.

Les hommes et les femmes de cette troupe bizarre portaient des turbans ou des toques qui ressemblaient plutôt à celle de Quentin qu'aux chapeaux alors en usage en France. La plupart des hommes avaient la barbe noire et frisée, et tous avaient le teint presque aussi noir que des Africains. Un ou deux, qui semblaient être leurs chefs, avaient quelques petits ornements en argent autour de leur cou ou à leurs oreilles, et des écharpes jaunes, ou d'un vert pâle; mais leurs jambes et leurs bras étaient nus, et toute la troupe semblait misérable et malpropre au dernier degré. Durward ne vit d'autres armes parmi eux que les longs couteaux dont ils l'avaient menacé quelques instants auparavant, et un petit sabre mauresque, c'est-à-dire à lame recourbée, porté par un jeune homme paraissant fort actif, qui surpassait tout le reste de la troupe dans l'expression extravagante de son chagrin, et qui, mettant souvent la main sur la poignée de son arme, semblait murmurer des menaces de vengeance. Ce groupe en désordre, qui se livrait ainsi à des lamentations, était si différent de tous les êtres que Quentin avait vus jusqu'alors, qu'il crut presque reconnaître une troupe de Sarrasins, de ces chiens de païens, éternels antagonistes des braves chevaliers et des monarques chrétiens, dans tous les romans qu'il avait lus ou dont il avait entendu parler; et il était sur le point de s'éloigner d'un voisinage si dangereux, quand un bruit de chevaux arrivant au galop se fit entendre: ces prétendus Sarrasins, qui venaient de placer sur leurs épaules le corps de leur compagnon, furent chargés au même instant par une troupe de soldats français.

Cette apparition soudaine changea les lamentations mesurées des amis du défunt en cris irréguliers de terreur. Le corps fut jeté à terre en un instant, et ceux qui l'entouraient montrèrent autant d'adresse que d'activité pour échapper aux lances dirigées contre eux-mêmes en passant sous le ventre des chevaux, pendant que leurs ennemis s'écriaient:

« Point de quartier à ces maudits brigands païens; arrêtez-les, tuez-les, enchaînez-les comme des bêtes féroces; percez-les à coups de javeline comme des loups! »

Ces cris étaient accompagnés d'actes de violence, mais les fuyards étaient si alertes, et le terrain si défavorable à la cavalerie à cause des buissons et des taillis qui le couvraient, qu'ils réussirent tous à s'échapper, à l'exception de deux qui furent faits prisonniers. L'un d'eux était le jeune homme armé d'un sabre, et il ne se laissa pas arrêter sans faire quelque résistance. Quentin, que la fortune semblait avoir pris en ce moment pour en faire le but de ses traits, fut saisi en même temps par les soldats, qui lui lièrent les bras avec une corde, en dépit de toutes ses remontrances: ceux qui s'étaient emparés de sa personne mirent dans leurs opérations tant de promptitude, qu'il était clair que ce n'étaient pas des gens novices en expéditions de police.

Jetant un regard inquiet sur le chef de ces cavaliers, dont il espérait obtenir sa mise en liberté, Quentin ne sut pas trop s'il devait s'alarmer ou s'applaudir, quand il reconnut en lui le sombre et silencieux compagnon de maître Pierre. Il était vrai que, quelque crime que ces étrangers fussent accusés d'avoir commis, cet officier ne pouvait savoir, d'après l'aventure de cette matinée même, que Durward n'avait avec eux aucune espèce de liaison; mais une question plus difficile à résoudre était de savoir si cet homme farouche serait pour lui un juge favorable, ou un témoin disposé à lui rendre justice; or, Quentin ne savait trop s'il rendrait sa situation moins dangereuse en s'adressant directement à lui.

On ne lui laissa pas le temps de prendre une détermination:

« Trois-Échelles, Petit-André, dit l'officier à figure sinistre à deux hommes de sa troupe, ces arbres se trouvent là fort à propos. J'apprendrai à ces mécréants, à ces voleurs, à ces sorciers, à se jouer de la justice du roi quand elle a frappé quelqu'un de leur maudite race. Descendez de cheval, mes enfants, et remplissez vos fonctions. »

Trois-Échelles et Petit-André eurent mis pied à terre en un instant, et Quentin remarqua que chacun d'eux avait au pommeau et à la croupière de son cheval plusieurs trousseaux de cordes; et, tous deux se mettant à les dérouler avec activité, il vit qu'un nœud coulant y avait été préparé d'avance afin de pouvoir s'en servir à l'instant même. Son sang se glaça dans ses veines quand il vit qu'ils en prenaient trois, et qu'ils se disposaient à lui en ajuster une au cou. Il appela l'officier à haute voix, le fit souvenir de leur rencontre, réclama les droits que devait avoir un Écossais libre dans un pays allié et ami, et déclara qu'il n'avait aucune connaissance des gens avec lesquels il avait été arrêté, ni des crimes qui pouvaient leur être imputés.

L'officier, à qui Durward s'adressait, daigna à peine le regarder pendant qu'il lui parlait, et ne parut faire aucune attention à la prétention qu'il avançait d'être déjà connu de lui. Il se contenta de se tourner vers quelques paysans accourus soit par curiosité, soit pour rendre témoignage contre les prisonniers, et il leur demanda d'un ton brusque:

« Ce jeune drôle était-il avec ces vagabonds?

— Oui, monsieur le grand prévôt, répondit un des paysans. C'est lui qui est arrivé le premier, et qui a eu la témérité de couper la corde à laquelle était pendu le coquin que la justice du roi avait condamné, et qui le méritait bien, comme nous l'avons dit.

— Je jurerais par Dieu et par saint Martin de Tours, dit un autre, que je l'ai vu avec la bande quand elle est venue piller notre métairie.

— Mais, mon père, dit un enfant, celui dont vous voulez parler avait la peau noire, et ce jeune homme a le teint blanc; il avait des cheveux courts et crépus, et celui-ci a une longue et belle chevelure.

— C'est vrai, mon enfant, répondit le paysan, et de plus cet autre avait un habit vert, et celui-ci en a un gris. Mais monsieur le grand prévôt sait fort bien que ces vauriens peuvent changer leur teint aussi aisément que leurs habits, et je persiste à croire que c'est le même.

— Il suffit, dit l'officier, que vous l'ayez vu interrompre le cours de la justice du roi en coupant la corde d'un criminel condamné et exécuté. Trois-Échelles, Petit-André, faites votre devoir.

— Un moment, monsieur l'officier, s'écria Durward dans une transe mortelle, écoutez-moi un instant. Ne faites pas périr un innocent; songez que mes compatriotes en ce monde, et la justice du ciel dans l'autre, vous demanderont compte de mon sang.

— Je rendrai compte de mes actions dans l'un et dans

l'autre, » répondit froidement le prévôt, et il fit un signe de la main aux exécuteurs. Alors, avec un sourire de vengeance satisfaite, il toucha du doigt son bras droit, qu'il portait en écharpe probablement par suite du coup qu'il avait reçu de Durward dans la matinée.

« Misérable, âme vindicative! s'écria Quentin, convaincu par ce geste que la soif de la vengeance était le seul motif de la rigueur de cet homme, et qu'il n'avait à attendre de lui aucune merci.

— La peur de la mort fait extravaguer ce pauvre jeune homme, dit le prévôt; Trois-Échelles, dis-lui quelques paroles de consolation avant de l'expédier; tu es un excellent consolateur en pareil cas, lorsqu'on n'a pas un confesseur sous la main. Accorde-lui une minute pour écouter tes avis spirituels, et que tout soit terminé dans la minute suivante. Il faut que je continue ma ronde. Soldats, suivez-moi! »

Le prévôt partit avec son cortège, dont il laissa seulement deux ou trois hommes pour aider les exécuteurs. Le malheureux jeune homme jeta sur lui des yeux troublés par le désespoir, et crut voir disparaître avec son cheval toute chance de salut. En tournant ses regards autour de lui avec désespoir, il fut surpris, même dans un tel moment, de voir l'indifférence stoïque de ses compagnons d'infortune. D'abord ils avaient montré une grande crainte, et fait tous les efforts possibles pour s'échapper, mais depuis qu'ils étaient solidement garrottés, et destinés à une mort qui leur paraissait inévitable, ils l'attendaient avec l'indifférence la plus stoïque. La perspective d'une mort prochaine donnait peut-être à leurs joues basanées une teinte plus jaune, mais elle n'agitait pas leurs traits de convulsions, et n'abattait pas la fierté opiniâtre de leurs yeux. Ils ressemblaient à des renards qui, après avoir épuisé toutes leurs ruses pour donner le change aux chiens, meurent avec un courage sombre et silencieux que ne montrent ni les loups, ni les ours, objets d'une chasse plus dangereuse.

Leur constance ne fut pas ébranlée par l'approche des exécuteurs, qui se mirent en besogne avec encore plus de promptitude que n'en avait recommandé leur maître: ce qui venait sans doute de l'habitude qui leur faisait trouver une espèce de plaisir à s'acquitter de leurs horribles fonctions. Nous nous arrêterons ici un instant pour tracer leur portrait, parce que, sous une tyrannie soit despotique, soit populaire, la personne du bourreau devient un sujet de grave importance.

L'air et les manières de ces deux fonctionnaires différaient essentiellement. Louis avait coutume de les appeler Démocrite et Héraclite; et leur maître, le grand prévôt, les nommait Jean qui pleure et Jean qui rit.

Trois-Échelles était un homme grand, sec, maigre et laid. Il avait un air de gravité toute particulière, et portait autour du cou un rosaire qu'il avait coutume d'offrir pieusement à ceux qui étaient livrés entre ses mains. Il avait continuellement à la bouche deux ou trois textes latins sur le néant et la vanité de la vie humaine; et, si une telle cumulation de charges eût été régulière, il aurait pu joindre aux fonctions d'exécuteur des hautes œuvres celles de confesseur dans la prison.

Petit-André, au contraire, était un petit homme tout rond, actif, à face joyeuse, et qui faisait sa besogne comme si c'eût été l'occupation la plus divertissante du monde. Il semblait avoir une tendre affection pour ses victimes, et il leur parlait toujours en termes affectueux et caressants: c'étaient ses chers compères, ses honnêtes garçons, ses jolies filles, ses bons vieux pères, suivant leur âge et leur sexe. De même que Trois-Échelles tâchait de leur inspirer des pensées philosophiques et religieuses sur l'avenir, ainsi Petit-André manquait rarement de les régaler d'une plaisanterie ou deux pour leur faire quitter la vie comme quelque chose de ridicule, de méprisable, et qui ne méritait pas un seul regret.

Je ne puis dire ni pourquoi, ni comment cela arrivait; mais il est certain que ces deux braves gens, malgré l'excellence et la variété de leurs talents, très rares chez les personnes de leur profession, étaient peut-être plus cordialement détestés que ne le fut jamais aucune créature de leur espèce, avant ou après eux, de quiconque les connaissait; il ne restait qu'un doute: c'était de savoir lequel était le plus redouté ou le plus abhorré, du grave et pathétique Trois-Échelles, ou du comique et alerte Petit-André. Il est sûr qu'ils remportaient la palme à ces deux égards sur tous les bourreaux de France, si l'on en excepte peut-être leur maître Tristan l'Ermite, le fameux grand prévôt, ou le maître de celui-ci, Louis XI (1).

Il ne faut pas supposer que ces réflexions occupassent en ce moment Quentin Durward. La vie, la mort, le temps, l'éternité, étaient en même temps devant ses yeux, perspective accablante qui fait frémir la faiblesse de la nature humaine, même quand l'orgueil cherche à la braver. Il s'adressait au Dieu de ses pères; et pendant ce temps la petite chapelle ruinée où avaient été déposés les restes de toute sa famille, dont il était le seul reste, se présenta à son imagination.

« Nos ennemis féodaux, pensa-t-il, nous ont accordé une

1. J'ai appris dans la chronique de Jean de Troyes, mais trop tard pour en profiter, que l'un de ces deux hommes aurait pu s'appeler avec plus d'exactitude Petit-Jean, que Petit-André. Ce dernier nom était alors celui du fils de Henry de Cousin, maître des hautes œuvres dans le ressort du parlement. Le connétable de Saint-Pol fut exécuté par lui avec une telle dextérité, que la tête et le corps tombèrent à terre en même temps. Ceci se passa en 1475.

sépulture dans notre domaine, et il faut que je serve de pâture aux corneilles et aux corbeaux dans un pays étranger, comme un félon excommunié! »

Cette pensée lui tira quelques larmes des yeux. Trois-Échelles, lui frappant doucement sur l'épaule, le félicita de ce qu'il se trouvait dans de si heureuses dispositions pour mourir, en s'écriant d'une voix pathétique: *beati qui in Domino moriuntur!* Il ajouta qu'il était heureux pour l'âme de quitter le corps pendant qu'on avait la larme à l'œil. Petit-André, lui touchant l'autre épaule, lui dit:

« Courage, mon cher enfant; puisqu'il faut que vous entriez en danse, ouvrez le bal gaiement, car les instruments sont d'accord. » Et il secoua sa corde en même temps pour faire ressortir le sel de sa plaisanterie. Comme le jeune homme tournait un regard de désolation d'abord sur l'un et ensuite sur l'autre, ils se firent entendre plus clairement en le poussant vers l'arbre fatal, et en lui disant de prendre courage, attendu que tout serait terminé dans un instant.

Dans cette fâcheuse situation, le jeune homme jeta autour de lui un regard de désespoir:

« Y a-t-il ici quelque bon chrétien qui m'entende, s'écria-t-il, et qui veuille dire à Ludovic Lesly, archer de la garde écossaise, surnommé en ce pays le Balafré, que son neveu périt indignement assassiné? »

Ces mots furent prononcés à propos, car un archer de la garde écossaise, passant par hasard, avait été attiré par les apprêts de l'exécution, et s'était arrêté avec deux ou trois autres personnes pour voir ce qui se passait:

« Prenez garde à ce que vous faites, cria-t-il aux exécuteurs; car, si ce jeune homme est Écossais, je ne souffrirai pas qu'il soit mis à mort injustement.

— A Dieu ne plaise, sire cavalier! répondit Trois-

Échelles; mais il faut que nous exécutions nos ordres. Et il tira Durward par un bras pour le faire avancer.

— La pièce la plus courte est toujours la meilleure, ajouta Petit-André en le tirant par l'autre. »

Mais Quentin venait d'entendre des paroles d'espérance; et, réunissant toutes ses forces, il se débarrassa, par un effort soudain, de ses deux satellites, et courant vers l'archer, les bras encore liés:

« Secourez-moi, mon compatriote, lui dit-il en écossais, secourez-moi, pour l'amour de l'Écosse et de saint André! Je suis innocent; je suis votre concitoyen; secourez-moi au nom de toutes vos espérances au jour du dernier jugement!

— Par saint André! ils ne vous atteindront qu'à travers mon corps, répondit l'archer en tirant son sabre.

— Coupez mes liens, mon compatriote, s'écria Quentin, et je ferai quelque chose pour moi-même. »

Le sabre de l'archer lui rendit l'usage des mains en un instant, et le captif libéré, s'élançant à l'improviste sur un des gardes du grand prévôt, lui arracha la hallebarde dont il était armé:

« Maintenant, s'écria-t-il, avancez si vous l'osez! »

Les deux exécuteurs se parlèrent un instant à voix basse:

« Cours après le grand prévôt, dit Trois-Échelles, et je les retiendrai ici, si je le puis. Soldats de la garde du grand prévôt, à vos armes! »

Petit-André monta à cheval, et partit au grand galop, tandis que les soldats, dociles au commandement de Trois-Échelles, se mirent en ordre de bataille avec tant de précipitation, qu'ils laissèrent échapper les deux autres prisonniers. Peut-être ne mettaient-ils pas beaucoup d'empressement à les garder; car, depuis quelque temps, ils avaient été rassasiés du sang de bien des victimes semblables; et, de même que les autres animaux féroces, ils s'étaient lassés de carnage à force de massacres. Mais ils alléguèrent, pour se justifier, qu'ils s'étaient crus appelés immédiatement à la sûreté de Trois-Echelles; car il existait une jalousie qui conduisait souvent à des querelles ouvertes entre les archers de la garde écossaise et les soldats de la garde prévôtale:

« Nous sommes en état de battre ces deux fiers Écossais, si vous le voulez, dit un de ces soldats à Trois-Échelles. »

Mais ce personnage officiel fut assez prudent pour lui faire signe de rester en repos; et, s'adressant à l'archer écossais avec beaucoup de civilité:

« Monsieur, lui dit-il, c'est une insulte grave au grand prévôt, que d'oser interrompre ainsi le cours de la justice du roi, dont l'exécution lui est dûment et légalement confiée; c'est un acte d'injustice envers moi qui suis en possession légitime de mon criminel; et ce n'est pas une charité bien entendue pour ce jeune homme lui-même, attendu qu'il peut être exposé cinquante fois à être pendu, sans s'y trouver jamais aussi bien disposé qu'il l'était avant votre intervention mal avisée.

— Si mon jeune compatriote, répondit l'archer en souriant, pense que je lui ai fait tort, je le remettrai entre vos mains sans discuter davantage.

— Non, pour l'amour du ciel! non! s'écria Quentin; abattez-moi plutôt la tête avec votre sabre. Cette mort serait plus convenable à ma naissance que celle que je recevrais des mains de ce misérable.

— Entendez-vous comme il blasphème? dit l'exécuteur des sentences de la loi. Hélas!comme nos meilleures résolutions s'évanouissent promptement!Il n'y a qu'un instant, il était dans les plus belles dispositions pour une bonne fin, et maintenant le voilà qui méprise les autorités!

— Mais apprenez-moi donc ce qu'a fait ce jeune homme, demanda l'archer.

— Il a osé, répondit Trois-Échelles, couper la corde qui suspendait le corps d'un criminel aux branches de cet arbre, quoique j'eusse gravé moi-même sur le tronc la *fleur de lis*.

— Que veut dire ceci, jeune homme? dit l'archer. Pourquoi avez-vous commis un tel délit?

— Par la protection que j'attends de vous, je jure de vous dire la vérité comme si j'étais à confesse, répondit Durward. J'ai vu un homme pendu à cet arbre, dans les convulsions de l'agonie, et j'ai coupé la corde par pure humanité. Je n'ai pensé ni à fleurs de lis, ni à fleurs de giroflée, et je n'ai pas eu plus l'idée d'offenser le roi de France que notre saint-père le pape.

— Et que diable aviez-vous besoin de toucher à ce pendu? reprit l'archer. Vous n'avez qu'à suivre les pas de ce digne personnage, et vous en verrez accrochés à tous les arbres comme des grappes de raisin. Vous ne manquerez pas d'ouvrage dans ce pays, si vous allez glaner après le bourreau. Néanmoins, je n'abandonnerai pas un compatriote, si je puis le sauver. Écoutez-moi, monsieur l'exécuteur des hautes œuvres, vous voyez que tout ceci n'est qu'une méprise. Vous devriez avoir quelque compassion pour un voyageur si jeune. Il n'a point été accoutumé dans notre pays à voir rendre la justice d'une manière aussi active que vous et votre maître la rendez.

— Ce n'est pas que vous n'en ayez bon besoin, monsieur l'archer, répondit Petit-André qui arrivait en ce moment. Tiens ferme, Trois-Échelles! voici le grand prévôt qui vient; nous allons voir s'il trouvera bon qu'on lui retire son ouvrage des mains, avant qu'il soit achevé.

— Et voici fort à propos, dit l'archer, quelques-uns de mes camarades qui arrivent. »

Effectivement, tandis que Tristan l'Ermite gravissait, d'un côté, avec sa suite, la petite colline qui était le théâtre de cette altercation, quatre ou cinq archers arrivaient de l'autre, et le Balafré lui-même était de ce nombre.

Ludovic Lesly, en cette occasion, ne montra nullement pour son neveu cette indifférence dont celui-ci l'avait intérieurement accusé; car, dès qu'il eut vu son camarade et Durward dans une attitude de défense, il s'écria:

« Cunningham, je te remercie! Messieurs mes camarades, je réclame votre aide. C'est un gentilhomme écossais, mon neveu. Lindesay, Guthrie, Tyrie, dégainons et frappons! »

Tout annonçait un combat désespéré entre les deux partis, et ils n'étaient pas en nombre assez disproportionné pour que la supériorité des armes ne donnât pas aux cavaliers écossais une chance de victoire. Mais le grand prévôt, soit qu'il doutât de l'issue de l'affaire, soit qu'il prévît que le roi pourrait s'en fâcher, fit signe à ses gens de s'abstenir de toute violence; et, s'adressant au Balafré, qui était en avant comme chef de l'autre parti, il lui demanda pourquoi lui, cavalier de la garde du roi, il s'opposait à l'exécution d'un criminel?

« C'est ce que je nie, répondit le Balafré. Par saint Martin! il y a quelque différence entre l'exécution d'un criminel et le meurtre de mon propre neveu.

— Votre neveu peut être criminel comme un autre, répliqua le grand prévôt, et tout étranger est justiciable, en France, des lois du pays.

— Soit! répliqua le Balafré; mais nous avons nos privilèges, nous autres archers écossais. N'est-il pas vrai, camarades?

— Oui, oui! s'écrièrent tous les archers; nos privilèges! nos privilèges! Vive le roi Louis! vive le brave Balafré! vive la garde écossaise! mort à quiconque enfreindra nos privilèges!

— Écoutez la raison, messieurs, dit Tristan; faites attention à la charge dont je suis revêtu.

— Ce n'est pas de vous que nous devons entendre la raison! s'écria Cunningham; nous l'entendrons de la bouche de nos officiers; nous serons jugés par le roi, ou par notre capitaine, puisque le grand connétable est absent.

— Et nous ne serons pendus par personne, ajouta Lindesay, si ce n'est par Sandie Wilson, le vieil officier prévôtal de notre corps.

— Ce serait faire un vol à Sandie, si nous cédions à d'autres ses droits, dit le Balafré; et Sandie est un homme aussi brave que n'importe quel homme qui ait jamais fait un nœud coulant à une corde. Si je devais être pendu moi-même, personne que lui ne me serrerait la cravate.

— Mais écoutez-moi, dit le grand prévôt; ce jeune drôle n'est pas des vôtres, et il ne peut avoir droit à ce que vous appelez vos privilèges.

— Ce que nous appelons nos privilèges? s'écria Cunningham. Qui osera nous les contester?

— Nous ne souffrirons pas qu'on les mette en question, s'écrièrent tous les archers.

— Vous perdez l'esprit, mes maîtres, dit Tristan l'Ermite. Personne ne vous conteste vos privilèges; mais ce jeune homme n'est pas des vôtres.

— Il est mon neveu, dit le Balafré d'un air triomphant.

— Mais il n'est pas archer de la garde, à ce que je pense », dit Tristan.

Les archers se regardèrent l'un l'autre d'un air incertain:

« Ferme, cousin, dit tout bas Cunningham au Balafré; dites qu'il est enrôlé parmi nous.

— Par saint Martin! vous avez raison, beau cousin », répondit Ludovic; et, élevant la voix, il jura qu'il avait enrôlé ce matin même son neveu parmi les gens de sa suite.

Cette déclaration fut un argument décisif:

« Fort bien, messieurs, dit le grand prévôt, qui savait que le roi avait la plus grande crainte de voir des germes de mécontentement se glisser dans sa garde; vous connaissez vos privilèges, comme vous le dites; mon devoir est d'éviter toute querelle avec les gardes du roi, et non de les chercher. Je ferai un rapport au roi sur cette affaire, et il en décidera lui-même. Mais je dois vous dire qu'en agissant ainsi je montre peut-être plus de modération que le devoir de ma charge ne m'y autorise. »

A ces mots, il ordonna à sa troupe de se mettre en marche, tandis que les archers, restant sur le lieu, tinrent conseil à la hâte sur ce qu'ils avaient à faire:

« Il faut d'abord, dit l'un d'eux, que nous avertissions notre capitaine, lord Crawford, de tout ce qui vient de se passer, et que nous fassions mettre sur le contrôle le nom de ce jeune homme.

— Mais, messieurs, mes dignes amis, mes sauveurs, dit Quentin en hésitant, je n'ai pas encore suffisamment réfléchi si je dois m'enrôler parmi vous ou non.

— Eh bien! lui dit son oncle, réfléchissez si vous voulez être pendu ou non, car je vous promets que, tout mon neveu que vous êtes, je ne vois pas d'autre moyen pour vous sauver de la potence. »

C'était un argument irrésistible, et Quentin se vit réduit à accepter sur-le-champ une proposition qui, en toute autre circonstance, ne lui aurait point paru très agréable. Mais, après avoir si récemment échappé à la corde, qui lui avait été, à la lettre, passée autour du cou, il aurait probablement consenti à une alternative encore plus fâcheuse:

« Il faut qu'il nous accompagne à notre caserne, dit Cunningham; il n'y a pas de sûreté pour lui hors de nos limites, tant que ces lévriers sont en chasse.

— Ne puis-je donc passer cette nuit dans l'hôtellerie où j'ai déjeuné ce matin, bel oncle? demanda Quentin, qui pensait peut-être, comme beaucoup de nouvelles recrues, que même une seule nuit de liberté était toujours quelque chose de gagné.

— Vous le pouvez, beau neveu, lui répondit son oncle d'un ton ironique, si vous voulez nous donner le plaisir de vous pêcher dans quelque canal, ou dans un étang, ou peut-être dans un bras de la Loire, cousu dans un sac, ce qui vous donnera plus de facilité pour nager. Le grand prévôt souriait en nous regardant quand il est parti, continua-t-il en se tournant vers Cunningham, et c'est un signe qu'il médite quelque projet dont nous devons nous défier.

— Je m'inquiète fort peu de ses projets, répliqua Cunningham: des oiseaux tels que nous prennent leur vol trop haut pour que ses traits puissent les atteindre. Mais je vous conseille de conter toute l'affaire à ce diable d'Olivier le Dain, qui s'est toujours montré ami de la garde écossaise. Il verra le père Louis avant que le prévôt puisse le voir, car il doit le raser demain matin.

— Fort bien, répliqua le Balafré; mais vous savez qu'on ne peut guère se présenter devant Olivier les mains vides, et je suis aussi nu que le bouleau en hiver.

— Nous pouvons tous en dire autant, dit Cunningham; mais Olivier ne refusera pas d'accepter pour une fois notre parole d'Écossais. Nous pouvons entre nous lui faire un joli présent le premier jour de paye; et, s'il s'attend à entrer en partage, permettez-moi de vous dire que le jour de paye n'en viendra que plus tôt.

— Et maintenant au château, dit le Balafré. Chemin faisant, mon neveu nous dira comment il s'y est pris pour mettre à ses trousses le grand prévôt, afin que nous puissions préparer notre rapport à lord Crawford et à Olivier. »

7. L'ENRÔLEMENT

Le juge de paix. Donnez-moi les statuts, et lisez les articles.
Prêtez serment, signez, et soyez un héros.
Vous recevrez, pour prix de vos futurs travaux,
Six sous par jour, en sus de votre nourriture.

FARQUHAR. *L'Officier en recrutement.*

ON fit mettre pied à terre à un homme de la suite d'un des archers, et l'on donna son cheval à Quentin Durward, qui, accompagné de ses belliqueux concitoyens, s'avança d'un bon pas vers le château du Plessis, sur le point de devenir, quoique involontairement de sa part, habitant de cette sombre forteresse dont l'extérieur lui avait causé tant de surprise dans la matinée.

Cependant, en réponse aux questions multipliées de son oncle, il lui fit le détail exact de l'aventure qui venait de l'exposer à un si grand danger. Quoiqu'il n'y eût rien de fort gai, selon lui, dans son histoire, elle fut pourtant reçue avec de grands éclats de rire par son escorte:

« C'est une fort mauvaise plaisanterie, dit son oncle; que diable ce jeune écervelé avait-il besoin de se mêler d'aller décrocher le corps d'un maudit mécréant, juif, maure ou païen?

— Passe encore, dit Cunningham, s'il avait eu querelle avec la garde prévôtale pour une jolie fille, comme Michel de Moffat, il y aurait eu plus de bon sens à cela.

— Mais je crois qu'il y va de notre honneur, dit Lindesay, que Tristan et ses gens n'affectent pas de confondre nos toques écossaises avec les turbans de ces pillards vagabonds. S'ils n'ont pas la vue assez bonne pour en faire la différence, il faut la leur apprendre à tour de bras. Mais je suis convaincu que Tristan ne prétend s'y méprendre qu'afin de pouvoir accrocher les braves Écossais qui viennent voir leurs parents.

— Puis-je vous demander, mon oncle, dit Durward, quelle sorte de gens sont ceux dont vous parlez?

— Sans doute, vous le pouvez, beau neveu, répondit Ludovic, mais je ne sais pas qui est en état de vous répondre. A coup sûr, ce n'est pas moi, quoique j'en sache peut-être autant qu'un autre. Il y a un an ou deux qu'ils ont paru dans ce pays, comme aurait pu le faire une nuée de sauterelles.

— C'est cela même, dit Lindesay, et Jacques Bonhomme (c'est ainsi que nous désignons ici le paysan, mon jeune camarade: avec le temps vous apprendrez notre manière de parler); l'honnête Jacques Bonhomme, dis-je, s'inquiéterait peu de savoir quel vent les a apportés, eux ou les sauterelles, s'il pouvait espérer que quelque autre vent les emportera.

— Ils font donc bien du mal? demanda Quentin Durward.

— Du mal! répondit Cunningham en faisant le signe de la croix; savez-vous bien que ce sont des païens, ou des juifs, ou des mahométans tout au moins; qu'ils ne croient ni à Notre-Dame ni aux saints; qu'ils volent tout ce qui peut leur tomber sous la main; qu'ils chantent, et qu'ils disent la bonne aventure?

— Et l'on assure qu'il y a parmi leurs femmes quelques filles de bonne mine, ajouta Guthrie; mais Cunningham sait cela mieux que personne.

— Comment! s'écria Cunningham; j'espère que vous n'avez pas dessein de m'insulter?

— Rien n'est plus loin de ma pensée, répondit Guthrie.

— J'en fais juge toute la compagnie, répliqua Cunningham. N'avez-vous pas dit que moi, gentilhomme écossais, et vivant dans le giron de la sainte Église, j'avais une belle amie parmi ces chiens de païens?

— Allons, allons, dit le Balafré, il n'a fait que plaisanter. Il ne faut pas de querelles entre camarades.

— En ce cas il ne faut pas de pareilles plaisanteries, murmura Cunningham comme s'il se fût parlé à lui-même.

— Trouve-t-on de pareils vagabonds ailleurs qu'en France? demanda Lindesay.

— Oui, sur ma foi, répondit le Balafré, on en a vu paraître des bandes en Allemagne, en Espagne, en Angleterre. Mais, grâce à la protection du bon saint André, l'Écosse n'en est pas encore empestée.

— L'Écosse, dit Cunningham, est un pays trop froid pour les sauterelles, et trop pauvre pour les voleurs.

— Ou peut-être, ajouta Guthrie, John Highlander (1) ne veut-il pas y souffrir d'autres voleurs que lui.

— Il est bon, s'écria le Balafré, que je vous fasse savoir à tous que je suis né sur les montagnes d'Angus; que j'ai de braves parents sur celles de Glen-Isla, et que je ne souffrirai pas qu'on parle mal des montagnards.

— Vous ne nierez pas, ajouta Guthrie, qu'ils descendent sur les basses terres pour enlever les troupeaux?

— Chasser une proie (2) n'est pas voler, répondit le Balafré, et je le soutiendrai quand vous le voudrez, et où il vous plaira.

— Eh bien! eh bien! camarade, dit Cunningham, qui est-ce qui se querelle à présent? Fi donc! il ne faut pas que ce jeune homme voie de si folles altercations parmi nous. Allons, voilà que nous sommes au château; si vous voulez venir dîner avec moi, je paierai un poinçon de vin, pour

1. *Jean des Montagnes.*

2. To drive a spreagh. *En employant une expression locale, l'Écossais croit justifier l'acte dont on accuse ses compatriotes. Les écoliers disent de même,* chiper *n'est pas* voler.

nous réjouir en bons camarades; et nous boirons à l'Écosse, aux montagnes et aux basses terres.

— Convenu! convenu! s'écria le Balafré, et j'en paierai un autre pour noyer le souvenir de toute altercation et célébrer l'entrée de mon neveu dans notre corps, en buvant à sa santé. »

Lorsqu'ils arrivèrent au château, on ouvrit le guichet, et le pont-levis fut baissé. Ils y entrèrent un à un; mais, lorsque Quentin se présenta, les sentinelles croisèrent leurs piques, et lui ordonnèrent de s'arrêter, tandis que les arcs et les arquebuses se dirigeaient vers lui du haut des murailles: précaution sévère qui fut observée quoique le jeune étranger arrivât en compagnie de plusieurs membres de la garnison, faisant même partie du corps qui avait fourni les sentinelles.

Le Balafré, qui était resté à dessein près de son neveu, donna les explications nécessaires; et, après beaucoup de délais et d'hésitation, le jeune homme fut conduit, sous bonne garde, à l'appartement de lord Crawford.

Ce seigneur était un des derniers restes de cette vaillante troupe de lords et de chevaliers écossais, fidèles serviteurs de Charles VII, dans ces guerres sanglantes qui décidèrent l'indépendance de la couronne française et l'expulsion des Anglais.

Il avait combattu dans sa jeunesse à côté de Douglas et de Bucham, avait suivi la bannière de Jeanne d'Arc, et était peut-être un des derniers de ces chevaliers écossais qui avaient de si bon cœur défendu les fleurs de lis contre leurs anciens ennemis les Anglais.

Les changements qui avaient eu lieu dans le royaume d'Écosse, et peut-être l'habitude qu'il avait contractée du climat et des mœurs de la France, avaient fait perdre au vieux baron toute idée de retourner dans sa patrie, d'autant plus que le rang élevé qu'il occupait dans la maison de Louis, et son caractère franc et loyal, lui avaient donné un ascendant considérable sur le roi. Ce prince, quoiqu'il ne fût pas en général très disposé à croire à l'honheur et à la vertu, ne doutait pas que lord Crawford n'en fût rempli, et lui accordait d'autant plus d'influence, que le vieux militaire ne l'employait jamais que pour des affaires qui avaient un rapport direct avec son commandement.

Le Balafré et Cunningham suivirent Durward et son escorte dans l'appartement de leur capitaine, dont l'air de dignité, et le respect que lui accordaient ces fiers soldats, qui semblaient ne respecter que lui, en imposèrent considérablement au jeune Écossais.

Lord Crawford était d'une taille avantageuse; l'âge l'avait maigri; mais il conservait encore la force, sinon l'élasticité de la jeunesse, et il était en état de supporter le poids de son armure pendant une marche, aussi bien que le plus jeune de ceux qui servaient dans le corps qu'il commandait. Il avait les traits durs, le teint basané, le visage sillonné de cicatrices, un œil qui avait vu la mort de près dans trente batailles, mais qui cependant exprimait plutôt un joyeux mépris pour le danger que le courage féroce d'un soldat mercenaire. Sa grande taille était alors enveloppée dans une ample robe de chambre, serrée autour de lui par un ceinturon de buffle, dans lequel était passé un poignard dont le manche était richement orné. Il avait autour du cou le collier et la décoration de l'ordre de Saint-Michel; il était assis sur un fauteuil couvert en peau de daim, avait sur le nez des lunettes, invention alors toute nouvelle, et s'occupait à lire un manuscrit intitulé *le Rosier de la Guerre,* code de politique civil et militaire que Louis avait compilé pour l'instruction du dauphin son fils, et dont il désirait savoir ce que pensait un vieux guerrier plein d'expérience.

Lord Crawford mit son livre de côté avec une sorte d'humeur, en recevant cette visite inattendue, et demanda, dans son dialecte national, ce que diable on lui voulait.

Le Balafré, avec plus de respect peut-être qu'il n'en aurait montré à Louis lui-même, lui fit le détail des circonstances dans lesquelles son neveu se trouvait, et lui demanda humblement sa protection. Lord Crawford l'écouta fort attentivement, il sourit de l'empressement qu'avait mis le jeune homme à couper la corde d'un pendu; mais il secoua la tête quand il apprit la querelle qui avait eu lieu à ce sujet entre les archers écossais et les gens du grand prévôt (1):

« M'apporterez-vous donc toujours des écheveaux embrouillés? s'écria-t-il. Combien de fois faut-il que je vous le dise, et surtout à vous deux, Ludovic Lesly et Archie Cunningham? le soldat étranger doit se comporter avec modestie et réserve à l'égard des habitants de ce pays, si vous ne voulez pas avoir sur vos talons tous les chiens de la ville. Cependant, s'il faut que vous ayez une affaire (2) avec quelqu'un, j'aime mieux que ce soit avec ce coquin de prévôt qu'avec un autre; et je vous blâme moins pour cette incartade que pour les autres querelles que vous vous

1. De semblables discussions arrivaient souvent entre la garde écossaise et les autres autorités constituées des corps militaires ordinaires. En 1474, deux Écossais contribuèrent à dépouiller John Pensart, marchand de poisson, d'une somme d'argent considérable; ils furent arrêtés par le prévôt Philippe Dufour, aidé de quelques-uns de ses gens; mais avant que ceux-ci eussent pu conduire l'un d'eux, nommé Mortimer, dans la prison du Châtelet, ils furent attaqués par deux archers de la garde du roi qui délivrèrent le prisonnier.
(Voyez la Chronique de Jean de Troyes, *dans ladite année 1474.)*
2. L'original se sert de l'expression bargain, *qui signifie ici querelle. D'ordinaire elle veut dire accord, marché.*

êtes faites, Ludovic, car il était convenable et naturel de soutenir votre jeune parent; il ne faut pas non plus qu'il soit victime de sa simplicité: ainsi prenez le registre du contrôle de la compagnie sur ce rayon, et donnez-le-moi. Nous y inscrirons son nom, afin qu'il puisse jouir de nos privilèges.

— Si Votre Seigneurie me le permet, dit Durward, je...

— A-t-il perdu l'esprit? s'écria son oncle. Comment osez-vous parler à Sa Seigneurie, sans qu'elle vous interroge?

— Patience, Ludovic, dit lord Crawford; écoutons ce que le jeune homme veut nous dire.

— Rien qu'un seul mot, milord, répondit Quentin. J'avais dit ce matin, à mon oncle, que j'avais quelque doute si je devais entrer dans cette troupe. J'ai à déclarer maintenant qu'il ne m'en reste plus aucun, depuis que j'ai vu son noble et respectable commandant; et que je serai fier de servir sous un chef si expérimenté.

— C'est bien parlé, mon enfant, dit le vieux lord, qui ne fut pas insensible à ce compliment; nous avons quelque expérience, et Dieu nous a fait la grâce d'en profiter, tant en servant qu'en commandant. Vous voilà admis, Quentin Durward, dans l'honorable corps des archers de la garde écossaise, comme écuyer de votre oncle, et servant sous sa lance. J'espère que vous prospérerez, car vous devez faire un brave homme d'armes, si tout ce qui vient de haut lieu est brave (1), puisque vous êtes d'une famille honorable. Ludovic, vous aurez soin que votre parent suive exactement ses exercices, car nous aurons des lances à rompre un de ces jours.

— Par le pommeau de mon sabre! j'en suis ravi, milord. Cette paix n'est bonne qu'à nous changer tous en poltrons.

1. *C'est-à-dire, si votre courage répond à votre extérieur.*

Moi-même je ne me sens plus la même ardeur quand je vis enfermé dans ce maudit donjon.

— Eh bien! un oiseau m'a sifflé à l'oreille qu'on verra bientôt la vieille bannière se déployer en campagne.

— J'en boirai ce soir un coup de plus sur cet air, milord.

— Tu en boiras sur tous les airs du monde, Ludovic; mais je crains que tu ne boives un jour quelque breuvage amer que tu te seras préparé toi-même. »

Lesly, un peu déconcerté, répondit qu'il y avait bien des jours qu'il n'avait fait aucun excès, mais que Sa Seigneurie connaissait l'usage de la compagnie, de célébrer la bienvenue d'un nouveau camarade, en buvant à sa santé:

« C'est vrai, dit le vieux chef; je l'avais oublié. Je vous enverrai quelques cruches de vin pour vous aider à vous réjouir; mais que tout soit fini au coucher du soleil. Et, écoutez-moi: veillez à ce qu'on choisisse avec soin les soldats qui doivent être de garde cette nuit, et qu'aucun d'eux ne fasse la débauche avec vous.

— Votre Seigneurie sera ponctuellement obéie, répondit Ludovic, et sa santé ne sera pas oubliée.

— Il peut se faire, dit lord Crawford, que j'aille moi-même vous joindre quelques instants, uniquement pour voir si tout se passe en bon ordre.

— En ce cas, milord, la fête sera complète, » dit Ludovic.

Et ils se retirèrent tous trois fort satisfaits du résultat de leur entrevue, pour songer aux apprêts de leur banquet militaire, auquel Lesly invita une vingtaine de ses camarades qui, assez généralement, étaient dans l'usage de manger à la même table.

Une fête de soldats est ordinairement un impromptu, et tout ce qu'on exige, c'est qu'il s'y trouve de quoi boire et manger. Mais, en cette occasion, le Balafré eut soin de se procurer du vin de meilleure qualité que de coutume.

« Car, dit-il à ses camarades, le vieux lord est le convive

sur lequel nous pouvons le plus compter. Il nous prêche la sobriété; mais, après avoir bu à la table du roi autant de vin qu'il en peut prendre décemment, il ne manque jamais une occasion honorable de passer la soirée en compagnie d'un bon pot de vin: ainsi il faut nous préparer à entendre les vieilles histoires des batailles de Verneuil et de Beaugé (1). »

L'appartement gothique dans lequel ils prenaient ordinairement leurs repas fut mis à la hâte dans le meilleur ordre; on chargea les palefreniers d'aller cueillir des joncs pour les étendre sur le plancher, et les bannières sous lesquelles la garde écossaise avait marché au combat, de même que celles qu'elle avait prises sur les ennemis, furent déployées au-dessus de la table, et autour des murs de la chambre, en guise de tapisseries.

On s'occupa ensuite de fournir à Durward l'uniforme et les armes convenables au grade qu'il venait d'obtenir, afin qu'il pût paraître, sous tous les rapports, avoir droit aux importants privilèges de ce corps, en vertu desquels, et grâce à l'appui de ses compatriotes, il pouvait braver hardiment le pouvoir et l'animosité du grand prévôt, quoiqu'on sût que l'un était aussi terrible que l'autre était implacable.

Le banquet fut des plus joyeux, et les convives s'abandonnèrent entièrement au plaisir qui les animait en recevant dans leurs rangs une nouvelle recrue arrivant de leur chère patrie. Ils chantèrent de vieilles chansons écossaises, racontèrent d'anciennes histoires de héros écossais, rapportèrent les exploits de leurs pères, citèrent les lieux qui

1. Dans ces deux journées, les Écossais auxiliaires de la France se distinguèrent sous les ordres de Stuart, comte de Bucham. A Beaugé ils furent vainqueurs, tuèrent le duc de Clarence, frère d'Henri V, et mirent son armée en fuite. A Verneuil, ils furent défaits et presque exterminés.

en avaient été témoins. Enfin les riches plaines de la Touraine semblaient devenues en ce moment les régions stériles et montagneuses de la Calédonie.

Tandis que leur enthousiasme était porté au plus haut point, et que chacun cherchait à placer son mot pour rendre encore plus cher le souvenir de l'Écosse, une nouvelle impulsion fut donnée par l'arrivée de lord Crawford, qui, ainsi que le Balafré l'avait fort bien prévu, avait été assis comme sur des épines à la table du roi, jusqu'à ce qu'il eût trouvé l'occasion de la quitter pour venir partager la fête de ses concitoyens. Un fauteuil de parade lui avait été réservé au bout de la table; car, d'après les mœurs de ce siècle et la constitution de ce corps, et quoique leur chef n'eût au-dessus de lui que le roi et le grand connétable, les membres de cette troupe (les simples soldats, comme nous le dirions aujourd'hui) étant tous de naissance noble, leur capitaine pouvait prendre place à la même table qu'eux sans inconvenance, et partager leur gaieté, quand cela lui plaisait, sans déroger à sa dignité.

Cette fois-ci néanmoins, lord Crawford ne voulut pas prendre la place d'honneur qui lui avait été destinée; et, exhortant les convives à la joie, il les regarda d'un air qui semblait annoncer qu'il jouissait de leurs plaisirs.

« Laissez-le faire, dit tout bas Cunningham à Lindesay, qui venait de présenter un verre de vin à leur noble commandant; il ne faut pas faire marcher les bœufs d'un autre plus vite qu'il ne veut: il y viendra de lui-même. »

Dans le fait, le vieux lord, qui avait d'abord souri, secoua la tête, et mit le verre sur la table sans y avoir touché. Un moment après, il y porta les lèvres, comme par distraction; et au même instant il se souvint heureusement que ce serait un mauvais augure s'il ne buvait pas à la santé du brave jeune homme qui venait d'entrer dans sa troupe. Il en fit la proposition; et, comme on peut bien le supposer, elle fut accueillie par de joyeuses acclamations. Il les informa ensuite qu'il avait rendu compte à maître Olivier de ce qui s'était passé dans la matinée:

« Et, comme le tondeur de mentons, ajouta-t-il, n'a pas une grande affection pour le grand coupe-gorge, il s'est réuni à moi pour obtenir du roi un ordre qui enjoint au grand prévôt de suspendre toutes poursuites, quelque cause qu'elles puissent avoir, contre Quentin Durward, et de respecter, en toute occasion, les privilèges de la garde écossaise. »

Ces mots excitèrent de nouvelles acclamations; les verres se remplirent de nouveau, et se remplirent au point que le vin pétillait sur les bords; on porta, par acclamation générale, la santé du noble lord Crawford, du soutien intrépide des droits et privilèges de ses concitoyens. La politesse du bon vieux lord ne lui permettait pas de se dispenser de faire raison aux braves militaires servant sous ses ordres, et, tout en s'y prêtant, il se laissa tomber sur le grand fauteuil qui lui avait été préparé; puis, appelant Quentin Durward près de lui, il lui fit, relativement à l'Écosse et aux grandes familles de ce pays, beaucoup de questions à la plupart desquelles notre jeune homme n'était pas toujours en état de répondre.

Dans le cours de cet interrogatoire, le digne capitaine remplissait et vidait de temps en temps son verre, par forme de parenthèse, en disant que tout gentilhomme écossais devait toujours se montrer bon convive, mais en ajoutant que les jeunes gens comme Quentin ne devaient se livrer au plaisir de la table qu'avec précaution, de peur de se laisser entraîner dans des excès. Il dit à cette occasion beaucoup d'excellentes choses, et enfin sa langue, occupée à faire l'éloge de la tempérance, commença à devenir plus épaisse que de coutume. Ce fut alors que, l'ardeur militaire de la compagnie croissant en proportion que

« Ne faites pas périr un innocent! »
Vignette de Théophile Fragonard,
gravée par Porret.
Ed. P. M. Pourrat et Cie.
Bibl. de l'Arsenal.

chaque flacon se vidait, Cunningham proposa de boire au prompt déploiement de l'Oriflamme (la bannière royale de la France):

« Et à un bon vent venant de Bourgogne pour l'agiter, ajouta Lindesay.

— Je porte cette santé avec toute l'âme qui reste dans ce corps usé, mes enfants! s'écria lord Crawford; et, tout vieux que je suis, j'espère voir encore flotter cet étendard. Écoutez-moi, camarades, continua-t-il, car le vin l'avait rendu un peu communicatif, vous êtes tous de fidèles serviteurs du royaume de France, pourquoi donc vous cacherais-je qu'il y a ici un envoyé de Charles, duc de Bourgogne, chargé d'un message qui ne paraît pas d'une nature très amicale?

— J'ai vu l'équipage, les chevaux et la suite du comte de Crèvecœur, à l'auberge voisine du bosquet de mûriers, dit un des convives. On assure que le roi ne lui permettra pas l'entrée du château.

— Puisse le ciel inspirer au roi de répondre vertement à ce message! s'écria Guthrie. Mais de quoi donc se plaint le duc de Bourgogne?

— D'une foule de griefs relativement aux frontières, répondit lord Crawford; mais surtout de ce que le roi a reçu sous sa protection une dame de son pays, une jeune comtesse qui s'est enfuie de Dijon parce que le duc, dont elle est la pupille, voulait la marier à son favori Campo Basso.

— Et est-elle venue seule ici, milord? demanda Lindesay.

— Non, pas tout à fait. Elle est accompagnée de la vieille comtesse, sa parente, qui a cédé aux désirs de sa cousine à cet égard.

— Et le roi, dit Cunningham, comme souverain féodal du duc, interviendra-t-il entre lui et sa pupille, sur laquelle

Charles a les mêmes droits que, s'il était mort lui-même, Louis aurait sur l'héritière de Bourgogne?

— Le roi se déterminera, suivant sa coutume, d'après les règles de la politique; et vous savez qu'il n'a pas reçu ces dames ouvertement; il ne les a placées ni sous la protection de sa fille, la dame de Beaujeu, ni sous celle de la princesse Jeanne; de sorte que, sans aucun doute, il se décidera d'après les circonstances. Il est notre maître; mais on peut dire, sans se rendre coupable de trahison, qu'il est en état de suivre les chiens de tous les princes de la chrétienté, et de courir le lièvre avec eux.

— Mais le duc de Bourgogne n'est pas homme à se laisser mettre en défaut, reprit Guthrie.

— Non, sans doute; et c'est ce qui rend vraisemblable qu'il y aura maille à partir entre eux.

— Eh bien! milord, fasse saint André que cela arrive! s'écria le Balafré. On m'a prédit il y a dix ans, — il y en a vingt, je crois, — que je devais faire la fortune de ma maison par un mariage. Qui sait ce qui peut arriver, si nous venons une fois à nous battre pour l'honneur, l'amour et les dames, comme dans les vieux romans.

— Tu oses parler de l'amour et des dames, avec une telle tranchée sur ta figure! dit Guthrie.

— Autant vaut ne rien aimer que d'aimer une païenne, une Bohémienne, répliqua le Balafré.

— Halte-là! camarades, s'écria lord Crawford; vous ne devez jouter ensemble qu'avec des armes courtoises: un sarcasme n'est pas une plaisanterie. Soyez tous amis. Quant à la comtesse, elle est trop riche pour tomber en partage à un pauvre lord écossais, sans quoi je mettrais moi-même en avant mes prétentions, avec mes quatre-vingts ans ou à peu près. Quoi qu'il en soit, voici pour porter sa santé; car on dit que c'est un astre de beauté.

— Je crois l'avoir vue ce matin, dit un autre archer,

tandis que j'étais de garde à la dernière barrière; mais elle ressemblait à une lanterne sourde plutôt qu'à un astre, car elle et une autre dame furent amenées au château dans des litières bien fermées.

— Fi! Arnot, fi! dit lord Crawford: un soldat ne doit jamais parler de ce qu'il voit quand il est en faction. D'ailleurs, ajouta-t-il après une pause d'un instant, sa curiosité l'emportant sur la leçon de discipline qu'il avait cru à propos de donner, sur quoi jugez-vous que la comtesse Isabelle de Croye était dans une de ces litières?

— Tout ce que j'en sais, milord, répondit Arnot, c'est que mon coutelier faisant prendre l'air à mes chevaux sur la route qui conduit au village, il rencontra Doguin, le muletier, qui reconduisait les litières à l'auberge, car elles appartenaient au maître de l'hôtellerie du bosquet des mûriers, à l'enseigne des Fleurs-de-Lis, je veux dire. De sorte que Doguin demanda à Saunders Steed s'il voulait boire un verre de vin avec lui, car ils étaient de connaissance, et bien certainement Saunders y était tout disposé . . .

— Sans doute, sans doute, s'écria le vieux lord en l'interrompant; et c'est ce que je voudrais voir changer parmi vous, messieurs. Vos écuyers, vos couteliers, vos *jakmen*, comme nous les appellerions en Écosse, ne sont que trop disposés à boire un verre de vin avec le premier venu. C'est une chose dangereuse en temps de guerre, et qui exige une réforme. Mais votre histoire est bien longue, André Arnot, et il faut la couper par un verre de vin; comme dit le montagnard, *skeoch doch nan skial* (1); et c'est d'excellent gaélique. Allons! à la santé de la comtesse Isa-

1. « Couper une histoire par un verre de vin. » Phrase usitée lorsqu'un homme prêche en buvant, comme disent les bons vivants *en Angleterre.*

belle de Croye; et puisse-t-elle trouver un meilleur mari que ce Campo Basso, qui est un vil coquin d'Italien. Et maintenant, André Arnot, que disait le muletier à ton coutelier?

— Il lui a dit, milord, sous le secret, que les dames qu'il venait de conduire au château, dans les litières fermées, étaient de grandes dames qui étaient depuis quelques jours chez son maître, et qui ne voyaient personne; que le roi les avait visitées plusieurs fois mystérieusement, et leur avait rendu de grands honneurs. Il croyait qu'elles s'étaient réfugiées au château, de crainte du comte de Crèvecœur, ambassadeur du duc de Bourgogne, dont l'arrivée venait d'être annoncée par un courrier qui le précédait.

— Oui-da, André; en sommes-nous là? dit Guthrie. En ce cas, je jurerais que c'est la comtesse que j'ai entendue chanter en s'accompagnant sur son luth, tandis que je traversais la cour intérieure pour venir ici. Le son partait des grandes fenêtres de la tour du Dauphin, et je crois que personne n'avait encore entendu une semblable mélodie dans le château du Plessis-du-Parc. Je pensais, sur ma foi, que cette musique était de la façon de la fée Mélusine. Je restais là, quoique je susse que le dîner était servi et que vous vous impatientiez tous. Je restais là comme . . .

— Comme un âne, John Guthrie, lui dit son commandant; ton long nez flairant le souper, ces longues oreilles entendant la musique, et ton jugement étroit ne te mettant pas en état de décider à quoi tu devais donner la préférence. Écoutez! la cloche de la cathédrale ne sonne-t-elle pas vêpres? A coup sûr, l'heure n'en est pas encore arrivée. Le vieux fou de sacristain a sonné la prière du soir une heure trop tôt.

— Sur ma foi, dit Cunningham, la cloche n'est que trop fidèle à l'heure; car voilà le soleil qui disparaît à l'occident de cette belle plaine.

— Vraiment! dit lord Crawford: en sommes-nous déjà là? Eh bien, mes amis, il ne faut pas outrepasser les bornes. En marchant à petits pas, on n'en va que plus loin. Les mets cuits à petit feu n'en sont que meilleurs. Etre joyeux et sage est un excellent proverbe. Ainsi, encore un verre à la prospérité de la vieille Écosse, et ensuite que chacun pense à son devoir. »

La coupe d'adieu fut vidée, et les convives congédiés. Le vieux baron prit, d'un air de dignité, le bras du Balafré, sous prétexte de lui donner quelques instructions relativement à son neveu, mais peut-être, à vrai dire, de peur que son pas majestueux ne parût, aux yeux de ses soldats, moins assuré qu'il ne convenait à son grade. Il traversa ainsi d'un air grave les deux cours qui séparaient son appartement de la salle où s'était donné le festin, et ce fut avec le ton solennel d'un homme qui avait vidé quelques flacons, qu'il recommanda à Ludovic, en le quittant, de surveiller avec soin la conduite de son neveu, surtout en ce qui concernait les jolies filles et le bon vin.

Cependant pas un mot de ce qu'on avait dit relativement à la belle comtesse Isabelle n'avait échappé au jeune Durward qui, ayant été conduit dans un petit cabinet qu'il devait partager avec le varlet ou page de son oncle, fit de sa nouvelle et humble demeure la scène de grandes et importantes méditations.

Le lecteur s'imaginera aisément que le jeune écuyer dut fonder un joli roman sur la supposition que l'habitante de la tourelle, dont il avait écouté la chanson avec tant d'intérêt, et la jolie fille qui avait servi maître Pierre dans l'auberge, s'identifiaient avec une comtesse de haut rang, et jouissant d'une grande fortune, fuyant les poursuites d'un amant détesté, favori d'un cruel tuteur qui abusait de son pouvoir féodal. Il se trouva aussi, dans la vision de Quentin, une place pour ce maître Pierre, qui semblait exercer une telle autorité même sur l'officier formidable aux mains duquel il avait eu tant de peine à échapper.

Enfin les rêveries de Quentin, qui avaient été respectées par le jeune Will Harper, le compagnon de sa cellule, furent interrompues par le retour de son oncle. Le Balafré venait lui dire de se mettre au lit, afin de pouvoir se lever le lendemain de bonne heure, pour le suivre dans l'antichambre du roi, où il devait être de garde avec cinq de ses compagnons.

8. L'ENVOYÉ

> Parais comme l'éclair aux regards de la France,
> J'y porte sur tes pas la foudre et la vengeance;
> Elle entendra gronder mon bronze destructeur.
> Va donc! sois le héraut de ma juste fureur.
>
> SHAKESPEARE. *Le Roi Jean.*

SI la paresse eût été capable de retenir Durward, le bruit qui retentit dans la caserne des gardes, après le premier coup de matines, aurait certainement banni cette sirène de sa couche; mais les habitudes régulières du château de son père et du couvent d'Aberbrothock lui avaient appris à se lever avec l'aurore, et il s'habilla gaiement au son des trompettes et au bruit des armes, qui annonçaient qu'on relevait les gardes, dont les uns rentraient dans la caserne après avoir été en faction pendant la nuit, les autres sortaient pour aller prendre leur poste pour la matinée, et quelques-uns, parmi lesquels était son oncle, se préparaient à être de service près de la personne même du roi.

Quentin, avec tout le plaisir qu'éprouve un jeune homme

en pareille occasion, se revêtit de son uniforme splendide, et prit les belles armes qui appartenaient à son nouvel état. Son oncle, après avoir examiné avec attention s'il ne manquait rien à son équipement, ne put cacher un mouvement de satisfaction en voyant que ce nouveau costume relevait la bonne mine de son neveu:

« Si tu es aussi fidèle et aussi brave que tu es beau garçon, lui dit-il, j'aurai en toi un des meilleurs et un des plus élégants écuyers qui soient dans la garde, ce qui ne peut que faire honneur à la famille de ta mère. Suis-moi dans la salle d'audience du roi, et aie soin de marcher toujours à mon côté. »

En finissant ces mots, il saisit une grande et lourde pertuisane superbement ornée et damasquinée; et, ayant dit à son neveu de prendre une arme semblable, mais de moindre dimension, ils descendirent dans la cour intérieure du palais, où ceux de leurs camarades qui devaient être de service dans les appartements étaient déjà rangés et sous les armes, les écuyers placés en second rang derrière leurs maîtres. On y voyait aussi plusieurs piqueurs tenant de nobles chevaux et de beaux chiens que Quentin regardait avec tant de plaisir et d'attention, que son oncle fut obligé de lui rappeler plusieurs fois que ces animaux n'étaient pas là pour son amusement, mais pour celui du roi, qui aimait passionnément la chasse. Ce divertissement était du petit nombre de ceux que Louis se permettait quelquefois, même dans les instants où la politique aurait dû l'occuper tout différemment; et il était si jaloux du gibier de ses forêts royales, qu'on disait communément qu'il y avait moins de risques à tuer un homme qu'un cerf.

A un signal donné par le Balafré, qui remplissait en cette occasion les fonctions d'officier, les gardes se mirent en mouvement; et, après quelques minutes de mots d'ordre et de signaux qui n'avaient d'autre but que de montrer avec quelle exactitude scrupuleuse ils s'acquittaient de leurs devoirs, ils entrèrent dans la salle d'audience, où le roi était attendu à chaque instant.

Quelque nouvelles que fussent pour Quentin les scènes de splendeur, l'effet de celle qui s'ouvrait devant lui ne répondit pas tout à fait à l'idée qu'il s'était formée de la magnificence d'une cour. Il y avait, à la vérité, des officiers de la maison du roi richement vêtus, des gardes parfaitement équipés, des domestiques de tous grades; mais il ne vit aucun des anciens conseillers du royaume, ni des grands officiers de la couronne; il n'entendit prononcer aucun de ces noms qui rappelaient alors des idées chevaleresques; il n'aperçut aucun de ces chefs et de ces généraux qui, dans toute la vigueur de l'âge, étaient la force de la France, ni de ces jeunes seigneurs, nobles aspirants à la gloire, qui en faisaient l'orgueil. La jalousie, la réserve, la politique profonde et artificieuse du roi, avaient écarté de son trône ce cercle splendide; ceux qui le composaient n'étaient appelés à la cour que dans les occasions où l'étiquette l'exigeait impérieusement: ils y venaient malgré eux, et en partaient gaiement, comme les animaux de la fable s'approchaient et s'éloignaient de l'antre du lion.

Le peu de personnes qui semblaient remplir les fonctions de conseillers étaient des gens de mauvaise mine, dont la physionomie exprimait quelquefois de la sagacité, mais dont les manières prouvaient qu'ils avaient été appelés dans une sphère pour laquelle leur éducation et leurs habitudes ne les avaient guère préparés. Deux individus lui parurent pourtant avoir l'air plus noble et plus distingué que les autres, et les devoirs que son oncle avait à remplir en ce moment n'étaient pas assez stricts pour l'empêcher de lui apprendre les noms de ceux qu'il remarquait ainsi.

Durward connaissait déjà, et nos lecteurs connaissent aussi lord Crawford, qu'on voyait revêtu de son riche uniforme, et tenant en main un bâton de commandement en argent. Parmi les autres personnages de distinction, le plus remarquable était le comte de Dunois, fils de ce célèbre Dunois connu sous le nom de Bâtard d'Orléans qui, combattant sous la bannière de Jeanne d'Arc, avait puissamment contribué à délivrer la France du joug des Anglais. Son fils soutenait parfaitement l'honneur d'une telle origine; et, malgré son affinité à la famille royale, et l'affection héréditaire qu'avaient pour lui le peuple et les nobles, Dunois avait montré en toute occasion un caractère si franc, si loyal, qu'il semblait même avoir échappé aux soupçons du méfiant Louis, qui aimait à le voir près de lui et l'appelait souvent à ses conseils. Quoiqu'il passât pour accompli dans tous les nobles exercices, et qu'il eût la réputation d'être ce qu'on appelait alors un chevalier parfait, il s'en fallait de beaucoup qu'il eût pu servir de modèle pour tracer le portrait d'un héros de roman. Il était petit de taille, quoique fortement constitué, et ses jambes étaient un peu courbées en dedans, forme plus commode pour un cavalier, qu'élégante dans un piéton. Il avait les épaules larges, les cheveux noirs, le teint basané, les bras nerveux et d'une longueur remarquable; l'irrégularité de ses traits allait jusqu'à la laideur: et cependant on trouvait dans le comte de Dunois un air de noblesse et de dignité qui le faisait reconnaître, à la première vue, pour un homme de haute naissance et un soldat intrépide. Il avait la tête levée et le maintien hardi, la démarche fière et majestueuse; la dureté de sa physionomie était ennoblie par un coup d'œil vif comme celui d'un aigle et des sourcils comme ceux d'un lion. Il portait un habit de chasse plus somptueux qu'élégant, et en beaucoup d'occasions il remplissait les fonctions de grand veneur, quoique nous ne pensions pas qu'il en portât le titre.

Semblant chercher un appui sur le bras de son parent Dunois, et marchant d'un pas lent et mélancolique, venait ensuite Louis, duc d'Orléans, premier prince du sang, à qui les gardes rendaient les honneurs militaires en cette qualité. Objet des soupçons de Louis, qui le surveillait avec grand soin, ce prince, héritier présomptif de la couronne, si le roi mourait sans enfants mâles, ne pouvait jamais s'éloigner de la cour, et en y restant ne jouissait d'aucun crédit, n'était revêtu d'aucun emploi. L'abattement que cet état de dégradation et presque de captivité imprimait naturellement sur sa physionomie, était en ce moment considérablement augmenté par la connaissance qu'il avait que le roi méditait à son égard un des actes les plus cruels et les plus injustes qu'un tyran puisse se permettre, en le contraignant à épouser la princesse Jeanne de France, la plus jeune des filles de Louis, à laquelle il avait été fiancé dès son enfance, et dont la difformité lui donnait à penser qu'on ne pouvait le forcer à remplir un tel engagement, sans une rigueur odieuse.

L'extérieur de ce malheureux prince n'était distingué par aucun avantage personnel; mais il avait un caractère doux, paisible et bienveillant, qualités qu'on pouvait remarquer, même à travers ce voile de mélancolie extrême qui couvrait ses traits en ce moment. Quentin observa que le duc évitait avec soin de regarder les gardes, en leur rendant leur salut, et qu'il avait les yeux baissés vers la terre, comme s'il eût craint que la jalousie du roi ne pût interpréter cette marque de politesse ordinaire comme ayant pour but de se faire des partisans parmi eux.

Bien différente était la conduite du fier prélat et cardinal Jean de La Balue, alors ministre favori de Louis, et qui, par son élévation et son caractère, ressemblait autant à Wolsey que le permettait la différence qu'il y avait entre le politique et l'astucieux Louis et l'impétueux et opiniâtre Henri VIII d'Angleterre. Le premier avait élevé son ministre du plus bas rang à la dignité, ou du moins aux émoluments de grand aumônier de France, l'avait comblé de bénéfices, et avait obtenu pour lui le chapeau de cardinal; et, quoiqu'il fût trop méfiant pour accorder à l'ambitieux La Balue la confiance et le pouvoir sans bornes dont Henri avait investi Wolsey, il se laissait pourtant influencer par lui plus que par aucun autre de ses conseillers avoués.

Il en résultait que le cardinal n'avait pas échappé à l'erreur commune de ceux qui, du rang le plus obscur, se voient tout à coup élevés au pouvoir. Ébloui sans doute par la promptitude de son élévation, il était convaincu qu'il était en état de traiter toute espèce d'affaires, même celles du genre le plus étranger à sa profession et à ses connaissances. De haute taille, mais gauche dans sa tournure, il affectait de la galanterie et de l'admiration pour le beau sexe, quoique ses manières rendissent ses prétentions absurdes, et que le caractère dont il était revêtu en fît ressortir l'inconvenance. Quelque flatteur, n'importe de quel sexe, lui avait persuadé, dans un moment malheureux, que deux grosses jambes charnues dont il avait hérité de son père, tailleur à Limoges, offraient des contours admirables, et il était devenu tellement infatué de cette idée, qu'il avait toujours sa robe de cardinal relevée d'un côté, afin que les bases solides sur lesquelles son corps reposait ne pussent échapper aux regards. Revêtu du riche costume appartenant au rang qu'il occupait dans l'Église, il traversait ce magnifique appartement d'un pas majestueux, en se baissant de temps à autre pour examiner les armes et l'équipement des cavaliers qui étaient de garde, leur faisant quelques questions d'un ton d'autorité. Il prit même sur lui d'en censurer quelques-uns pour ce qu'il appelait des irrégularités de discipline, dans des termes auxquels ces braves soldats n'osaient répondre, quoiqu'il fût évident qu'ils ne l'écoutaient qu'avec impatience et mépris:

« Le roi sait-il, demanda Dunois au cardinal, que l'envoyé du duc de Bourgogne réclame audience sans délai?

— Il le sait, répondit le cardinal, et voici, je crois, l'universel Olivier le Dain, qui nous fera connaître le bon plaisir du roi (1). »

Comme il parlait ainsi, un homme fort remarquable, qui partageait la faveur de Louis avec l'orgueilleux cardinal, sortit d'un appartement intérieur et entra dans la salle d'audience, mais sans cet air de suffisance qui caractérisait le prélat tout bouffi de sa dignité. C'était un petit homme, pâle et maigre, dont le pourpoint et le haut-de-chausses de soie noire, sans habit ni manteau, n'offraient rien aux yeux qui pût faire valoir un extérieur fort ordinaire. Il tenait à la main un bassin d'argent; et une serviette étendue sur son bras annonçait les fonctions qu'il remplissait à la cour. Ses yeux étaient vifs et pénétrants, quoiqu'il s'efforçât d'en bannir cette expression en les tenant constamment fixés à terre, tandis que, s'avançant avec le pas tranquille et furtif d'un chat, il semblait glisser plutôt que marcher dans l'appartement. Mais, quoique la modestie puisse couvrir le mérite, elle ne peut cacher la faveur de la cour; et toutes tentatives pour traverser incognito la salle d'audience ne pouvaient

1. En échange de ce nom Daim ou Dain, Olivier reçut de la haine publique le sobriquet de Diable. *Il était dans l'origine le barbier du roi, mais il devint dans la suite son conseiller favori.*

qu'être vaines de la part d'un homme aussi bien connu pour avoir l'oreille du roi que l'était son célèbre valet de chambre barbier, Olivier le Dain, surnommé quelquefois le Diable, épithètes qu'il devait à l'astuce peu scrupuleuse avec laquelle il concourait à l'exécution des plans de la tortueuse politique de son maître.

Olivier parla quelques instants avec vivacité au comte de Dunois, qui sortit sur-le-champ de la salle d'audience, tandis que le barbier retournait tranquillement dans l'appartement d'où il était venu. Chacun s'empressait de lui faire place, et il ne répondait à cette politesse qu'en saluant de la manière la plus humble. Cependant il rendit une ou deux personnes un objet d'envie pour tous les autres courtisans, en leur disant un seul mot à l'oreille; et, au même instant, murmurant quelques mots sur les devoirs de sa place, il disparut sans écouter ni leurs réponses, ni les sollicitations muettes de ceux qui désiraient attirer de même son attention. Ludovic Lesly ce jour-là eut la bonne fortune d'être du petit nombre de ceux qu'Olivier favorisa d'un mot en passant, et c'était pour l'assurer que son affaire était heureusement terminée.

Un moment après, il eut une nouvelle preuve qui lui confirma cette nouvelle agréable; car Tristan l'Ermite, grand prévôt de la maison du roi, entra dans l'appartement, et s'avança sur-le-champ vers le Balafré. Le riche costume de ce fonctionnaire ne faisait que rendre plus remarquables son air commun et sa physionomie sinistre, et ce qu'il regardait comme un ton de conciliation ne ressemblait à rien tant qu'au grognement d'un ours. Le peu de mots qu'il adressa au Balafré semblaient pourtant plus agréables que le ton dont ils furent prononcés. Il regretta la méprise qui avait eu lieu la veille, et dit qu'il ne fallait l'attribuer qu'à ce que le neveu du sieur le Balafré ne portait pas l'uniforme du corps, et ne s'était pas annoncé comme en faisant partie: telle était la seule cause de l'erreur dont il lui faisait ses excuses.

Ludovic fit à ce compliment la réponse convenable; et, dès que Tristan fut passé, il se tourna vers son neveu, et lui dit qu'ils avaient maintenant l'honneur d'avoir un ennemi mortel en la personne de ce redoutable officier.

« Mais un soldat qui remplit ses devoirs, ajouta-t-il, peut se moquer du grand prévôt. »

Quentin ne put s'empêcher d'être du même avis que son oncle. Car Tristan, en s'éloignant d'eux, leur avait lancé ce regard de courroux que l'ours jette sur le chasseur dont la lance vient de le blesser. Il est vrai que, même lorsqu'il était moins courroucé, son regard sombre exprimait une malveillance qui faisait frémir; et il inspirait une horreur encore plus profonde au jeune Écossais, qui croyait encore sentir sur ses épaules la main meurtrière des deux officiers subalternes de ce grand fonctionnaire.

Cependant Olivier avait traversé presque furtivement la salle d'audience, comme nous l'avons déjà dit; tout le monde, et même les plus grands personnages, s'étaient dérangés pour le laisser passer, en l'accablant de civilités cérémonieuses auxquelles sa modestie semblait vouloir se dérober. Il rentra dans l'appartement intérieur, dont les portes battantes se rouvrirent un instant après pour le roi Louis.

Quentin, comme tous les autres, leva les yeux sur le monarque, et fut saisi d'un tel tressaillement, qu'il en laissa presque tomber son arme, quand il reconnut dans le roi de France ce marchand de soie, ce maître Pierre qu'il avait rencontré la veille pendant la matinée. Quelques soupçons sur le rang de ce personnage s'étaient présentés à plusieurs reprises à son esprit; mais ses conjectures les plus hardies avaient toujours été bien loin de la réalité qu'il voyait maintenant.

Un regard sévère de son oncle, mécontent de le voir oublier ainsi le décorum du service, le rappela à lui; mais Quentin ne fut pas peu surpris quand le roi, dont l'œil perçant l'avait découvert sur-le-champ, s'avança droit à lui, sans donner aucune marque d'attention à qui que ce fût, et lui adressa la parole:

« Ainsi donc, jeune homme, lui dit-il, j'apprends que, dès le premier jour de votre arrivée en Touraine, vous avez fait le tapageur; mais je vous le pardonne, parce que je sais qu'il faut en accuser un vieux fou de marchand qui s'est imaginé que votre sang calédonien avait besoin d'être échauffé dès le matin avec du vin de Beaune. Si je puis le découvrir, j'en ferai un exemple qui servira de leçon à ceux qui débauchent mes gardes. Balafré, ajouta-t-il en se tournant vers Lesly, votre parent est un brave jeune homme, quoique un peu emporté. Nous aimons ces caractères-là, et nous avons dessein de faire plus que jamais pour les braves gens qui nous entourent. Ayez soin de mettre par écrit l'année, le mois, le jour, l'heure et la minute de sa naissance, et d'en faire part à Olivier le Dain. »

Le Balafré s'inclina presque jusqu'à terre, et se releva pour prendre son attitude militaire, en homme qui voulait montrer par-là la promptitude avec laquelle il soutiendrait la querelle du roi ou prendrait sa défense.

Cependant Quentin, revenu de sa première surprise, examinait avec plus d'attention la physionomie du roi, et il fut tout étonné de voir que ses manières et ses traits lui paraissaient bien différents de ce qu'il les avait jugés la veille. Son extérieur n'était guère changé; car Louis, qui méprisait toujours toute espèce de parure, portait en cette occasion un vieil habit de chasse d'un bleu foncé, qui ne valait guère mieux que son habit bourgeois de la veille. Il avait un gros rosaire d'ébène qui lui avait été envoyé par le grand seigneur lui-même, avec une attestation prouvant qu'il avait servi à un ermite copte du Mont Liban, renommé par sa grande sainteté. Le tour de son nouveau chapeau était garni au moins d'une douzaine de petites images de saints en plomb (1). Mais ses yeux, qui, suivant la première impression qu'ils avaient faite sur Durward, ne semblaient briller que de l'amour du gain, étaient, maintenant qu'il savait qu'ils appartenaient à un puissant monarque, armés d'un regard perçant et majestueux; les rides de son front, qu'il avait attribuées à une longue suite de méditations sur de misérables spéculations de commerce, lui paraissaient alors des sillons creusés par de profondes réflexions sur le destin des peuples.

Immédiatement après l'arrivée du roi, les princesses de France et les dames de leur suite entrèrent dans l'appartement. L'aînée, qui épousa ensuite Pierre de Bourbon, et qui est connue dans l'histoire de France sous le nom de la dame de Beaujeu, n'a que fort peu de rapport avec notre histoire. Elle était grande et assez belle, avait de l'éloquence, des talents, et une grande partie de la sagacité de son père, plein de confiance en elle, et qui l'aimait peut-être autant qu'il était capable d'aimer.

Sa sœur cadette, l'infortunée Jeanne, la fiancée du duc d'Orléans, marchait timidement à côté de sa sœur, n'igno-

1. *On trouve dans Claude de Seyssel, historien de Louis XI, une preuve remarquable de la superstition de ce prince. — « Il y avait dans sa dévotion plus de superstition que de piété. Son chapeau était toujours garni d'images, de plomb ou d'étain pour la plupart. A chaque nouvelle bonne ou mauvaise qu'il recevait, ou quand la fantaisie lui en prenait, il les baisait, se jetant à genoux devant elles, et quelquefois si à l'improviste, qu'il ressemblait plutôt à un insensé qu'à un homme raisonnable. »*

(Waverley's anecdotes.)

Lord Crawford.
Vignette de Théophile Fragonard,
gravée par Porret.
Ed. P. M. Pourrat et Cie.
Bibl. de l'Arsenal.

rant pas qu'elle ne possédait aucun de ces dons extérieurs que les femmes désirent tant et qu'elles aiment du moins qu'on puisse leur supposer. Elle était pâle, maigre, et avait le teint d'une convalescente. Sa taille était visiblement déviée d'un côté, et sa marche si inégale, qu'elle pouvait passer pour boiteuse. De belles dents, des yeux dont l'expression habituelle était la mélancolie, la douceur et la résignation, de longs cheveux blonds, étaient les seuls traits de son visage que la flatterie elle-même aurait osé indiquer comme rachetant la difformité de toute sa personne. Pour compléter ce portrait, il était aisé de remarquer, d'après le peu de soin que la princesse prenait de sa parure, et la timidité de ses manières, qu'elle avait le sentiment de sa laideur (circonstance aussi fâcheuse qu'elle est rare), et qu'elle n'osait faire aucune tentative pour réparer par l'art les torts de la nature, ou pour chercher d'autres moyens de plaire.

Le roi, qui ne l'aimait pas, s'avança sur-le-champ vers elle lorsqu'elle entra:

« Eh quoi, notre fille! s'écria-t-il, toujours méprisant le monde? Vous êtes-vous habillée ce matin pour une partie de chasse ou pour un couvent? Parlez, répondez.

— Pour ce qu'il vous plaira, Sire, dit la princesse d'une voix si faible qu'on pouvait à peine l'entendre.

— Oui, sans doute, reprit le roi, vous voudriez me persuader que vous désirez quitter la cour et renoncer au monde et à ses vanités. Quoi! Jeanne, voudriez-vous qu'on pût croire que nous, fils aîné de la sainte Église, nous refuserions au ciel notre fille? A Notre-Dame et à saint Martin ne plaise que nous rejetions l'offrande, si elle était digne de l'autel, et si votre vocation vous y appelait véritablement. »

En parlant ainsi, le roi fit dévotement le signe de la croix, ressemblant, à ce qu'il parut à Quentin, à un vassal rusé qui déprécie le mérite de quelque chose qu'il désire garder pour lui-même, afin d'avoir une excuse pour ne pas l'offrir à son seigneur:

« Ose-t-il ainsi faire l'hypocrite avec le ciel, pensa Durward et se jouer de Dieu et des saints, comme il peut le faire des hommes qui n'osent pas scruter sa conscience de trop près! »

Cependant, après avoir donné ce court moment à la dévotion mentale, Louis reprit la parole:

« Non, Jeanne, dit-il, moi et un autre nous connaissons mieux vos secrètes pensées: n'est-il pas vrai, beau cousin d'Orléans? Allons, approchez, et conduisez à son cheval cette vestale qui vous est toute dévouée. »

Le duc d'Orléans tressaillit lorsque le roi lui adressa la parole, et il se hâta de lui obéir, mais avec tant de précipitation et d'un air si troublé, que Louis s'écria:

« Doucement, beau cousin, doucement! votre galanterie prend le mors aux dents. Regardez devant vous. Comme la promptitude d'un amant le fait quelquefois galoper de travers! Avez-vous dessein de prendre la main d'Anne au lieu de celle de sa sœur? Faut-il que je vous donne moi-même celle de Jeanne, monsieur? »

Le malheureux prince leva les yeux, et frémit comme un enfant obligé de toucher quelque chose dont il a un dégoût d'instinct; puis, faisant un effort sur lui-même, il prit la main de la princesse, qui ne la lui présenta ni ne la lui refusa. Dans la situation où ils se trouvaient, en voyant la main de la fille du roi, humide d'une sueur froide, à peine tenue dans la main tremblante du duc, et leurs yeux également baissés, il aurait été difficile de dire lequel de ces deux êtres était le plus complètement misérable, ou le duc qui se trouvait enchaîné à l'objet de son aversion par des liens qu'il n'osait briser, ou l'infortunée jeune fille qui voyait trop clairement qu'elle faisait horreur à celui dont elle aurait acheté l'affection au prix de sa vie.

« Maintenant, à cheval, messieurs et dames, dit le roi; nous nous chargerons nous-même de conduire notre fille de Beaujeu; et puisse la bénédiction de Dieu et celle de saint Hubert nous procurer une heureuse chasse ce matin!

— Je crains, sire, dit le comte de Dunois qui venait de rentrer, que le destin ne m'ait réservé la tâche de l'interrompre. L'envoyé du duc de Bourgogne est à la porte du château, et il exige une audience.

— *Exige*, Dunois! s'écria le roi. Ne lui avez-vous pas répondu, comme je vous l'ai fait dire par Olivier, que nous n'avions pas le loisir de le recevoir aujourd'hui; que c'était demain la fête de saint Martin, jour pendant lequel, avec la grâce de Dieu, nous ne nous occuperons d'aucune pensée mondaine; et que le jour suivant nous partirons pour Amboise; mais qu'à notre retour nous ne manquerions pas de lui donner audience aussi promptement que nos autres affaires nous le permettraient?

— J'ai dit tout cela, sire, répondit Dunois ... et cependant ...

— Pâques-Dieu (1)! s'écria le roi; qu'est-ce qui s'arrête ainsi dans ton gosier, Dunois? Il faut que ce Bourguignon t'ait parlé en termes de dure digestion.

1. Ce serment, qui pouvait déjà désigner le roi sous son costume de maître Pierre, n'appartient en quelque sorte qu'à Louis XI. Les rois et les grands personnages avaient fréquemment chacun son serment ou son juron particulier. On connaît ce quatrain chronologique rapporté par Brantôme:

Quand la Pasques-Dieu *décéda* (Louis XI.)
Par le Jour-Dieu *lui succéda;* (Charles VIII.)
Le Diable m'emporte *s'en tint près.* (Louis XII.)
Foi de gentilhomme *vint après.* (François Ier)

— Si mon devoir, vos ordres, sire, et son caractère d'envoyé ne m'eussent retenu, il aurait eu à les digérer lui-même; car, par Notre-Dame d'Orléans, j'avais plus envie de lui faire rentrer ses paroles dans le corps, que de venir les répéter à Votre Majesté.

— Par la mort de Dieu! Dunois, il est étrange que toi, qui es aussi impatient qu'homme qui vive, tu aies tant de peine à pardonner le même défaut dans notre fier et impétueux cousin Charles de Bourgogne. Eh bien! quant à moi, je ne me soucie pas plus de ces messages impertinents, que les tours de ce château ne s'inquiètent du sifflement du vent du nord-est, qui vient de Bourgogne comme ce fanfaron d'envoyé.

— Sachez donc, sire, que le comte de Crèvecœur est resté à la porte du château avec son cortège de trompettes et de poursuivants d'armes. Il dit que, puisque Votre Majesté lui refuse l'audience que son maître lui a donné ordre de demander pour affaires de l'intérêt le plus pressant, il y restera jusqu'à minuit; et à quelque heure que Votre Majesté en sorte, soit pour affaires, soit pour prendre l'air, soit pour quelque pratique de dévotion, il se présentera devant elle, lui parlera, et que rien que la force ouverte ne pourra l'en empêcher.

— Il est fou, dit le roi avec beaucoup de sang-froid. Ce cerveau brûlé de Flamand pense-t-il que ce soit une pénitence pour un homme de bon sens, que de rester tranquillement vingt-quatre heures dans les murs de son château, quand il a, pour s'occuper, toutes les affaires d'un royaume? Ces brouillons impatients pensent que tout le monde leur ressemble. Donnez ordre qu'on fasse rentrer les chiens et qu'on en ait soin; mon cher Dunois, nous tiendrons conseil aujourd'hui au lieu d'aller à la chasse.

— Votre Majesté ne se débarrassera pas ainsi du comte de Crèvecœur, répondit Dunois, car les instructions de son maître sont que, s'il n'obtient pas l'audience qu'il demande, il ait à clouer son gantelet aux palissades qui entourent le château, en signe de défi à mort de la part de son maître, et pour annoncer qu'il renonce à foi et hommage envers la France, et qu'il vous déclare la guerre à l'instant.

— Oui! dit Louis sans qu'on pût remarquer aucun changement dans le son de sa voix, mais en fronçant ses épais sourcils de manière à en couvrir presque entièrement ses yeux; les choses en sont-elles venues là? Notre ancien vassal prend-il ainsi un ton de maître? Notre cher cousin nous traite-t-il avec si peu de cérémonie? Eh bien! Dunois, il faut déployer l'Oriflamme, et crier: *Montjoie saint Denis.*

— A la bonne heure! Ainsi soit-il et *Amen!* » s'écria le belliqueux Dunois; et les gardes qui étaient dans la salle, incapables de résister à la même impulsion, firent un mouvement chacun à son poste; il en résulta un cliquetis d'armes qui ne dura qu'un instant, mais qui se fit entendre distinctement. Le roi porta autour de lui un regard de satisfaction et de fierté, et pour un instant il pensa et se montra comme l'aurait fait son valeureux père.

L'enthousiasme céda pourtant à une foule de considérations politiques qui, dans cette conjoncture, rendaient une rupture avec la Bourgogne particulièrement dangereuse. Édouard IV, roi brave et victorieux, qui avait combattu en personne dans trente batailles, était alors assis sur le trône d'Angleterre; il était frère de la duchesse de Bourgogne, et l'on pouvait supposer qu'il n'attendait qu'une rupture entre son beau-frère et Louis, pour introduire en France, par la porte toujours ouverte de Calais, ces armes qui avaient triomphé dans les guerres civiles, heureux d'effacer le souvenir des dissensions intestines par la guerre toujours accueillie avec le plus de plaisir par les Anglais, une guerre contre la France. A cette considération se joignait encore celle qui résultait de la foi chancelante du duc de Bretagne, sans parler d'autres puissants motifs de réflexions.

Après un silence de quelques instants, Louis reprit la parole, mais quoiqu'il parlât du même ton, ce fut dans un esprit tout différent:

« Mais à Dieu ne plaise, dit-il, qu'aucune autre cause qu'une nécessité absolue puisse nous engager, nous roi très chrétien, à occasionner l'effusion du sang chrétien, si nous pouvons, sans déshonneur, éviter cette calamité. La sûreté de nos sujets nous touche de plus près que l'injure que peuvent faire à notre dignité les paroles grossières d'un ambassadeur mal appris, qui a peut-être outrepassé ses pouvoirs. Qu'on admette en notre présence l'envoyé du duc de Bourgogne.

— *Beati pacifici!* dit le cardinal de La Balue.

— C'est la vérité, ajouta le roi, et Votre Éminence sait aussi que ceux qui s'humilient seront élevés. »

Le cardinal prononça un *Amen*, auquel peu de personnes répondirent; car les joues pâles du duc d'Orléans même étaient devenues pourpres d'indignation, et le Balafré fut si peu maître de la sienne, qu'il laissa tomber lourdement sur le plancher le bout de sa pertuisane: mouvement d'impatience qui lui valut un reproche sévère de la part du cardinal, suivi d'une instruction sur la manière dont on devait manier les armes en présence du souverain. Le roi lui-même semblait extraordinairement embarrassé du silence qui régnait autour de lui:

« Vous êtes pensif, Dunois, dit-il, vous désapprouvez que nous cédions à cette tête chaude d'envoyé?

— Nullement, sire, dit Dunois; je ne me mêle pas de ce qui s'élève au-dessus de ma sphère: je pensais seulement à demander une faveur à Votre Majesté.

— Une faveur, Dunois? répéta le roi; vous en demandez rarement, et vous pouvez compter sur mes bonnes grâces.

— Je voudrais donc, sire, dit Dunois avec la franchise d'un militaire, que Votre Majesté m'envoyât à Évreux pour y maintenir la discipline parmi le clergé.

— Ce serait effectivement au-dessus de votre sphère, répliqua le roi en souriant.

— Sire, dit le comte, je suis aussi en état de maintenir la discipline parmi des prêtres, que Mgr l'évêque d'Évreux, ou Mgr le cardinal, s'il préfère ce dernier titre, l'est d'apprendre l'exercice aux soldats de la garde de Votre Majesté. »

Le roi sourit encore; et se penchant vers l'oreille de Dunois, il lui dit à voix basse et d'un ton mystérieux:

« Le moment peut venir où vous et moi nous mettrons une bonne discipline parmi les prêtres; mais, quant à présent, nous souffrons celui-ci comme un bonhomme d'évêque qui s'en fait trop accroire. Ah! Dunois, c'est Rome, c'est Rome qui nous impose ce fardeau, ainsi que beaucoup d'autres; mais patience, cousin, et battons les cartes jusqu'à ce qu'il nous arrive une bonne main (1). »

1. Le docteur Dryasdust remarque ici que les cartes qu'on dit avoir été inventées sous un règne précédent, pour amuser Charles VI pendant les intervalles de sa maladie mentale, semblent être devenues très promptement communes parmi les courtisans, puisqu'elles fournissaient déjà une métaphore à Louis XI. Le même proverbe est cité par Durandard, dans la Caverne enchantée de Montesinos. *L'origine qu'on suppose aux cartes a fourni une des réponses les plus fines que j'aie jamais entendu citer; elle fut faite par le docteur Gregory d'Edimbourg à un avocat d'une grande réputation dans le barreau écossais. Le témoignage du docteur tendait à prouver la folie de l'individu dont la capacité mentale était le point à éclaircir. Il convint dans un contre-interrogatoire que cette personne jouait admirablement au whist: « Pouvez-vous, reprit l'habile avocat, dire sérieusement qu'un homme d'une*

Le son des trompettes, qui se fit entendre dans la cour, annonça l'arrivée du seigneur bourguignon. Tous ceux qui se trouvaient dans la salle d'audience s'empressèrent de prendre leurs places, suivant l'ordre de préséance, le roi et ses filles restant seuls au centre de l'assemblée.

Le comte de Crèvecœur (1), guerrier intrépide et renommé, entra alors dans l'appartement; et, contre l'usage des envoyés des puissances amies, il se présenta armé de toutes pièces, ayant seulement la tête nue. Il portait une armure magnifique de Milan, du plus bel acier, damasquinée en or, et travaillée dans le goût fantastique qu'on appelait arabesque. Autour de son cou et sur sa cuirasse bien polie était l'ordre de son maître, celui de la Toison d'Or, l'un des ordres de chevalerie les plus honorables que l'on connût alors dans toute la chrétienté. Un page magnifiquement vêtu le suivait chargé de son casque, et il était précédé d'un héraut qui portait ses lettres de créance, et qui les présenta au roi, un genou en terre; tandis que l'ambassadeur s'arrêta à quelques pas, comme pour donner le temps d'admirer son air noble, sa taille imposante et la fierté tranquille de ses traits et de ses manières, le reste de son cortège était resté dans l'antichambre ou dans la cour.

« Approchez, seigneur comte de Crèvecœur, dit Louis après avoir jeté un coup d'œil sur ses lettres de créance; nous n'avons besoin des lettres de créance de notre cou-

force supérieure à un jeu si difficile et qui exige à un degré si éminent de la mémoire, du jugement, et la faculté de combiner, puisse avoir l'esprit dérangé? — Je ne suis pas joueur, répondit très adroitement le docteur, mais j'ai lu dans l'histoire que les cartes ont été inventées pour l'amusement d'un roi insensé. » Les conséquences de cette réplique furent décisives.

1. Philippe de Crèvecœur, seigneur des Cordes, était un actif et brave officier du duc de Bourgogne, mais il passa au service de Louis XI en 1477, après la mort du duc.

sin, ni pour nous présenter un guerrier si bien connu, ni pour nous assurer du crédit dont vous jouissez à si juste titre auprès de votre maître. Nous espérons que votre belle épouse, dont le sang n'est pas tout à fait étranger à celui de nos ancêtres, est en bonne santé. Si vous vous étiez présenté devant nous en la tenant par la main, seigneur comte, nous aurions pensé que vous portiez votre armure, en cette occasion, et contre l'usage, pour soutenir la supériorité de ses charmes contre tous les chevaliers amoureux de France; mais sans cela, nous ne pouvons deviner le motif de cette panoplie complète.

— Sire, répondit l'envoyé, le comte de Crèvecœur doit déplorer son infortune, et vous supplier de l'excuser, s'il ne peut en cette occasion répondre à Votre Majesté avec l'humble déférence due à la courtoisie royale dont vous avez daigné l'honorer. Mais quoique ce ne soit que la voix de Philippe Crèvecœur des Cordes qui se fait entendre, les paroles qu'il prononce doivent être celles de son gracieux seigneur et souverain, le duc de Bourgogne.

— Et quelles paroles Crèvecœur a-t-il à prononcer au nom du duc de Bourgogne? demanda Louis en prenant un air de dignité convenable à la circonstance. Mais, un instant! Souvenez-vous qu'en ce lieu, Philippe Crèvecœur des Cordes parle à celui qu'il appelle le souverain de son souverain. »

Crèvecœur salua, et reprit la parole:

« Roi de France, le puissant duc de Bourgogne vous envoie encore une fois une cédule contenant le détail des griefs et des oppressions commises sur les frontières par les garnisons et les officiers de Votre Majesté; et ma première question est de savoir si l'intention de Votre Majesté est de lui faire réparation de ces injures. »

Le roi, ayant jeté un léger coup d'œil sur la note que le héraut lui présentait à genoux, lui répondit:

« Ces plaintes ont été soumises à notre conseil il y a déjà longtemps. Des faits allégués, les uns sont des représailles d'injures souffertes par mes sujets, les autres sont dénués de preuves; les garnisons et les officiers du duc se sont chargés eux-mêmes de tirer vengeance de plusieurs autres. Si pourtant il s'en trouve quelqu'un qui ne puisse se ranger sous aucune de ces trois classes, en notre qualité de prince chrétien, nous ne refusons pas de faire satisfaction pour les injures dont notre voisin pourrait avoir à se plaindre, quoique commises, non seulement sans notre autorisation, mais contre nos ordres exprès.

— Je transmettrai la réponse de Votre Majesté à mon très gracieux maître, répondit l'ambassadeur; mais qu'il me soit permis de dire que, comme elle ne diffère en rien des réponses évasives qui ont déjà été faites à justes plaintes, je ne puis espérer qu'elle suffise pour rétablir la paix et l'amitié entre la France et la Bourgogne.

— Il en sera ce qu'il plaira à Dieu, dit le roi. Ce n'est point par crainte des armes de votre maître, c'est uniquement par amour pour la paix, que je fais une réponse si modérée à ses reproches injurieux. Mais continuez à vous acquitter de votre mission.

— La seconde demande de mon maître, reprit l'ambassadeur, est que Votre Majesté cesse d'entretenir sous main des intelligences clandestines avec ses villes de Gand, de Liège et de Malines. Il requiert Votre Majesté de rappeler les agents secrets qui sèment le mécontentement parmi ses bons citoyens de Flandre, et de bannir de vos domaines, ou plutôt de livrer à leur seigneur suzerain, pour être punis comme ils le méritent, ces traîtres qui, ayant abandonné le théâtre de leurs manœuvres, n'ont trouvé que trop aisément un asile à Paris, à Orléans, à Tours, et en d'autres villes de France.

— Dites au duc de Bourgogne, répondit le roi, que je

ne connais pas les intelligences clandestines dont il m'accuse injustement; que mes sujets de France ont des relations fréquentes avec les bonnes villes de Flandre, par suite d'un commerce à l'avantage des deux pays, et qu'il serait aussi contraire aux intérêts du duc qu'aux miens de vouloir interrompre; enfin, que beaucoup de Flamands résident dans mon royaume, et jouissent de la protection de mes lois pour la même cause; mais que je n'en connais aucun qui s'y soit réfugié par suite de révolte ou de trahison contre le duc. Poursuivez. Vous avez entendu ma réponse.

— Avec autant de peine que celle de tout à l'heure, sire, car elle n'est ni assez directe ni assez explicite pour que le duc, mon maître, veuille la recevoir en réparation d'une longue suite de manœuvres secrètes, qui n'en sont pas moins certaines, quoique Votre Majesté les désavoue en ce moment. Mais je continue mon message. Le duc de Bourgogne requiert en outre le roi de France de renvoyer sans délai dans ses domaines, sous bonne et sûre garde, les personnes d'Isabelle, comtesse de Croye, et de sa parente et tutrice, la comtesse Hameline, de la même famille, attendu que ladite comtesse Isabelle, qui est, par la loi du pays et l'inféodation de ses domaines, pupille dudit duc de Bourgogne, a pris la fuite hors de l'enceinte de sa juridiction, se dérobant à la surveillance qu'en prince attentif il devait avoir sur sa pupille; elle est ici sous la protection secrète du roi de France, qui l'encourage dans sa rébellion contre le duc, son tuteur et son seigneur naturel, au mépris des lois divines et humaines, telles qu'elles ont toujours été reconnues dans l'Europe civilisée. Je m'arrête encore une fois, pour attendre votre réponse.

— Vous avez fort bien fait, comte de Crèvecœur, dit Louis avec un ton de dédain, vous avez fort bien fait de commencer votre ambassade de bon matin; car si vous avez dessein de me demander compte de chaque vassal que les passions turbulentes de votre maître peuvent avoir fait fuir de ses domaines, le soleil pourra se coucher avant que la liste en soit épuisée. Qui peut affirmer que ces dames sont dans mon royaume? et, si elles y sont, qui ose dire que je les ai favorisées dans leur fuite, ou que je les ai mises sous ma protection?

— Sire, Votre Majesté me permettra de lui dire que j'avais un témoin dans cette affaire — un témoin qui avait vu ces dames fugitives à l'auberge des Fleurs-de-Lis, située à peu de distance de ce château — un témoin, dis-je, qui avait vu Votre Majesté en leur compagnie, quoique sous le déguisement, peu digne d'elle, d'un bourgeois de Tours; un témoin enfin qui a reçu d'elles, en votre royale présence, sire, des messages et des lettres pour leurs amis de Flandre; qui a rapporté les uns et remis les autres au duc de Bourgogne.

— Produisez ce témoin, comte; faites-moi voir en face l'homme qui ose avancer des faussetés si palpables.

— Vous parlez d'un ton de triomphe, sire, car vous savez fort bien que ce témoin n'existe plus. Quand il vivait, il se nommait Zamet Maugrabin, et c'était un de ces vagabonds bohémiens. Il a été hier, à ce que j'ai appris, exécuté par des gens de la suite de votre grand prévôt, sans doute pour empêcher qu'il ne se trouvât ici pour déposer de la vérité de ce qu'il a dit à ce sujet au duc de Bourgogne, en présence de son conseil et de moi Philippe Crèvecœur des Cordes.

— Par Notre-Dame d'Embrun! s'écria le roi, ces accusations sont si absurdes, et je suis si loin de me reprocher rien qui puisse les motiver, que, par l'honneur d'un roi, je suis tenté d'en rire plutôt que de m'en fâcher. Ma garde prévôtale met à mort, comme c'est son devoir, les brigands et les vagabonds; ma couronne serait insultée par tout ce que ces brigands et ces vagabonds peuvent avoir dit à notre bouillant cousin de Bourgogne et à ses sages conseillers! Je vous prie de dire à mon beau cousin que, s'il aime leur compagnie, il ferait bien de les garder dans ses domaines, car ils ne trouveront ici qu'une courte absolution et une bonne corde.

— Mon maître n'a pas besoin de pareils sujets, sire, répondit le comte d'un ton moins respectueux que celui avec lequel il avait parlé jusqu'alors, car le noble duc n'a pas coutume d'interroger des sorcières, des Égyptiens et autres vagabonds, sur le destin de ses alliés et de ses voisins.

— Nous avons eu assez de patience, s'écria le roi en l'interrompant; et puisque ta mission ici semble n'avoir d'autre but que de nous insulter, nous enverrons quelqu'un en notre nom au duc de Bourgogne, convaincu qu'en te conduisant ainsi à notre égard, tu as outrepassé tes pouvoirs, quels qu'ils puissent être.

— Au contraire, répondit Crèvecœur, je ne m'y suis pas encore entièrement conformé. Écoutez, Louis de Valois, roi de France; écoutez, nobles et gentilshommes qui pouvez être présents; écoutez, fidèles et loyaux Français de toutes conditions; et toi, Toison d'Or, ajouta-t-il en se tournant vers le héraut, répète après moi cette proclamation: Moi, Philippe Crèvecœur des Cordes, comte de l'Empire, et chevalier de l'honorable ordre de la Toison d'Or, au nom du très puissant seigneur et prince Charles, par la grâce de Dieu, duc de Bourgogne et de Lorraine, de Brabant, de Limbourg, de Luxembourg, et de Gueldre; comte de Flandre et d'Artois, comte palatin de Hainaut, de Hollande, de Zélande, de Namur et de Zutphen; seigneur de la Frise, de Salines et de Malines; vous fais savoir à vous, Louis, roi de France, qu'attendu que vous avez refusé réparation de tous les griefs, de toutes les injures et offenses faites et occasionnées par vous ou par votre aide, à votre suggestion et instigation, à mondit duc et à ses sujets chéris, il renonce, par ma bouche, à sa foi et hommage envers votre couronne, vous déclare faux et sans foi, et vous défie, comme prince et comme homme. Voici mon gage, en preuve de ce que j'ai dit. »

En parlant ainsi, il ôta le gantelet de sa main droite, et le jeta sur le plancher de la salle d'audience.

Jusqu'à ce dernier trait d'audace, le plus profond silence avait régné dans l'appartement; mais à peine eut-on entendu le bruit que fit le gantelet en tombant, et l'exclamation, *vive Bourgogne!* que fit entendre au même instant Toison d'Or, le héraut bourguignon, qu'un tumulte général y succéda. Tandis que Dunois, le duc d'Orléans, le vieux lord Crawford, et un ou deux autres que leur rang autorisait à cette démarche, se disputaient à qui ramasserait le gantelet, la salle retentissait des cris: Frappez, frappez, qu'il périsse! vient-il ici pour insulter le roi de France jusque dans son palais?

Mais le roi apaisa le tumulte en s'écriant d'une voix semblable au tonnerre, qui couvrait toutes les autres, et qui imposa à chacun:

« Silence, messieurs! que personne ne mette la main sur l'envoyé, ni un doigt sur son gage! Et vous, sire comte, de quoi est composée votre vie, et comment est-elle garantie, pour que vous la hasardiez sur un coup de dé si périlleux? Votre duc est-il fait d'un autre métal que les autres princes, pour soutenir sa prétendue querelle d'une manière aussi inusitée?

— Oui, sans doute, répondit l'intrépide comte de Crèvecœur, il est fait d'un métal tout différent, d'un métal bien plus noble que les autres princes de l'Europe; car, lorsque nul d'entre eux n'osait vous donner un asile à vous-même, roi Louis, exilé de France, poursuivi par la vengeance amère de votre père, et par toute la puissance de son royaume, vous fûtes accueilli et protégé comme un frère par mon noble maître, dont vous avez si mal récompensé la générosité. Adieu, sire, j'ai rempli ma mission. »

A ces mots, le comte sortit de l'appartement sans prendre autrement son congé.

« Suivez-le! suivez-le! s'écria le roi; ramassez son gantelet, et suivez-le! Ce n'est pas à vous que je parle, Dunois; ni à vous, lord Crawford; il me semble que vous êtes un peu vieux pour une affaire aussi chaude; ni à vous, cousin d'Orléans, vous êtes trop jeune pour vous en mêler. Monsieur le cardinal, monsieur l'évêque d'Évreux, il appartient à la sainteté de vos fonctions de faire la paix entre les princes; relevez ce gantelet, et allez faire sentir au comte de Crèvecœur le péché qu'il a commis en insultant un grand monarque dans sa propre cour, et en le forçant à attirer les calamités de la guerre sur son royaume et sur celui de son voisin. »

Interpellé ainsi personnellement, le cardinal de La Balue alla relever le gantelet avec autant de précaution qu'on en prendrait pour toucher une vipère, tant paraissait grande son aversion pour ce symbole de guerre, et il sortit sur-le-champ de l'appartement du roi pour courir après l'envoyé.

Louis promenait ses regards en silence sur le cercle de ses courtisans, dont la plupart, à l'exception de ceux que nous avons déjà nommés, étaient des hommes de basse naissance, qui devaient le haut rang auquel le roi les avait élevés dans sa maison, non à leur courage ni à leurs exploits, mais à des talents de tout autre genre. Ils se regardaient les uns les autres, et la pâleur de leur visage prouvait que la scène dont ils venaient d'être témoins avait fait sur eux une impression peu agréable.

Louis jeta sur eux un coup d'œil de mépris, et dit à haute voix:

« Quoique le comte de Crèvecœur soit présomptueux et arrogant, il faut avouer que le duc de Bourgogne a en lui un serviteur aussi hardi qu'aucun de ceux qu'un prince ait jamais chargés d'un message. Je voudrais savoir où je pourrais en trouver un aussi fidèle pour envoyer ma réponse.

— Vous faites injustice à votre noblesse française, sire, dit Dunois. Il n'y a pas un de nous qui ne portât un défi au duc de Bourgogne, à la pointe de son épée.

— Et vous n'êtes pas plus juste, sire, dit le vieux Crawford, à l'égard des gentilshommes écossais qui ont l'honneur de vous servir. Ni moi, ni aucun de ceux qui servent sous mes ordres, étant de rang convenable, nous n'hésiterions à demander à cet orgueilleux envoyé compte de sa conduite. Mon bras est encore assez vigoureux pour le punir, si Votre Majesté m'en accorde la permission.

— Mais Votre Majesté, ajouta Dunois, ne veut nous employer à aucun service qui puisse être honorable pour nous, pour elle et pour la France.

— Dites plutôt, Dunois, répondit le roi, que je ne veux pas céder à cette impétuosité téméraire qui, pour un vain point d'honneur de chevalier errant, vous perdrait vous-même, le trône et la France. Il n'y a pas un de vous qui ne sache combien chaque heure de paix est précieuse en ce moment, pour guérir les blessures d'un pays déchiré; et cependant il n'y en a pas un qui ne fût prêt à guerroyer pour le premier conte que ferait une Bohémienne vagabonde, ou quelque demoiselle errante dont la réputation vaut à peine mieux. Mais voici La Balue, et nous espérons qu'il nous apporte des nouvelles plus pacifiques. Eh bien! monsieur le cardinal, avez-vous rendu au comte la raison et le sang-froid?

— Sire, répondit La Balue, ma tâche a été difficile. J'ai demandé à ce fier comte comment il avait osé adresser à Votre Majesté le reproche présomptueux qui a mis fin à son audience, témérité qui devait être attribuée, non à son maître, mais à sa propre insolence, et qui par conséquent le mettait à la discrétion de Votre Majesté, et l'assujettissait à tel châtiment qu'il vous plairait de lui infliger.

— Vous avez bien parlé, dit le roi; et qu'a-t-il répondu?

— Le comte, continua le cardinal, avait en ce moment le pied sur l'étrier pour monter à cheval, et, en entendant ma remontrance, il a tourné la tête, sans changer de position. Si j'avais été à la distance de cinquante lieues, me dit-il, et que j'eusse appris que le roi de France avait fait une question humiliante pour mon prince, j'aurais à l'instant tourné la bride de mon cheval, et je serais venu décharger mon cœur en lui faisant la réponse que je viens de vous faire.

— Je vous avais dit, monsieur, dit le roi en jetant un regard autour de lui, sans montrer aucun signe de colère, ni même d'émotion, que notre cousin le duc possède en Philippe de Crèvecœur un aussi digne serviteur que jamais prince ait eu à sa droite. Mais vous l'avez déterminé à rester?

— A rester vingt-quatre heures, répondit le cardinal, et à reprendre provisoirement son gage de défi. Il est descendu à l'auberge des Fleurs-de-Lis.

— Veillez à ce qu'il soit servi et traité noblement, et à nos frais, dit le roi; un tel serviteur est un joyau pour la couronne d'un prince. Vingt-quatre heures! ajouta-t-il à voix basse en semblant se parler à lui-même et en ouvrant les yeux comme s'il eût cherché à lire dans l'avenir; vingt-quatre heures, le terme est des plus courts! Cependant vingt-quatre heures bien et habilement employées peuvent valoir l'année entière d'un agent indolent ou incapable. Allons, messieurs, en chasse! à la forêt! Cousin d'Orléans, laissez de côté cette modestie, quoiqu'elle vous aille bien, et ne vous inquiétez pas de l'air réservé de Jeanne. La Loire cessera de recevoir les eaux du Cher avant que vous cessiez de l'aimer, ajouta-t-il tandis que le malheureux prince suivait à pas lents sa fiancée. Et maintenant, messieurs, prenez vos épieux, car Allègre, mon piqueur, a reconnu un sanglier qui mettra à l'épreuve les hommes et les chiens. Dunois, prêtez-moi votre épieu et prenez le mien, car il est trop pesant pour moi; mais vous, quand vous êtes-vous plaint d'un tel défaut dans votre lance? A cheval, messieurs, à cheval! »

Et toute la cour partit pour la chasse.

9. LA CHASSE AU SANGLIER

Je cause avec l'enfance, elle est sans artifice,
Même avec la folie ouverte et sans malice;
Mais ne me parlez pas de ces gens soupçonneux,
Voulant me deviner et lire dans mes yeux.

SHAKESPEARE. *Le Roi Richard.*

TOUTE l'expérience que le cardinal pouvait avoir du caractère de son maître ne l'empêcha pas de commettre en cette occasion une grande faute politique. Sa vanité le porta à croire qu'il avait mieux réussi, en déterminant le comte de Crèvecœur à rester à Tours, que ne l'aurait fait tout autre négociateur employé par le roi; sachant combien Louis attachait d'importance à éloigner une guerre avec le duc de Bourgogne, il ne put s'empêcher de faire voir qu'il croyait lui avoir rendu un grand et agréable service. Il se tint plus près de la personne du roi qu'il n'avait coutume de le faire, et tâcha d'entrer avec lui en conversation sur les événements de la matinée.

C'était manquer de tact sous plus d'un rapport: les monarques n'aiment pas à voir leurs sujets les approcher d'un air qui semble annoncer qu'ils ont bien mérité d'eux, et qu'ils veulent en arracher de la reconnaissance ou des récompenses; or, Louis, le monarque le plus jaloux de son autorité qui ait jamais existé, était particulièrement impénétrable et réservé pour quiconque semblait se prévaloir d'un service qu'il lui avait rendu, ou vouloir lire dans ses secrets.

Cependant le cardinal, très content de lui-même, et s'abandonnant à l'humeur du moment, comme cela arrive quelquefois à l'homme le plus prudent, continuait à se tenir à la droite du roi, et ramenait la conversation, toutes les fois qu'il le pouvait, sur Crèvecœur et son ambassade. C'était peut-être l'objet qui, en ce moment, occupait le plus les pensées du roi, et néanmoins c'était précisément celui dont il avait le moins envie de s'entretenir. Enfin Louis, qui l'avait écouté avec attention, quoique sans lui faire aucune réponse qui pût tendre à prolonger la conversation, fit signe à Dunois, qui était à peu de distance, de se placer à la gauche de son cheval:

« Nous sommes venus ici pour prendre de l'exercice et pour nous amuser, lui dit-il; mais le révérend père que voici voudrait nous faire tenir un conseil d'État.

— J'espère que Votre Majesté me dispensera d'y assister, répondit Dunois; je suis né pour combattre pour la France; mon cœur et mon bras sont à son service, mais ma tête n'est pas faite pour les conseils.

— Celle du cardinal n'est faite que pour cela, Dunois, répliqua le roi. Il vient de confesser Crèvecœur à la porte du château, et il nous a apporté toute sa confession. Ne m'avez-vous pas dit *tout*? » ajouta-t-il en appuyant sur ce dernier mot, et en lançant sur le cardinal un regard perçant, qui s'échappa entre ses longs sourcils noirs, comme la lame d'un poignard brille en sortant du fourreau.

Le cardinal trembla en s'efforçant de répondre à la plaisanterie du roi, et lui dit que, quoique son ministère lui imposât l'obligation de garder les secrets de ses pénitents en général, il n'existait pas de *sigillum confessi* qu'un souffle de Sa Majesté ne pût fondre:

« Et comme le cardinal, continua le roi, est disposé à nous communiquer les secrets des autres, il s'attend naturellement que je ne serai pas moins communicatif à son égard; afin d'établir entre nous cette réciprocité, il désire très raisonnablement savoir si ces deux dames de Croye sont véritablement dans nos domaines. Nous sommes fâché de ne pouvoir satisfaire sa curiosité, ne sachant pas nous-même précisément dans quel lieu de nos États peuvent se cacher des damoiselles errantes, des princesses déguisées, des comtesses persécutées; car, grâce à Dieu et à Notre-Dame d'Embrun, nos États sont un peu trop étendus pour que nous puissions répondre aisément aux questions très discrètes de Son Éminence; mais, en supposant que ces dames fussent avec nous, Dunois, quelle réponse feriez-vous à la demande définitive de notre cousin de Bourgogne?

— Je vous le déclarerai, sire, s'il plaît à Votre Majesté de me dire si elle veut la paix ou la guerre, » répondit Dunois avec une franchise qui prenait sa source dans un caractère naturellement ouvert et intrépide, et qui, de temps à autre, plaisait beaucoup au roi; car Louis, comme tous les hommes astucieux, désirait autant voir dans le cœur des autres, que cacher ce qui se passait dans le sien:

« Par saint Martin de Tours, Dunois, dit Louis, je serais aussi charmé de pouvoir te le dire que tu le serais de l'apprendre; mais je ne le sais pas encore bien moi-même. Au surplus, en supposant que je me décidasse pour la guerre, que ferais-je de cette belle, riche et jeune héritière, si elle se trouvait réellement dans mes États?

— Votre Majesté la donnerait en mariage à un de ses fidèles serviteurs, qui aurait un cœur pour l'aimer et un bras pour la défendre.

— A toi, par exemple, Dunois! Pâques-Dieu! je ne te croyais pas si politique avec toute ta franchise.

— Je ne suis rien moins que politique, sire. Par Notre-Dame d'Orléans, j'en viens au fait tout d'un coup, et je monte sur mon cheval dès qu'il est sellé. Votre Majesté doit à la maison d'Orléans au moins un heureux mariage.

— Et je le paierai, comte. Pâques-Dieu! je le paierai. Ne voyez-vous pas ce beau couple? »

En parlant ainsi, Louis lui montra le malheureux duc d'Orléans et la princesse Jeanne, qui, n'osant ni rester plus éloignés du roi, ni se séparer en sa présence, marchaient sur la même ligne, quoique leurs chevaux fussent à un intervalle de deux ou trois pas l'un de l'autre, distance que la timidité d'une part et l'antipathie de l'autre ne leur permettaient pas de diminuer, tandis que la crainte commune les empêchait d'oser l'augmenter.

Dunois porta les yeux dans la direction que le roi donnait à son bras en lui parlant; et, comme la position de son infortuné parent et de sa fiancée présentait à son imagination l'idée de deux chiens accouplés ensemble, mais marchant séparés l'un de l'autre autant que le leur permet la longueur de la laisse qui les tient unis, il ne put s'empêcher de secouer la tête, quoique sans oser répondre autrement au tyran hypocrite.

Louis parut deviner ses pensées:

« Ce sera un ménage paisible et tranquille, dit-il; je ne crois pas que les enfants leur donnent beaucoup d'embarras (1); mais ce n'est pas toujours un bonheur d'en avoir. »

Ce fut peut-être le souvenir de son ingratitude envers son propre père, qui fit que le roi garda un instant de silence après avoir prononcé ces derniers mots, et qui changea presque en expression de repentir le sourire ironique arrêté sur ses lèvres; mais un moment après il reprit la parole sur un autre ton:

« Franchement, mon cher Dunois, malgré mon respect pour le saint sacrement du mariage, dit-il en faisant un signe de croix, plutôt que de voir le royaume déchiré comme l'Angleterre par la rivalité des prétentions légitimes à la couronne, je préférerais ne devoir à la maison d'Orléans que de braves soldats comme ton père et toi, dans les veines desquels coule le sang royal, mais sans vous en donner les droits. Le lion ne devrait jamais avoir qu'un lionceau. »

Dunois soupira, et garda le silence, car il savait qu'en contredisant un monarque si arbitraire, il ne pouvait que nuire aux intérêts de son parent, sans lui rendre aucun service. Cependant il ne put s'empêcher d'ajouter l'instant après:

« Puisque Votre Majesté a fait allusion à la naissance de mon père, je dois convenir que, mettant à part la fragi-

1. *Le roi fait ici allusion au vrai motif qui le décida à insister sur cette union avec une sévérité si tyrannique, et qui était que, la difformité de la princesse admettant peu de chances de fécondité, la branche d'Orléans, qui était la plus rapprochée du trône, pouvait s'éteindre par le manque d'héritier. Dans une lettre au comte de Dammartin, Louis dit, en parlant du mariage de sa fille, « qu'il n'aurait pas beaucoup d'embarras à nourrir les enfants qui naîtraient de leur union; mais cependant qu'elle aurait lieu, quelque chose qu'on en puisse dire. »*

(Histoire de France *de Wraxall, vol. 1, pag. 143. Note.)*

lité de ses parents, on doit le regarder comme plus heureux, plus fortuné, d'avoir été le fils de l'amour illégitime, que s'il eût été celui de la haine conjugale.

— Tu es un compagnon bien hardi, Dunois, dit le roi, de parler avec tant d'irrévérence de ce nœud sacré! Mais au diable cette conversation; le sanglier est débusqué. Lâchez les chiens, au nom du bienheureux saint Hubert. Ah! ah! tra la la li rala! »

Et le cor du roi fit retentir les bois de sons joyeux, tandis qu'il suivait la chasse accompagné de deux ou trois de ses gardes, parmi lesquels était notre ami Quentin Durward; et il est bon de remarquer ici que, même en se livrant avec ardeur à son divertissement favori, le roi, fidèle à son caractère caustique, trouva le moyen de s'amuser encore en tourmentant le cardinal de La Balue.

Nous avons déjà dit qu'une des faiblesses de cet homme d'État était de se regarder, malgré l'obscurité de sa naissance et son éducation bornée, comme propre à jouer le rôle d'un courtisan et d'un galant accompli. Il est très vrai qu'il n'entrait pas dans la lice comme jadis Becket, qu'il ne levait pas de soldats comme Wolsey; mais la galanterie, à laquelle ces deux grands hommes n'avaient pas été eux-mêmes étrangers, était son étude favorite, et il affectait aussi d'être passionné pour le divertissement martial de la chasse. Cependant, quoiqu'il pût réussir auprès de certaines femmes, à qui son pouvoir, sa richesse et son influence comme homme d'État paraissaient une compensation suffisante de ce qui pouvait lui manquer du côté de la tournure et des manières, les chevaux magnifiques qu'il achetait presque à tout prix étaient insensibles à l'honneur qu'ils avaient de porter un cardinal, et ne lui témoignaient pas plus de respect qu'ils n'en auraient eu pour son père le tailleur, dont il était le digne rival dans l'art de l'équitation. Le roi ne l'ignorait pas; et, s'amusant tantôt à exciter son cheval, tantôt à le retenir, il finit, à force de répéter cette manœuvre, par mettre celui du cardinal, qui ne quittait pas son côté, dans une sorte de rébellion contre son cavalier. Tout annonçait qu'ils fausseraient bientôt compagnie. Tandis que le coursier du prélat maladroit hennissait, ruait, se cabrait, le roi, qui se plaisait à le tourmenter, lui faisait diverses questions sur des affaires importantes, et lui donnait à entendre qu'il allait saisir cette occasion pour lui confier quelques-uns de ces secrets d'État que le cardinal, peu d'instants auparavant, semblait si empressé d'apprendre (1).

Il serait difficile d'imaginer une situation plus désagréable que celle d'un conseiller privé, obligé d'écouter son souverain et de lui répondre, tandis que chaque courbette d'un cheval qu'il ne pouvait plus gouverner le forçait à changer d'attitude, et le mettait dans une situation plus précaire. Sa longue robe violette flottait dans tous les sens, et la seule chose qui le préservât d'une chute était

1. Un correspondant très obligeant, quoique inconnu, m'a assuré que je m'étais trompé en avançant que le cardinal était mauvais écuyer. S'il en est ainsi, je dois une apologie à sa mémoire, car peu d'hommes ont aimé cet exercice plus que je ne l'ai fait moi-même jusqu'à mes derniers jours. Mais le cardinal peut avoir été assez médiocre cavalier, tout en désirant qu'on le crût capable de supporter les dangers de la chasse. C'était un homme rempli d'orgueil et d'ostentation. Il en fit preuve au siège de Paris, en 1465, lorsque, contre la coutume suivie en temps de guerre, il montait la garde durant la nuit au son des clairons, des trompettes et d'autres instruments. En attribuant au cardinal peu de talent pour l'équitation, je me rappelais l'aventure qui lui arriva à Paris: des assassins l'attaquèrent; sa mule, effrayée du tumulte, prit le mors aux dents, emportant son cavalier, et le conduisit à un monastère dont l'abbé avait été son dernier maître. Ce fut ainsi qu'elle sauva la vie au cardinal.

(Chronique *de Jean de Troyes.*)

la profondeur de sa selle. Dunois riait sans se contraindre; le roi avait une manière à lui de jouir intérieurement de ses malices, sans en rire tout haut. Il adressait à son ministre, du ton le plus amical, des reproches sur son ardeur excessive pour la chasse, qui ne lui permettait pas de donner quelques moments aux affaires:

« Mais je ne veux pas mettre plus longtemps obstacle à vos plaisirs, » ajouta-t-il en s'adressant au cardinal, qui se trouvait alors très mal à l'aise; et il lâcha la bride à son cheval.

Avant que La Balue eût pu dire un mot pour lui répondre ou pour s'excuser, son cheval, prenant le mors aux dents, partit au grand galop, et laissa bientôt derrière lui le roi et Dunois, qui suivaient d'un pas plus modéré, en jouissant de la détresse du prélat courtisan.

S'il est arrivé à notre lecteur, dans son temps, comme cela nous est arrivé dans le nôtre, d'être emporté ainsi par sa monture, il se fera d'abord une idée de tout ce qu'il y avait de pénible, de dangereux et de ridicule dans une telle situation. Ces quatre jambes du quadrupède qui ne sont plus aux ordres de son cavalier, ni quelquefois même à ceux de l'animal lui-même, et qui courent avec la même rapidité que si celles de derrière avaient dessein de rejoindre celles de devant; ces deux jambes du bipède, que nous voudrions alors pouvoir appuyer sûrement sur le vert gazon, et qui ne font qu'augmenter notre détresse en pressant les flancs de notre coursier; les mains qui ont abandonné la bride pour saisir la crinière; le corps, qui, au lieu d'être droit et ferme, sur le centre de gravité, comme le recommandait le vieil Angelo (1), ou penché en avant comme celui d'un jockey à Newmarket (2), est

1. *Auteur d'un traité d'équitation.*
2. *Ville où se font les grandes courses de chevaux.*

couché sur le cou du cheval, sans plus de chances pour éviter une chute, que n'en aurait un sac de blé: tout contribue à rendre ce tableau assez risible pour les spectateurs, quoique celui qui le présente à leurs yeux n'ait nullement envie de rire.

Mais ajoutez à cela quelque chose de singulier dans les vêtements ou les manières de l'infortuné cavalier, un uniforme splendide, une robe ecclésiastique, quelque autre costume extraordinaire; que cette scène se passe à une course de chevaux, à une procession, à un lieu quelconque de réunion publique: si la malheureuse victime veut éviter de devenir l'objet d'un éclat de rire inextinguible, il faut qu'elle tâche de se rompre un membre ou deux en tombant, ou, ce qui serait encore plus efficace, de se faire tuer sur la place, car on ne peut acheter à meilleur marché une compassion sérieuse. En cette occasion, la robe courte du cardinal, car il avait quitté sa soutane avant de partir du château, ses bas rouges, son chapeau de même couleur garni de ses longs cordons, et son air d'embarras, ajoutaient beaucoup à la gaieté que faisait naître sa gaucherie en équitation.

Le cheval, devenu complètement son maître, galopant, ou pour mieux dire volant dans une longue avenue tapissée de verdure, rencontre la meute qui poursuivait le sanglier: il renverse un ou deux piqueurs, qui ne s'attendaient guère à être chargés à l'arrière-garde; foule aux pieds plusieurs chiens, et jette la confusion dans la chasse; animé par les cris et les menaces des chasseurs, il emporte le cardinal épouvanté jusqu'au-delà du formidable animal, qui courait au grand trot, furieux et ayant les défenses couvertes d'écume.

La Balue, en se voyant si près du sanglier, poussa un cri épouvantable pour demander du secours. Ce cri, ou peut-être la vue du terrible animal, produisit un tel effet sur le coursier emporté, qu'il interrompit sa carrière, et fit si brusquement un saut de côté, que le cardinal tomba lourdement; car depuis longtemps il ne se maintenait en selle que parce que la course rapide du cheval avait toujours imprimé à son corps le même mouvement en avant. Cette conclusion de la chasse de La Balue eut lieu si près du sanglier que, si l'animal n'eût été en ce moment trop occupé de ses propres affaires, ce voisinage aurait pu être aussi fatal au prélat que pareil événement le fut, dit-on, à Favila, roi des Visigoths, en Espagne. Il en fut pourtant quitte pour la peur; et, se traînant, aussi promptement qu'il le put, hors du chemin des chiens et des chasseurs, il vit passer toute la chasse devant lui sans que personne lui offrît la moindre assistance; car les chasseurs de cette époque n'avaient pas plus de compassion pour de tels accidents que ceux de nos jours.

Le roi en passant dit à Dunois:

« Voilà Son Éminence assez bas. Ce n'est pas un grand chasseur; quoique, comme pêcheur, il puisse le disputer à saint Pierre même quand il s'agit de pêcher un secret. Mais, pour cette fois, je crois qu'il a trouvé son homme. »

Le cardinal n'entendit pas ces paroles, mais le regard méprisant dont elles furent accompagnées lui en fit deviner le sens. Le diable, dit-on, choisit pour nous tenter des occasions semblables à celle que lui offrait l'amer dépit inspiré à La Balue par l'air ironique du roi. Sa frayeur momentanée se dissipa, dès qu'il fut assuré qu'il ne s'était pas blessé en tombant; mais sa vanité mortifiée et sa rancune contre Louis exercèrent sur lui une influence qui fut de plus longue durée.

Toute la chasse avait passé, quand un cavalier, qui semblait moins partager cet amusement qu'en être spectateur, s'avança avec une couple d'hommes à sa suite, et témoigna beaucoup de surprise en trouvant le cardinal à pied, seul, sans cheval, et dans un désordre qui annonçait clairement la nature de l'accident qui lui était arrivé. Mettre pied à terre, lui offrir obligeamment son assistance, ordonner à un de ses gens de descendre d'un palefroi doux et tranquille pour le céder au cardinal, exprimer son étonnement que les usages de la cour de France permissent d'abandonner au péril de la chasse et de délaisser, au moment du besoin, le plus distingué de ses hommes d'État; tels furent les secours et les consolations qu'une rencontre si étrange mit Crèvecœur à même d'offrir au cardinal démonté, car c'était l'ambassadeur bourguignon lui-même qui était survenu.

Il trouva La Balue dans un moment fort opportun et dans des dispositions favorables pour faire sur sa fidélité quelques-unes de ces tentatives auxquelles on sait que le ministre eut la faiblesse criminelle de ne pas savoir résister. Déjà, dans la matinée, il s'était passé entre eux, comme le caractère méfiant de Louis le lui avait fait soupçonner, certaines choses que le cardinal n'avait pas osé rapporter à son maître; il avait écouté avec une oreille satisfaite l'assurance que lui avait donnée le comte de l'estime infinie que le duc de Bourgogne avait conçue pour sa personne et pour ses talents; il n'avait pu se défendre d'un mouvement de tentation, en entendant Crèvecœur parler de la munificence de son maître et des riches bénéfices qu'il avait à sa disposition en Flandre. Toutefois ce ne fut qu'après avoir été irrité par les événements que nous venons de rapporter, et avoir vu sa vanité si cruellement mortifiée, qu'il résolut, dans un fatal moment, de prouver que nul ennemi ne peut être aussi dangereux que l'ami et le confident qu'on a offensé.

En cette occasion, il se hâta d'engager Crèvecœur à se séparer de lui, de peur qu'on ne les vît ensemble; mais il lui donna un rendez-vous, pour le soir, à l'abbaye de

Saint-Martin de Tours, après vêpres, et ce fut d'un ton qui convainquit le Bourguignon que son maître venait d'obtenir un avantage qu'il aurait à peine osé espérer.

Cependant Louis qui, quoique le prince le plus politique de son temps, n'en cédait pas moins fréquemment à ses goûts et à ses passions, suivait avec ardeur la chasse du sanglier, et elle était alors au moment le plus intéressant: il était arrivé qu'un marcassin, ou pour mieux dire un sanglier de deux ans, avait traversé la voie de l'animal poursuivi; les chiens, mis en défaut, avaient suivi cette nouvelle trace, et il n'y avait que deux ou trois paires de vieux chiens, parfaitement exercés, qui étaient restés sur la bonne piste; enfin, tous les chasseurs s'étaient laissé dévoyer. Le roi vit avec une secrète satisfaction Dunois prendre le change aussi bien que les autres, et jouit d'avance du plaisir de triompher d'un chevalier accompli dans l'art de la vénerie, regardé alors comme presque aussi glorieux que celui de la guerre.

Louis était bien monté, il suivait de très près les chiens qui n'avaient pas perdu la voie; et quand le sanglier se retourna, sur un terrain marécageux, pour opposer une dernière résistance à ses ennemis, le roi se trouvait seul près de l'animal furieux.

Louis montra toute la bravoure et toute l'habileté d'un chasseur expérimenté; car, sans s'inquiéter du péril, il courut sur le sanglier, qui se défendait contre les chiens en écumant de rage, et le frappa de son épieu. Mais son cheval ne s'était approché qu'avec un mouvement de crainte, et le coup ne put être assez bien appliqué pour tuer l'animal ou le mettre hors de combat. Nul effort ne put déterminer le coursier effrayé à une seconde charge; de sorte que le roi, mettant pied à terre, s'avança seul contre le sanglier, tenant à la main une de ces épées courtes, droites, pointues et bien affilées, dont les chasseurs se servent en pareilles rencontres. L'animal courroucé oublia les chiens pour se précipiter sur ce nouvel ennemi, tandis que le roi, s'arrêtant de pied ferme, dirigea son fer de manière à l'enfoncer dans la gorge du sanglier, ou plutôt dans la poitrine, sous l'omoplate, auquel cas le poids et l'impétuosité de la bête féroce n'auraient servi qu'à accélérer sa destruction. Malheureusement l'humidité du sol fit que le pied du roi glissa à l'instant même où il allait accomplir cette manœuvre délicate et dangereuse; la pointe de son épée, rencontrant la cuirasse de soies hérissées qui garnissait l'épaule de l'animal, la dépassa sans lui faire de blessure, et Louis tomba étendu par terre. Cette chute fut pourtant heureuse pour le monarque; car elle fit que le sanglier, qui avait dirigé un coup de boutoir contre sa cuisse, manqua son but à son tour, et ne fit que déchirer le pan de son habit de chasse. L'impétuosité de sa course l'emporta d'abord, mais il ne tarda point à revenir sur ses pas pour attaquer de nouveau le roi à l'instant où il se relevait; et la vie de Louis se trouvait dans le plus grand danger, lorsque Quentin Durward, que la lenteur de son cheval avait retenu en arrière, mais qui avait reconnu et suivi le son du cor du roi, arriva dans ce moment critique, et perça l'animal d'un coup d'épieu.

Le roi, qui s'était relevé pendant ce temps, vint à son tour au secours de Durward, et acheva le sanglier en lui enfonçant son épée dans la gorge. Avant de dire un seul mot à Quentin, il mesura la longueur de l'animal abattu, non seulement par le nombre des pas, mais en calculant les pieds et les pouces; il essuya la sueur qui coulait de son front et le sang qui souillait ses mains, ôta son chapeau de chasse, le plaça sur un buisson, et adressa dévotement une prière aux petits saints de plomb qui le couvraient. Regardant ensuite Durward:

« Est-ce toi, mon jeune Écossais? lui dit-il: tu as bien

commencé ton cours de chasse; et maître Pierre te doit un aussi bon déjeuner que celui qu'il t'a donné là-bas aux Fleurs-de-Lis. Eh bien! pourquoi ne parles-tu pas? As-tu perdu toute ta fougue et ton feu, à la cour, qui en donne aux autres? »

Le jeune Quentin, Écossais fin et adroit si jamais il en fut, avait trop de prudence pour profiter de la dangereuse familiarité qui semblait lui être accordée. Il répondit brièvement, mais en termes choisis que, s'il pouvait se permettre d'adresser la parole à Sa Majesté, ce ne serait que pour la supplier de lui pardonner la hardiesse rustique avec laquelle il s'était conduit, lorsqu'il ne connaissait pas son rang élevé:

« Bon, bon! dit le roi, je te pardonne ta hardiesse en faveur de ton audace et de ta malice. J'ai admiré comme tu as deviné à peu près juste quelle était la profession de mon compère Tristan. Depuis ce temps, il t'a presque servi un plat de son métier, à ce que j'ai appris. Je te conseille de prendre garde à lui: c'est un homme méchant qui trafique en bracelets un peu durs, et en colliers bien serrés. Aide-moi à monter à cheval. Tu me plais, et je veux te faire du bien. Ne compte sur personne que sur moi, pas même sur ton oncle, ni sur lord Crawford; et ne parle à qui que ce soit du secours que tu m'as apporté si à propos dans ma rencontre avec ce sanglier; car celui qui se vante d'avoir secouru un roi dans un cas si urgent doit compter que le plaisir de se vanter sera toute sa récompense. »

Le roi sonna alors du cor, et ce son amena bientôt près de lui Dunois et plusieurs autres chasseurs dont il reçut les compliments sur la mort de ce noble animal, sans se faire scrupule de s'approprier une plus grande part de cette gloire qu'il ne lui en appartenait véritablement; car il parla de l'assistance du jeune Durward aussi légèrement qu'un chasseur qui se vante du nombre de pièces de gibier qu'il rapporte dans sa gibecière, parle de celle du garde qui l'a aidé à les abattre. Il ordonna ensuite à Dunois de faire porter le sanglier aux moines de Saint-Martin de Tours, pour qu'ils s'en régalassent les jours de fête, et qu'ils se souvinssent du roi dans leurs prières:

« Et qui a vu Son Éminence le cardinal? demanda Louis. Il me semble que c'est manquer de politesse, et montrer peu d'égards pour la sainte Église, que de le laisser à pied dans cette forêt.

— Si Votre Majesté me le permet, dit Durward, qui vit que tout le monde gardait le silence, je lui dirai que j'ai vu Son Éminence sortir de la forêt, montée sur un cheval qu'on lui avait prêté.

— Le ciel prend soin de ceux qui lui appartiennent, dit le roi. Allons, messieurs, partons; nous ne chasserons pas davantage aujourd'hui. Sire écuyer, ajouta-t-il en s'adressant à Quentin, donnez-moi mon couteau de chasse: je l'ai laissé tomber près du sanglier. Marchez en avant, Dunois; je vous suis dans un instant. »

Louis, dont les mouvements les moins importants en apparence étaient souvent calculés comme des stratagèmes de guerre, se procura ainsi l'occasion de dire un mot à Durward en particulier:

« Mon brave Écossais, lui dit-il, tu as des yeux, à ce que je vois. Peux-tu me dire qui a donné un cheval au cardinal? Quelque étranger, sans doute; car mes courtisans, m'ayant vu passer devant lui sans m'arrêter, ne se seront sûrement pas pressés de lui rendre ce service.

— Je n'ai vu qu'un instant ceux qui ont rendu ce bon office à Son Éminence, sire, répondit Quentin; car j'avais eu le malheur d'être jeté à bas de cheval, et je faisais hâte pour me trouver à mon poste; mais je crois que c'était l'ambassadeur de Bourgogne et ses gens:

« Ah! dit Louis, fort bien: eh bien! soit, le roi de France est en état de faire leur partie. »

Il ne se passa plus rien de remarquable ce jour-là, et le roi rentra au château avec sa suite.

10. LA SENTINELLE

D'où nous viennent ces sons? de la terre ou de l'air?
SHAKESPEARE. *La Tempête.*

J'écoutais! mon oreille aussitôt fut ravie
Par des sons qui pourraient aux morts rendre la vie.
MILTON. *Comus.*

QUENTIN était à peine rentré dans sa petite chambre, pour y faire à son costume quelques changements indispensables, que son digne oncle vint lui demander des détails sur ce qui lui était arrivé pendant la chasse.

Le jeune homme, qui ne pouvait s'empêcher de penser que le bras de Ludovic valait probablement mieux que son jugement, eut soin, en lui répondant, de laisser le roi en pleine possession de la victoire qu'il avait paru vouloir s'approprier exclusivement. Le Balafré lui répondit en faisant le détail de la manière bien supérieure dont il se serait conduit en pareilles circonstances; et il y ajouta, quoique avec douceur, quelques reproches sur le peu d'empressement qu'il avait mis pour courir au secours du roi, lorsque sa vie pouvait être en danger. Le jeune homme eut assez de prudence, en lui répliquant, pour ne chercher à se justifier qu'en alléguant que, d'après toutes les règles de la chasse, il n'était pas honnête de frapper l'animal attaqué par un autre chasseur, à moins que celui-ci ne demandât assistance. Cette discussion était à peine finie, que Quentin eut lieu de s'applaudir de sa réserve. On frappa légèrement à la porte, elle fut ouverte, et Olivier le Dain, ou le Mauvais, ou le Diable, car il était connu sous ces trois noms, entra dans l'appartement.

Nous avons déjà fait, du moins quant à l'extérieur, la description de cet homme habile, mais sans principes. Son allure et ses manières pouvaient être assez heureusement comparées à celles du chat domestique, qui couché, et en apparence endormi, ou traversant l'appartement à pas lents, furtifs et timides, n'en est pas moins occupé à guetter le trou de quelque malheureuse souris et, se frottant avec un air de confiance contre ceux dont il désire que la main le flatte, saute sur sa proie un moment après, et égratigne peut-être celui même qu'il vient de caresser.

Olivier entra, arrondissant les épaules d'un air humble et modeste, et salua le Balafré avec tant de civilité, que tout témoin de cette entrevue n'aurait pu s'empêcher d'en conclure qu'il venait solliciter une faveur de l'archer écossais. Il félicita Lesly sur l'excellente conduite de son neveu pendant la chasse, et ajouta qu'elle avait attiré l'attention particulière du roi. Il fit une pause à ces mots, et resta les yeux baissés, les soulevant seulement de temps en temps pour jeter un regard à la dérobée sur Quentin, tandis que le Balafré disait que le roi avait été fort malheureux de ne pas l'avoir près de lui au lieu de son neveu, attendu qu'il aurait incontestablement percé le sanglier d'un bon coup d'épieu, tandis qu'il apprenait, autant qu'il en pouvait juger, que Quentin en avait laissé tout l'embarras à Sa Majesté:

« Mais, ajouta-t-il, cela servira de leçon à Sa Majesté pour tout le reste de sa vie, et lui apprendra à monter un homme de ma taille sur un meilleur coursier. Comment mon cheval flamand, espèce de montagne, aurait-il pu suivre le coursier normand de Sa Majesté? et cependant ce n'était pas faute de lui labourer les flancs à coups d'éperons. Cela est fort mal vu, monsieur Olivier, et vous devriez faire une représentation à ce sujet à Sa Majesté. »

M. Olivier ne répondit à cette observation qu'en adressant à l'intrépide archer un de ces regards lents et équivoques, qui, accompagnés par un léger mouvement de la main d'un côté, et de la tête de l'autre, peuvent être interprétés, soit comme un assentiment à ce qu'on vient d'entendre, soit comme une invitation à ne pas en dire davantage sur ce sujet. Le coup d'œil qu'il jeta ensuite sur le jeune écuyer était plus vif, plus observateur, et il lui dit avec un sourire dont l'expression était difficile à interpréter:

« Ainsi donc, jeune homme, c'est l'usage en Écosse de laisser vos princes en danger faute de secours, dans des occasions comme celle qui s'est présentée ce matin.

— Notre usage, répondit Quentin, déterminé à ne pas jeter plus de jour sur cet objet, est de ne pas intervenir mal à propos dans les honorables amusements de nos rois, quand ils peuvent se tirer d'affaire sans notre aide. Nous pensons qu'un prince à la chasse doit courir la même chance que tout autre, et qu'il n'y va que pour cela. Que serait la chasse sans fatigue et sans danger?

— Vous entendez ce jeune fou! dit son oncle; il est toujours le même. Il a toujours une réponse prête, une raison à donner pour tout ce qu'il fait. Je ne sais où il a pêché ce talent; car, quant à moi, je n'ai jamais pu rendre raison d'aucune action de ma vie, si ce n'est de celle de manger quand j'ai faim, de faire l'appel de ma troupe, et d'autres devoirs semblables.

— Et je vous prie, mon digne monsieur, dit le barbier royal en soulevant à demi ses paupières pour le regarder, quelle raison donnez-vous pour faire l'appel de votre troupe?

— L'ordre de mon capitaine, répondit le Balafré. Par saint Gilles! je n'en connais pas d'autre raison. S'il le donnait à Tyrie ou à Cunningham, il faudrait qu'ils le fissent de même.

— C'est une cause finale tout à fait militaire, dit Olivier. Mais, monsieur Lesly, vous serez sans doute charmé d'apprendre que Sa Majesté est si loin d'avoir le moindre mécontentement de la manière dont votre neveu s'est conduit ce matin, qu'elle l'a choisi pour lui donner aujourd'hui un devoir à remplir.

— L'a choisi! s'écria le Balafré du ton de la plus grande surprise; vous voulez dire m'a choisi?

— Je veux dire précisément ce que je dis, répliqua le barbier avec beaucoup de douceur, mais d'un ton positif. Le roi a des ordres à donner à votre neveu.

— Comment! s'écria le Balafré, pourquoi? comment se fait-il? par quelle raison Sa Majesté choisit-elle un enfant de préférence à moi?

— Je ne puis vous donner de meilleure raison, monsieur Lesly, répondit Olivier, que celle que vous m'alléguiez vous-même tout à l'heure: tel est l'ordre de Sa Majesté. Mais, si je puis me permettre de faire une conjecture, c'est peut-être que Sa Majesté a une mission à donner qui convient mieux à un jeune homme comme votre neveu, qu'à un guerrier expérimenté tel que vous. En conséquence, jeune homme, préparez vos armes et suivez-moi. Prenez une arquebuse, car vous allez remplir les fonctions de sentinelle.

— De sentinelle! répéta l'oncle. Êtes-vous bien sûr que vous ne vous trompez pas, monsieur Olivier? La garde des postes de l'intérieur n'a jamais été confiée qu'à ceux qui, comme moi, ont servi douze ans dans notre honorable corps.

— Je suis tout à fait certain des intentions de Sa Majesté, répondit Olivier; et je ne dois pas tarder plus longtemps à les remplir. Ayez la bonté d'aider votre neveu à se préparer pour son service. »

Le Balafré, qui n'était ni envieux ni jaloux, s'empressa d'aider Quentin à s'équiper et à s'armer; et il lui donnait en même temps des instructions sur la manière dont il devait se conduire quand il serait sous les armes, s'interrompant de temps en temps pour mêler à ses leçons une interjection de surprise sur ce qu'une pareille bonne fortune arrivait si promptement à un si jeune homme:

« Jamais on n'a vu pareille chose dans la garde écossaise, dit-il, pas même en ma faveur; mais il va sans doute être en faction près des paons et des perroquets des Indes dont l'ambassadeur de Venise a fait présent au roi tout récemment. Ce ne peut pas être autre chose; et, ce service ne pouvant convenir qu'à un jeune homme sans barbe, ajouta-t-il en relevant ses moustaches, je suis charmé que le choix de Sa Majesté soit tombé sur mon beau neveu. »

Doué d'un esprit vif et subtil, et d'une imagination ardente, Quentin attacha beaucoup plus d'importance à l'ordre qu'il venait de recevoir, et son cœur battit de joie à l'idée d'une distinction qui lui promettait un avancement rapide. Il résolut d'épier avec soin les discours et jusqu'aux gestes de son conducteur, car il soupçonnait qu'en certains cas, du moins, il fallait les interpréter par les contraires, comme on dit que les devins expliquent les songes. Il ne pouvait que se féliciter d'avoir gardé le plus profond secret sur les événements de la matinée; et il prit une détermination qui, vu son âge, annonçait beaucoup de prudence; c'était d'enchaîner ses pensées dans son cœur, et de tenir sa langue dans un assujettissement complet, tant qu'il respirerait l'air de cette cour mystérieuse.

Son équipement fut bientôt terminé; et, suivant Olivier

le Dain, il sortit de la caserne, l'arquebuse sur l'épaule; car, quoique la garde écossaise conservât le nom d'archers, elle avait substitué de bonne heure les armes à feu à l'arc, qui n'avait jamais été l'arme favorite de l'Écosse.

Son oncle le suivit longtemps des yeux, d'un air qui annonçait un mélange d'étonnement et de curiosité; et, quoique ni l'envie ni les sentiments honteux qu'elle engendre n'eussent part à ses réflexions, il lui semblait que la faveur accordée à son neveu, dès le premier jour de son service, offensait un peu sa propre importance, et cette idée ne laissait pas de diminuer le plaisir qu'il en ressentait.

Il branla gravement la tête, ouvrit un buffet, y prit une grande *bottrine* de vin vieux, la secoua pour s'assurer si le contenu ne commençait pas à baisser, en remplit un verre, le vida d'un seul trait, et s'assit, le dos bien appuyé, dans un grand fauteuil en bois de chêne. Ayant alors branlé la tête une seconde fois, il paraît qu'il trouva un tel soulagement dans ce mouvement d'oscillation, semblable à celui du jouet d'enfant qu'on nomme un mandarin, qu'il le continua jusqu'à ce qu'enfin il tombât dans un assoupissement dont il ne fut tiré que par le signal ordinaire du dîner.

Ayant laissé son oncle libre de se livrer à ses sublimes méditations, Quentin Durward suivit son guide Olivier le Dain, qui, sans traverser aucune cour, le conduisit par des passages, les uns voûtés, les autres exposés en plein air, par des escaliers, des galeries et des corridors, tous communiquant les uns aux autres au moyen de portes secrètes, placées aux endroits où on les aurait le moins soupçonnées. De là, il le fit entrer dans une grande et spacieuse galerie, décorée d'une tapisserie plus antique que belle, et de quelques tableaux de ce style de peinture dur et froid appartenant à l'époque qui précéda immédiatement celle où les arts brillèrent tout à coup d'un éclat si grand. Ils étaient censés représenter les paladins de Charlemagne, qui figurent d'une manière si distinguée dans l'histoire romanesque de la France; et, comme le célèbre Roland, avec sa stature de géant, en était le personnage le plus remarquable, on avait nommé cet appartement la galerie de Roland (1):

« Vous allez rester ici en sentinelle, dit Olivier à voix basse, comme s'il eût pensé que les monarques et les guerriers représentés autour de lui pourraient armer d'une expression de courroux leurs traits austères en l'entendant élever la voix, ou comme s'il eût craint d'éveiller les échos qui sommeillaient dans les voûtes sculptées et les ornements gothiques de ce vaste et sombre appartement.

— Quelle est ma consigne? Quel est le mot d'ordre? demanda Durward sans élever la voix plus haut que ne l'avait fait Olivier.

— Votre arquebuse est-elle chargée? lui demanda le barbier sans répondre à ses questions.

— Cela sera bientôt fait, » répondit Quentin; et, ayant chargé son arme, il alluma la mèche aux restes d'un feu presque éteint, dans une immense cheminée d'une telle dimension, qu'on aurait pu la prendre pour un cabinet ou une chapelle gothique dépendant de cette galerie.

Pendant ce temps, Olivier lui dit qu'il ne connaissait pas encore un des principaux privilèges du corps dans lequel il servait, et qui était de recevoir des ordres directs du roi ou du grand connétable, sans qu'ils fussent transmis par la bouche des officiers:

1. *Je suppose que c'est à son inflexible rigueur envers les Saxons et les autres païens, que Charlemagne dut de passer pour saint durant les siècles d'ignorance; Louis XI, en qualité de successeur, avait pour lui une dévotion particulière.*

« Vous êtes placé ici, jeune homme, ajouta-t-il, par ordre de Sa Majesté, et vous ne tarderez à savoir pourquoi vous y avez été appelé. En attendant, vous allez vous mettre en faction dans cette galerie. Vous pouvez vous promener ou rester en place, comme bon vous semblera, mais vous ne devez ni vous asseoir ni quitter un instant votre arme. Il ne vous est permis ni de siffler, ni de chanter; mais vous pouvez, si vous le voulez, murmurer quelques prières de l'Église, ou même fredonner quelques chansons décentes, pourvu que ce soit à voix basse. Adieu, et soyez attentif à tout surveiller. »

« A tout surveiller! pensa le jeune soldat pendant que son guide s'éloignait sans bruit, de ce pas furtif qui lui était habituel, et en le voyant disparaître par une porte latérale, cachée sous la tapisserie. Et sur qui, sur quoi dois-je exercer ma surveillance? Je ne vois pas d'apparence que je trouve ici d'autres ennemis à combattre que quelque rat et quelque chauve-souris, à moins que ces sombres et antiques portraits ne s'animent pour venir me troubler dans ma faction. N'importe, c'est mon devoir, à ce qu'il paraît, et il faut l'exécuter. »

Ayant ainsi formé l'énergique résolution de remplir son devoir à la rigueur, il essaya d'abréger le temps en chantant à voix basse quelques-unes des hymnes qu'il avait apprises dans le couvent où il avait trouvé un asile après la mort de son père, reconnaissant en même temps que, sauf le changement du froc de novice en un bel uniforme militaire, tel que celui qu'il portait alors, sa promenade dans une galerie d'un château royal de France ressemblait beaucoup à celle dont il s'était dégoûté dans la solitude monastique d'Aberbrothock.

Bientôt, comme pour se convaincre qu'il n'appartenait plus au cloître, mais au monde, il se mit à chanter, assez bas pour ne pas excéder la permission qui lui avait été donnée, quelques-unes des anciennes ballades que lui avait apprises le vieux joueur de harpe de sa famille: telles que la défaite des Danois à Aberlemno et à Forres; le meurtre du roi Duffus à Forfar, et d'autres lais ou sonnets énergiques relatifs à l'histoire de son pays, et particulièrement à celle du canton qui l'avait vu naître. Il passa ainsi un temps assez considérable, et il était plus de deux heures après midi quand l'appétit de Quentin lui rappela que, si les bons pères d'Aberbrothock exigeaient strictement sa présence aux heures des offices de l'église, ils n'étaient pas moins ponctuels à l'avertir de celles des réfections; au lieu que, dans l'intérieur d'un château royal, après avoir passé la matinée à la chasse, et être resté trois ou quatre heures en faction, il lui semblait que personne ne songeait qu'il devait naturellement être pressé de dîner.

Il existe pourtant dans les sons harmonieux un charme qui peut calmer le sentiment d'impatience que Quentin éprouvait en ce moment. Aux deux extrémités opposées de la galerie, étaient deux grandes portes ornées de lourdes architraves qui donnaient probablement entrée dans différentes suites d'appartements auxquels la galerie servait de communication. Tandis que notre héros se promenait solitairement d'une de ces portes à l'autre, limite de sa faction, il fut surpris par les sons d'une musique délicieuse qui se firent entendre tout à coup et qui, du moins dans son imagination, parurent produits par le même luth et par la même voix qui l'avait enchanté la veille. Tous ses rêves du jour précédent, et dont le souvenir s'était affaibli par suite des événements plus que sérieux qui lui étaient arrivés ensuite, se présentèrent à son esprit plus vivement que jamais; et, prenant en quelque sorte racine sur la place d'où son oreille pouvait le plus facilement s'enivrer de ces accents mélodieux, l'arquebuse sur l'épaule, la bouche à demi ouverte, et dans l'attitude de l'attention la plus vive, il semblait la statue d'une sentinelle plutôt qu'un être animé, et n'avait plus d'autre idée que celle de saisir chaque son au passage.

Ces sons délicieux ne se faisaient entendre que par intervalles. Ils languissaient, se ralentissaient, cessaient entièrement, et se renouvelaient de temps en temps après un silence dont la durée était incertaine. Mais la musique, de même que la beauté, n'en est souvent que plus séduisante, ou du moins plus intéressante à l'imagination, quand elle ne déploie ses charmes que par intervalles, et qu'elle laisse à la pensée le soin de remplir le vide occasionné par la distance; d'ailleurs Quentin, pendant les intervalles de l'enchantement qu'il éprouvait, avait encore de quoi se livrer à ses rêveries. D'après le rapport des camarades de son oncle, et la scène qui s'était passée dans la salle d'audience, il ne pouvait plus douter que la sirène qui avait ainsi charmé ses oreilles ne fût, non la fille ou la parente d'un vil *cabaretier,* comme il l'avait profanement supposé, mais l'infortunée comtesse déguisée, pour la cause de laquelle les rois et les princes étaient sur le point de prendre les armes et de lever la lance. Cent idées bizarres, auxquelles se livrait aisément un jeune homme entreprenant et romanesque dans un siècle romanesque et entreprenant, effacèrent à ses yeux la scène réelle où il figurait, et y substituèrent leurs propres illusions; mais elles se dissipèrent tout à coup lorsqu'il sentit une main saisir brusquement son arme; une voix dure lui criait en même temps à l'oreille.

« Pâques-Dieu! sire écuyer, il me semble que vous montez votre garde en dormant! »

C'était la voix monotone, mais imposante et ironique, de maître Pierre; et Quentin, rappelé soudainement à lui-même, fut saisi de honte et de crainte en voyant qu'il avait été tellement absorbé dans sa rêverie, qu'il ne s'était pas aperçu que le roi, entré probablement sans bruit par une porte secrète, et se glissant le long du mur, ou derrière la tapisserie, s'était approché de lui d'assez près pour s'emparer de son arme.

Dans sa surprise, son premier mouvement avait été de dégager son arquebuse par une secousse violente, qui fit reculer le roi de quelques pas. Sa crainte fut ensuite qu'en cédant à cet instinct, comme on peut l'appeler, qui porte un homme brave à résister à une tentative qu'on fait pour le désarmer, il n'eût aggravé, en luttant ainsi contre le roi, le mécontentement que Louis devait avoir conçu en voyant la négligence avec laquelle il montait sa garde. Plein de cette idée, il reprit son arquebuse, presque sans savoir ce qu'il faisait; et, l'appuyant sur son épaule, il resta immobile devant le monarque, qu'il avait lieu de croire mortellement offensé.

Louis, dont les dispositions tyranniques prenaient leur source moins dans une férocité naturelle et dans un caractère cruel, que dans une politique jalouse et soupçonneuse, avait pourtant sa bonne part de cette sévérité caustique qui aurait fait de lui un despote dans la conversation, s'il n'eût été qu'un particulier; et il semblait toujours jouir des inquiétudes qu'il causait dans des occasions semblables. Il ne poussa pourtant pas son triomphe trop loin, car il se contenta de dire à Durward:

« Le service que tu nous as rendu ce matin est plus que suffisant pour faire excuser une négligence dans un si jeune soldat. As-tu dîné? »

Quentin, qui s'attendait à être envoyé au grand prévôt, plutôt qu'à recevoir un tel compliment, répondit négativement avec humilité.

« Pauvre garçon! dit Louis d'un ton plus doux que de coutume, c'est la faim qui l'a assoupi. Je sais que ton appétit est un loup, continua-t-il, et je te sauverai d'une bête féroce, comme tu m'as sauvé d'une autre. Tu as été discret dans cette affaire, et je t'en sais bon gré. Peux-tu tenir encore une heure sans manger?

— Vingt-quatre, sire, répondit Durward, ou je ne serais pas un véritable Écossais.

— Je ne voudrais pas pour un autre royaume, répliqua le roi, être le pâté que tu rencontrerais après un tel jeûne. Mais il s'agit en ce moment, non de ton dîner, mais du mien. J'admets à ma table aujourd'hui, et tout à fait en particulier, le cardinal de La Balue et cet envoyé bourguignon, ce comte de Crèvecœur, et... il pourrait se faire que... Le Diable a fort à faire quand des ennemis se réunissent sur le pied de l'amitié. »

Il s'interrompit, garda le silence d'un air sombre et pensif.

Comme le roi ne semblait pas se disposer à reprendre la parole, Quentin se hasarda enfin à lui demander quels devoirs il aurait à remplir en cette circonstance:

« Rester en faction au buffet avec ton arquebuse chargée, répondit le roi; et, s'il y a quelque trahison, faire feu sur le traître.

— Quelque trahison, sire! s'écria Durward, dans un château si bien gardé!

— Tu le crois impossible, dit le roi sans paraître offensé de sa franchise; mais notre histoire a prouvé que la trahison peut s'introduire par le trou que fait une vrille. La trahison prévenue par des gardes? Jeune insensé! *Sed quis custodiat ipsos custodes?* Qui me garantira contre la trahison de ces mêmes gardes?

— L'honneur écossais, sire, répondit Quentin avec hardiesse.

— Tu as raison. Cette réponse me plaît. Elle est vraie, dit Louis avec un ton d'enjouement: l'honneur écossais ne s'est jamais démenti, et c'est pourquoi j'y mets ma confiance. Mais la trahison... » Et reprenant son air sombre, il se promena dans l'appartement, d'un pas irrégulier, et ajouta:

« Elle s'assied à nos banquets; elle brille dans nos coupes; elle porte la barbe de nos conseillers; elle affecte le sourire de nos courtisans et la gaieté maligne de nos bouffons: par-dessus tout, elle se cache sous l'air amical d'un ennemi réconcilié. Louis d'Orléans se fia à Jean de Bourgogne; il fut assassiné dans la rue Barbette. Jean de Bourgogne se fia au parti d'Orléans; il fut assassiné sur le pont de Montereau. Je ne me fierai à personne, à personne. Écoute-moi; j'aurai l'œil sur cet insolent Bourguignon, et aussi sur ce cardinal, que je ne crois pas trop fidèle sujet. Si je dis: *Écosse, en avant!* fais feu sur Crèvecœur, et qu'il meure sur la place!

— C'est mon devoir, dit Quentin, la vie de Votre Majesté se trouvant en danger.

— Certainement, ajouta le roi, je ne l'entends pas autrement. Quel fruit retirerais-je de la mort d'un insolent soldat? Si c'était le connétable de Saint-Pol... »

Il fit une nouvelle pause comme s'il eût craint d'avoir dit un mot de trop, et reprit ensuite la parole en souriant:

« Notre beau-frère, Jacques d'Écosse, Durward, votre roi Jacques, poignarda Douglas, pendant qu'il lui donnait l'hospitalité dans son château royal de Skirling (1).

— De Stirling, s'il plaît à Votre Majesté, répondit

1. Allusion au sort de William VIII, comte de Douglas, poignardé par Jacques II.

Ye towers within whose circuit dread
A Douglas by his sovereign bled, etc.

O château! dans ton enceinte redoutable un Douglas périt de la main de son roi! La Dame du Lac, *ch. V.*

Quentin; et ce fut un acte dont il ne résulta pas grand bien.

— Appelez-vous ce château Stirling? dit le roi sans vouloir paraître faire attention à ce que Quentin avait ajouté. Stirling soit; le nom n'y fait rien. Au surplus, je ne veux aucun mal à ces gens-ci: je n'y trouverais aucun avantage. Mais ils peuvent avoir à mon égard des projets moins innocents et, en ce cas, je compte sur ton arquebuse.

— Je serai prompt au signal, sire, mais cependant . . .

— Vous hésitez! Parlez! je vous le permets. Des gens comme vous peuvent quelquefois donner un avis utile.

— Je voulais seulement prendre la liberté de dire que, Votre Majesté ayant lieu de se méfier de ce Bourguignon, je suis surpris que vous l'admettiez si près de votre personne, et tellement en particulier.

— Soyez tranquille, sire écuyer, il y a des dangers qui s'évanouissent quand on les brave, et qui deviennent certains et inévitables quand on laisse voir qu'on les craint. Quand je m'avance hardiment vers un chien qui gronde, et que je le caresse, il y a dix à parier contre un que je lui rendrai sa bonne humeur; mais si je lui montre qu'il me fait peur, il s'élancera sur moi et me mordra. Je serai franc avec toi, Quentin: il m'importe de ne pas renvoyer cet homme à son maître impétueux, avec le ressentiment dans l'âme; et je consens à courir quelque risque, parce que je n'ai jamais craint d'exposer ma vie pour le bien de mon royaume. Suis-moi. »

Louis fit passer le jeune écuyer, pour lequel il semblait avoir conçu une affection toute particulière, par la porte dérobée, et dit en la lui montrant:

« Celui qui veut réussir à la cour a besoin de connaître les guichets et les escaliers secrets, même les trappes et les pièges des palais des rois, aussi bien que les grandes entrées et les portes à deux battants. »

Après avoir parcouru un long labyrinthe de passages et de corridors, le roi entra dans une petite salle voûtée où une table à trois couverts était préparée pour le dîner. L'ameublement en était si simple, qu'il pouvait passer pour mesquin. Un buffet, sur lequel étaient placées quelques pièces de vaisselle d'or et d'argent, était la seule chose qui annonçât qu'on était dans le palais d'un roi. Louis assigna à Durward son poste derrière ce meuble, qui le cachait entièrement; et après s'être assuré, en se plaçant dans diverses parties de la salle, qu'on ne pouvait l'apercevoir, il lui donna ses dernières instructions:

« Souviens-toi des mots *Écosse, en avant!* Dès que je les prononcerai, renverse le buffet, ne t'inquiète ni des coupes ni des gobelets, et fais feu sur Crèvecœur d'une main sûre. Si tu manques ton coup, tombe sur lui le couteau à la main. Olivier et moi nous nous chargerons du cardinal. »

A ces mots il donna un coup de sifflet, et ce signal fit paraître Olivier, qui était premier valet de chambre aussi bien que barbier du roi, et qui, dans le fait, remplissait près de ce prince toutes les fonctions qui concernaient immédiatement sa personne. Il arriva, suivi de deux hommes âgés, seuls domestiques qui servirent à table. Dès que le roi se fut assis, les deux convives furent admis, et Quentin, quoique invisible pour eux, était placé de manière à ne perdre aucun des détails de cette entrevue.

Louis les reçut avec une cordialité que Durward eut beaucoup de difficulté à concilier avec les ordres qui lui avaient été donnés et le motif qui l'avait fait placer en sentinelle derrière ce buffet avec une arme de mort. Non seulement le roi paraissait étranger à toute espèce de crainte, mais on aurait même pu supposer que les deux individus auxquels il avait fait l'honneur d'accorder une place à sa table, étaient ceux à qui il pouvait le plus justement accorder une confiance sans réserve, et à qui il voulait témoigner le plus d'estime. Il y avait dans ses manières une extrême dignité, et en même temps beaucoup de courtoisie. Quand tout ce qui l'entourait, et même ses vêtements, offraient moins de luxe que les plus petits princes du royaume n'en déployaient dans les solennités, ses discours et ses gestes annonçaient un puissant monarque dans un moment de condescendance. Quentin était tenté de supposer, ou que la conversation qu'il avait eue auparavant avec Louis était un rêve, ou que le respect et la soumission du cardinal, et l'air franc, ouvert et loyal du brave Bourguignon, avaient entièrement dissipé les soupçons de ce prince.

Mais tandis que les deux convives, obéissant aux ordres de Sa Majesté, prenaient les places qui leur étaient destinées à sa table, le roi jeta sur eux un coup d'œil prompt comme un éclair, et porta ensuite un regard vers le buffet derrière lequel Quentin était posté. Ce fut l'affaire d'un instant; mais ce regard était animé par une telle expression de haine et de méfiance contre ses deux hôtes, il semblait porter à Durward une injonction si précise de veiller avec soin, et d'exécuter promptement ses ordres, qu'il ne put lui rester aucun doute que les craintes et les dispositions de Louis ne fussent toujours les mêmes. Il fut donc plus surpris que jamais du voile épais dont ce monarque était en état de couvrir les mouvements de sa méfiance.

Semblant avoir entièrement oublié le langage que Crèvecœur lui avait tenu en face de toute sa cour, le roi causa avec lui des anciens temps, et des événements qui s'étaient passés pendant qu'il était lui-même en exil en Bourgogne; il lui fit des questions sur tous les nobles qu'il avait connus alors, comme si cette époque avait été la plus heureuse de sa vie, et comme s'il avait conservé pour tous ceux qui avaient contribué à adoucir le temps de son exil les plus tendres sentiments de reconnaissance et d'amitié:

« S'il s'était agi d'un ambassadeur d'une autre nation, lui dit-il, j'aurais mis plus de pompe et d'appareil dans sa réception; mais à un ancien ami qui a mangé à ma table au château de Génappes (1), j'ai voulu me montrer tel que j'aime à être, le vieux Louis de Valois, aussi simple et aussi uni qu'aucun de ses *badauds* de Paris. Cependant, j'ai ordonné qu'on nous fît meilleure chère que de coutume, sire comte; car je connais votre proverbe bourguignon, *mieux vault bon repas que bel habit,* et j'ai recommandé qu'on nous servît un bon dîner. Quant au vin, vous savez que c'est le sujet d'une ancienne émulation entre la France et la Bourgogne; mais nous arrangerons les choses de manière à contenter les deux pays. Je boirai à votre santé du vin de Bourgogne et vous me ferez raison avec du vin de Champagne. Olivier, donnez-moi un verre de vin d'Auxerre. »

Et en même temps il entonna gaiement une chanson alors fort connue:

Auxerre est la boisson des rois.

« Sire comte, continua-t-il, je bois à la santé de notre bon et cher cousin, le noble duc de Bourgogne. Olivier, emplissez cette coupe d'or de vin de Reims, et offrez-la au comte, à genoux: il représente ici notre cher frère. Monsieur le cardinal, nous remplirons nous-même votre coupe.

— La voilà pleine, sire, jusqu'à verser, dit le cardinal avec l'air vil d'un favori parlant à un maître indulgent.

1. Génappes était la résidence ordinaire de Louis durant son séjour en Bourgogne pendant la vie de son père. Ce temps d'exil est souvent rappelé dans le roman.

— Nous savons que Votre Éminence est en état de la tenir d'une main ferme, répondit le roi. Mais quel parti épousez-vous dans notre grande controverse? Sillery ou Auxerre? France ou Bourgogne?

— Je resterai neutre, sire, répondit le cardinal, et je remplirai ma coupe de vin d'Auvergne.

— La neutralité est un rôle dangereux, » répliqua le roi. Mais, voyant que le cardinal rougissait un peu, il changea de sujet, et ajouta:

« Vous préférez le vin d'Auvergne, parce qu'il est si généreux qu'il ne supporte pas l'eau. Eh bien! sire comte, vous hésitez à vider votre coupe? j'espère que vous n'y trouvez pas d'amertume nationale.

— Je voudrais, sire, répondit le comte de Crèvecœur, que toutes les querelles nationales pussent se terminer aussi agréablement que la rivalité de nos vignobles.

— Avec le temps, sire comte, avec le temps, dit le roi; autant qu'il vous en a fallu pour boire ce champagne; et maintenant qu'il est bu, faites-moi le plaisir de mettre cette coupe dans votre sein, et de la garder comme un gage de notre estime. C'est un présent que je ne ferais pas au premier venu. Elle a appartenu à la terreur de la France, à Henri V, roi d'Angleterre. Elle fut prise à la reddition de Rouen, quand ces insulaires furent chassés de Normandie par les armes réunies de Bourgogne et de France. Je ne puis donner un plus digne maître à cette coupe qu'un noble et vaillant Bourguignon, qui sait que ce n'est que par l'union de ces deux nations que le continent peut demeurer libre du joug de l'Angleterre. »

Le comte fit la réponse que la circonstance exigeait; et Louis se livra sans contrainte à la gaieté satirique qui jetait quelquefois un éclair de lumière sur son humeur naturellement sombre. Tenant le dé dans la conversation, comme cela était naturel, il faisait des remarques toujours fines et caustiques, souvent spirituelles, mais qui semblaient rarement partir d'un bon cœur; et les anecdotes qu'il y entremêlait brillaient ordinairement par la gaieté plus que par la délicatesse. Mais pas un mot, pas une syllabe, pas une lettre ne trahissait la situation d'un homme qui, craignant d'être assassiné, avait dans son appartement un militaire armé d'une arquebuse chargée, pour prévenir ou anticiper ce forfait.

Le comte de Crèvecœur fit chorus avec franchise à la gaieté du roi, tandis que le prélat, d'une humeur plus flexible, éclatait de rire à chaque plaisanterie, et renchérissait sur chaque quolibet qui échappait au roi, sans être effarouché le moins du monde d'expressions qui faisaient rougir le jeune Écossais dans l'endroit où il était caché (1). Au bout d'une heure et demie on se leva de table, et le roi, prenant congé de ses hôtes avec courtoisie, leur fit entendre qu'il désirait être seul.

Dès qu'ils furent partis, et qu'Olivier lui-même se fut retiré, il appela Quentin, en lui disant qu'il pouvait se montrer; mais ce fut d'une voix si faible, que le jeune homme put à peine croire que c'était la même qui venait d'animer la gaieté du festin par ses plaisanteries. En approchant, il vit que la physionomie du roi avait subi un pareil changement. Le feu d'une vivacité forcée s'était éteint dans ses yeux, le sourire avait abandonné ses lèvres, et tous ses traits montraient la même fatigue que celle qu'éprouve un acteur célèbre quand il vient d'épuiser ses forces pour jouer un rôle dans lequel il voulait entraîner tous les suffrages:

« Tu n'es pas encore relevé de garde, dit Louis à Dur-

1. *Le genre de gaieté naturel à Louis XI peut être deviné par ceux qui ont parcouru les* Cent Nouvelles Nouvelles, *dont le cynisme surpasse celui des collections semblables du siècle.*

ward; mais prends quelques rafraîchissements; cette table t'en offre les moyens. Ce n'est qu'ensuite que je t'instruirai de ce qui te reste à faire, car je sais que ventre affamé n'a point d'oreilles. »

Il s'assit de nouveau sur son fauteuil, s'appuya le front sur la main, et garda le silence.

11. LA GALERIE DE ROLAND

> Cupidon est aveugle! Hymen y voit-il mieux?
> Ou peut-être on lui met, pour abuser ses yeux,
> Des parents, des tuteurs, les trompeuses lunettes,
> Qui peuvent, à travers leurs verres à facettes,
> Décupler la valeur de l'argent, des joyaux,
> Des terres, des maisons, des rentes, des lingots;
> C'est une question à discuter, je pense.
>
> *Les Malheurs d'un mariage forcé.*

Louis XI, quoiqu'il fût le souverain de l'Europe le plus jaloux de son pouvoir, savait pourtant se contenter d'en posséder les avantages réels; et, quoiqu'il connût et qu'il exigeât quelquefois strictement tout ce qui était dû à son rang, il négligeait en général ce qui ne tenait qu'à la représentation extérieure.

Dans un prince doué de meilleures qualités, la familiarité avec laquelle il invitait des sujets à sa table, ou quelquefois même s'asseyait à la leur, l'aurait rendu populaire au plus haut degré; et même, malgré son caractère bien connu, la simplicité de ses manières lui faisait pardonner une bonne partie de ses vices par la classe de ses sujets qui n'était point immédiatement exposée à en ressentir les conséquences. Le tiers état qui, sous le règne de ce prince habile, s'était élevé à un nouveau degré d'opulence et d'importance, respectait sa personne, quoique sans l'aimer; et ce fut grâce à son appui qu'il fut en état de se maintenir contre la haine des nobles, qui l'accusaient de dégrader l'honneur de la couronne de France et de ternir leurs brillants privilèges par ce même mépris pour l'étiquette qui plaisait aux citoyens d'une classe moins élevée (1).

Avec une patience que beaucoup d'autres princes auraient regardée comme dégradante, peut-être même en y trouvant quelque amusement, le roi de France attendit qu'un simple soldat de sa garde eût satisfait un appétit des mieux aiguisés. On doit pourtant supposer que Quentin avait trop de bon sens et de prudence pour soumettre la patience d'un roi à une trop longue épreuve et, dans le fait, il avait voulu plus d'une fois terminer son repas, sans que Louis le lui permît:

« Non, non, lui dit-il, je vois dans tes yeux qu'il te reste encore du courage. En avant, de par Dieu et saint Denis! retourne à la charge. Je te dis qu'un bon repas et une messe (et il fit le signe de la croix) ne nuisent jamais à la besogne d'un chrétien. Bois un verre de vin, mais tiens-toi en garde contre le flacon: c'est le défaut de tes concitoyens aussi bien que des Anglais qui, cette folie à

1. *Dans une de ses brillantes improvisations de la tribune, le général Foy avait fait allusion à l'impopularité de Louis XI. Une lettre spirituelle, signée* Philippe de Commines, *parut dans la* Quotidienne, *pour venger la réputation de Louis XI* sous ce rapport. *L'orateur reconnut qu'il avait exagéré l'impopularité du monarque si heureusement défendu, et depuis ce jour il appelait familièrement notre ami Charles Nodier* Philippe de Commines. *Le roman de* Quentin Durward *et l'*Histoire des ducs de Bourgogne *n'avaient pas encore alors été publiés.*

part, sont les meilleurs soldats du monde. Allons, lave-toi les mains promptement, n'oublie pas de dire tes grâces, et suis-moi. »

Durward obéit; et, traversant d'autres corridors que ceux par lesquels il avait déjà passé, mais qui formaient également une sorte de labyrinthe, il se retrouva dans la galerie de Roland:

« Souviens-toi bien, lui dit le roi d'un ton d'autorité, que tu n'as jamais quitté ce poste, et que ce soit là ta réponse à ton oncle et à tes camarades. Écoute, pour mieux graver cet ordre dans ta mémoire, je te donne cette chaîne d'or. (Et il lui jeta sur le bras une chaîne d'un grand prix.) Si je ne me pare pas moi-même, ceux à qui j'accorde ma confiance ont toujours le moyen de disputer de parure avec qui que ce soit. Mais, quand une chaîne comme celle-ci ne suffit pas pour lier une langue indiscrète, mon compère l'Ermite a un amulette pour la gorge, qui ne manque jamais d'opérer une cure certaine. Maintenant, fais attention à ce que je vais te dire. Aucun homme, excepté Olivier et moi, ne doit entrer ici ce soir; mais il y viendra des dames, peut-être d'un bout de cette galerie, peut-être de l'autre, peut-être de tous les deux. Tu peux leur répondre, si elles te parlent; mais, étant en faction, ta réponse doit être courte, et tu ne dois ni leur adresser la parole à ton tour, ni chercher à prolonger la conversation. Seulement, aie soin d'écouter ce qu'elles diront. Tes oreilles sont à mon service comme tes bras: je t'ai acheté corps et âme; par conséquent, ce que tu pourras entendre de leur entretien, tu le graveras dans ta mémoire, jusqu'à ce que tu me l'aies rapporté, après quoi tu l'oublieras. Et maintenant que j'y réfléchis, il vaudra mieux que tu passes pour un nouveau venu d'Écosse, arrivé directement de ses montagnes, et qui ne connaît pas encore notre langue très chrétienne. C'est cela: de cette manière, si elles te parlent, tu ne leur répondras pas. Cela te délivrera de tout embarras, et elles n'en parleront que plus librement devant toi. Tu m'as bien compris; adieu, sois prudent, et tu as un ami. »

A peine le roi avait-il parlé ainsi, qu'il disparut derrière la tapisserie, laissant Quentin libre de réfléchir sur tout ce qu'il avait vu et entendu. Le jeune Écossais se trouvait dans une de ces situations où il est plus agréable de regarder en avant qu'en arrière, car l'idée qu'il avait été placé comme un chasseur à l'affût qui guette un cerf derrière un buisson, pour ôter la vie au noble comte de Crèvecœur n'avait rien de flatteur. Il était vrai que les mesures prises par le roi en cette occasion semblaient purement défensives et de précaution; mais comment savait-il s'il ne recevrait pas bientôt des ordres pour quelque expédition offensive du même genre? Ce serait une crise fort désagréable, car il ne pouvait douter, d'après le caractère de son maître, qu'il ne fût perdu, s'il refusait d'obéir, tandis que l'honneur lui disait que l'obéissance, en pareil cas, serait une honte et un crime. Il détourna ses pensées de ce sujet de réflexions, et fit usage de la sage consolation, si souvent adoptée par la jeunesse quand elle aperçoit des dangers en perspective, en songeant qu'il serait temps de réfléchir à ce qu'il devrait faire quand l'occasion s'en présenterait, et que le mal de chaque jour lui suffit (1).

Il fut d'autant plus facile à Quentin de faire usage de cette réflexion, que les derniers ordres du roi lui avaient donné lieu de s'occuper d'idées plus agréables que celles que lui inspirait sa propre situation.

La dame au luth était certainement une des dames auxquelles il devait consacrer son attention, et il se promit

1. *Expression de l'Écriture:* sufficit cuique diei malicia sua.

bien de se conformer exactement à une partie des instructions qu'il venait de recevoir, et d'écouter avec le plus grand soin chaque mot qui sortirait de ses lèvres, afin de voir si la magie de sa conversation égalait celle de sa musique. Mais ce ne fut pas avec moins de sincérité qu'il prêta intérieurement le serment de ne rapporter au roi, de tout ce qu'il entendrait, que ce qui pourrait lui inspirer des sentiments favorables pour celle à qui il prenait tant d'intérêt.

Cependant, il n'y avait pas de danger qu'il s'endormît de nouveau à son poste. Chaque souffle d'air qui, passant à travers une fenêtre ouverte, agitait la vieille tapisserie, lui paraissait annoncer l'approche de l'objet de son attente. En un mot, il éprouvait cette inquiétude mystérieuse, cette impatience vague qui accompagnent toujours l'amour et qui, quelquefois même, ne contribuent pas peu à le faire naître.

Enfin, une porte s'ouvrit et cria en roulant sur ses gonds; car les portes du quinzième siècle n'exécutaient pas ce mouvement aussi silencieusement que les nôtres.

Mais, hélas! ce n'était pas la porte placée à l'extrémité de la galerie où les sons du luth s'étaient fait entendre. Une femme se montra. Elle était accompagnée de deux autres, à qui elle fit signe de ne pas la suivre, et elle entra dans la galerie. A l'inégalité de sa marche, qui n'était que plus sensible dans le vaste appartement où elle s'avançait, Quentin reconnut la princesse Jeanne; et, prenant l'attitude respectueuse qu'exigeait sa situation, il lui rendit les honneurs militaires quand elle passa devant lui. Elle répondit à cette politesse par une inclination gracieuse, et il eut alors l'occasion de la voir plus distinctement qu'il ne l'avait pu dans la matinée.

Les traits de cette malheureuse princesse n'étaient guère faits pour compenser les défauts de sa taille et de sa marche. Il était vrai que sa figure n'avait rien de désagréable en elle-même, quoiqu'elle fût dépourvue de beauté, et l'on remarquait une expression de douceur, de chagrin et de patience dans ses grands yeux bleus, qu'elle tenait ordinairement baissés. Mais, outre que son teint était naturellement pâle, sa peau avait cette teinte jaunâtre qui annonce une mauvaise santé habituelle; et, quoique ses dents fussent blanches et bien placées, elle avait les lèvres maigres et blafardes. La chevelure de la princesse était d'une nuance blonde fort singulière et tirant presque sur le bleu; et sa femme de chambre, qui regardait sans doute comme une beauté de nombreuses tresses disposées autour d'une figure sans couleurs, les multipliait tellement, qu'au lieu de remédier à ce défaut, elle le rendait plus frappant, et donnait à la physionomie de sa maîtresse une expression qui ne semblait pas appartenir à une habitante de ce monde. Enfin, pour que rien ne manquât au tableau, Jeanne avait choisi une simarre de soie d'un vert pâle, qui achevait de lui donner l'air d'un fantôme ou d'un spectre.

Tandis que Quentin la suivait des yeux avec une curiosité mêlée de compassion, car chaque regard, chaque mouvement de la princesse semblait appeler ce dernier sentiment, la seconde porte s'ouvrit à l'autre extrémité de la galerie, et deux dames entrèrent dans l'appartement.

L'une d'elles était la jeune personne qui, d'après l'ordre de Louis, lui avait apporté des fruits, lors du mémorable déjeuner de Quentin à l'auberge des Fleurs-de-Lys. Investie alors de toute la mystérieuse dignité qui appartenait à la nymphe au voile et au luth, et étant au moins, à ce que pensait Durward, la noble héritière d'un riche comté, sa beauté fit sur lui dix fois plus d'impression que lorsqu'il n'avait vu en elle que la fille d'un misérable aubergiste, servant un vieux bourgeois, riche et fantasque. Il ne concevait pas alors quel étrange enchantement avait pu lui cacher son véritable rang. Cependant son costume était presque aussi simple que lorsqu'il l'avait vue pour la première fois; car elle ne portait qu'une robe de deuil sans aucun ornement; sa coiffure ne consistait qu'en un voile de crêpe rejeté en arrière, de manière à laisser son visage à découvert; et ce ne fut que parce que Quentin connaissait alors sa naissance, qu'il crut trouver dans sa belle taille une élégance, dans son maintien une dignité qui ne l'avaient pas frappé auparavant, avec un air de noblesse qui rehaussait des traits réguliers, un teint brillant et des yeux pleins de feu et de vivacité.

Quand la mort aurait dû en être le châtiment, Durward n'aurait pu s'empêcher de lui rendre, ainsi qu'à sa compagne, le même tribut d'honneur qu'il venait de payer à la princesse royale. Elles le reçurent en femmes accoutumées aux témoignages de respect de leurs inférieurs, et y répondirent avec courtoisie; mais Quentin pensa (peut-être n'était-ce qu'une vision de jeunesse) que la plus jeune rougissait un peu, avait les yeux baissés, et semblait éprouver un léger embarras, en lui rendant son salut militaire. Ce ne pouvait être que parce qu'elle se rappelait le téméraire étranger, habitant la tourelle voisine de la sienne à l'auberge des Fleurs-de-Lys; mais était-ce un signe de mécontentement? Question impossible à résoudre.

La compagne de la jeune princesse, vêtue comme elle fort simplement, et en grand deuil, était arrivée à cet âge où les femmes tiennent le plus à la réputation d'une beauté qui commence à être sur son déclin. Il lui en restait encore assez pour montrer quel avait dû être autrefois le pouvoir de ses charmes; et il était évident, d'après ses manières, qu'elle se souvenait de ses anciennes conquêtes, et qu'elle n'avait pas tout à fait renoncé à de nouveaux triomphes. Elle était grande, avait l'air gracieux, quoique un peu hautain, et en rendant à Quentin son salut avec un agréable sourire de condescendance, presque au même instant elle dit quelques mots à l'oreille de sa jeune compagne, qui se retourna vers le militaire de service, comme pour vérifier quelque remarque qui venait de lui être faite, et à laquelle elle répondit sans lever les yeux. Quentin ne put s'empêcher de soupçonner que l'observation faite à la jeune dame ne lui était pas défavorable, et il fut charmé, je ne sais pourquoi, de l'idée qu'elle n'avait pas levé les yeux sur lui pour en vérifier la justesse. Peut-être pensait-il qu'il commençait déjà à exister entre eux une sorte de sympathie mystérieuse, qui donnait de l'importance à la moindre bagatelle.

Cette réflexion fut bien rapide, car la rencontre de la princesse avec les deux dames étrangères attira bientôt toute son attention. En les voyant entrer, elle s'était arrêtée pour les attendre, probablement parce qu'elle savait que la marche ne lui était pas favorable; et, comme elle semblait éprouver quelque embarras en recevant ou en leur rendant leur révérence, la plus âgée des deux dames fit la sienne d'un air qui semblait annoncer qu'elle croyait faire plus d'honneur qu'elle n'en recevait:

« Je suis charmée, Madame, lui dit-elle avec un sourire de condescendance et d'encouragement, qu'il nous soit enfin permis de jouir de la société d'une personne de notre sexe, aussi respectable que vous le paraissez. Je dois dire que, ma nièce et moi, nous n'avons guère eu à nous louer jusqu'à présent de l'hospitalité du roi Louis. Ne me tirez pas la manche, ma nièce: je suis sûre que je vois dans les yeux de cette jeune dame la compassion que notre situation lui inspire. Depuis notre arrivée, belle dame, nous avons été traitées en prisonnières plutôt qu'autrement; et, après nous avoir fait mille invitations de mettre notre cause et nos personnes sous la protection de la France, le roi très chrétien ne nous a assigné d'autre résidence qu'une misérable auberge, et ensuite, dans un coin de ce château vermoulu, un appartement dont il ne nous est permis de sortir que vers le coucher du soleil, comme si nous étions des chauves-souris ou des chouettes, dont la présence au grand jour doit être regardée comme de mauvais augure.

— Je suis fâchée, répondit la princesse, plus embarrassée que jamais d'après la tournure que prenait l'entretien, que nous n'ayons pu jusqu'ici vous recevoir comme vous le méritiez. Je me flatte que votre nièce est beaucoup plus satisfaite.

— Beaucoup, beaucoup plus que je ne puis l'exprimer, s'écria la jeune comtesse: je ne cherchais qu'une retraite sûre, et j'ai trouvé solitude et secret. Nous vivions retirées dans notre premier asile; mais notre réclusion est encore plus complète en ce château, ce qui augmente à mes yeux le prix de la protection que le roi daigne accorder à de malheureuses fugitives.

— Silence, ma nièce, dit la tante; vos propos sont inconsidérés. Parlons d'après notre conscience, puisque enfin nous sommes seules avec une personne de notre sexe. Je dis seules, car ce jeune militaire n'est qu'une belle statue, puisqu'il ne paraît pas même avoir l'usage de ses jambes: et d'ailleurs j'ai appris qu'il n'a pas davantage celui de sa langue, du moins pour faire entendre un langage civilisé. Ainsi donc, puisque cette dame seule peut nous entendre, je disais que ce que je regrette le plus au monde, c'est d'avoir entrepris ce voyage en France. Je m'attendais à une réception splendide, à des tournois, à des carrousels, à des fêtes, et nous n'avons eu que réclusion et obscurité. La première société que le roi nous ait procurée a été un Bohémien vagabond, qu'il nous a engagées à employer pour correspondre avec nos amis de Flandre. Peut-être sa politique a-t-elle conçu le projet de nous tenir enfermées ici le reste de nos jours, afin de pouvoir saisir nos domaines, lors de l'extinction de l'ancienne maison de Croye. Le duc de Bourgogne n'a pas été si cruel, car il offrait à ma nièce un mari, bien que ce fût un mauvais mari.

— J'aurais cru le voile préférable à un mauvais mari, dit la princesse trouvant à peine l'occasion de placer un mot.

— On voudrait du moins avoir la liberté du choix, répliqua la dame avec beaucoup de volubilité; Dieu sait que c'est à cause de ma nièce que je parle; car, quant à moi, il y a longtemps que j'ai renoncé à l'idée de changer de condition. Je vous vois sourire, Madame; mais c'est la vérité: ce n'est pourtant pas une excuse pour le roi, qui, par sa conduite et sa personne, ressemble au vieux Michaud, changeur à Gand, plutôt qu'à un successeur de Charlemagne.

— Songez, madame, dit la princesse, que vous me parlez de mon père.

— De votre père! répéta la dame bourguignonne avec l'accent de la plus grande surprise.

— De mon père, dit la princesse avec dignité; je suis Jeanne de France. Mais ne craignez rien, madame, ajouta-t-elle avec le ton de douceur qui lui était naturel; vous n'aviez pas dessein de m'offenser, et je ne m'offense pas. Disposez de mon crédit pour rendre plus supportable votre exil et celui de cette jeune personne. Hélas! ce crédit est bien faible; mais je vous l'offre de tout mon cœur. »

Ce fut avec une révérence profonde et un air de soumission que la comtesse Hameline de Croye (c'était le nom de la plus âgée des deux étrangères) reçut l'offre obligeante de la protection de la princesse. Elle avait longtemps habité les cours; elle y avait acquis toutes les formules d'usage, et elle tenait fortement à ce principe adopté par les courtisans de tous les siècles que, quoiqu'ils puissent chaque jour, dans leurs conversations particulières, blâmer les vices et les folies de leurs maîtres, et se plaindre d'en être oubliés et négligés, cependant jamais un mot semblable ne doit leur échapper en présence du souverain, ou de qui que ce soit de sa famille. Elle fut donc contrariée au dernier point de la méprise qu'elle avait commise en parlant à la fille de Louis d'une manière si contraire à toutes les règles du décorum. Elle se serait épuisée à lui faire des excuses et à lui témoigner tous ses regrets, si la princesse ne l'avait interrompue et un peu tranquillisée, en lui disant avec une douceur qui, dans la bouche d'une fille de France, avait pourtant la force d'un ordre, qu'elle n'avait pas besoin d'en dire davantage par forme d'excuse ou d'explication.

La princesse Jeanne prit alors un fauteuil avec un air de dignité qui lui allait fort bien, et dit aux deux étrangères de s'asseoir à ses côtés, ce que la plus jeune fit avec une timidité respectueuse qui n'avait rien d'emprunté, tandis que sa compagne y mettait une affectation de respect et d'humilité qui aurait pu faire douter de la vérité de ces deux sentiments. Elles s'entretinrent ensemble, mais d'un ton trop bas pour que Quentin pût entendre. Il remarqua seulement que la princesse semblait accorder une attention particulière à la plus jeune, à la plus intéressante des deux dames; et que, quoique la comtesse Hameline parlât davantage, elle produisait moins d'effet sur Jeanne par ses compliments exagérés, que sa jeune compagne par ses réponses aussi courtes que modestes.

Cette conversation n'avait pas duré un quart d'heure, quand la porte de l'extrémité inférieure de la galerie s'ouvrit tout à coup, et l'on vit entrer un homme enveloppé d'un manteau. Quentin, se rappelant les injonctions du roi, et résolu de ne pas s'exposer une seconde fois au reproche de négligence, s'avança vers lui aussitôt; et, se plaçant entre lui et les trois dames, il lui commanda de se retirer à l'instant.

« En vertu de quel ordre? demanda le nouveau venu d'un ton de surprise et de mépris.

— En vertu de l'ordre du roi, répondit Quentin avec fermeté; et je suis placé ici pour le faire exécuter.

— Il n'est pas applicable à Louis d'Orléans, » dit le duc en laissant tomber son manteau.

Le jeune homme hésita un instant. Comment exécuter ses ordres contre le premier prince du sang, qui allait, comme le bruit en courait généralement, être incessamment allié à la propre famille du roi?

« La volonté de Votre Altesse, dit Quentin, est trop respectable pour moi, pour que j'ose m'y opposer; mais j'espère que Votre Altesse rendra témoignage que je me suis acquitté de mon devoir autant qu'elle me l'a permis.

— Allez, allez, jeune homme, répondit d'Orléans, personne ne vous blâmera », et, s'avançant vers la princesse, il l'aborda avec cet air de politesse contrainte qu'il avait toujours en lui parlant.

Il avait dîné, lui dit-il, avec Dunois; et, apprenant qu'il y avait compagnie dans la galerie de Roland, il avait cru pouvoir prendre la liberté de venir l'y joindre.

Une légère rougeur qui se montra sur les joues de la malheureuse Jeanne et qui, pour le moment, donna à ses traits une apparence de beauté, prouva que le nouveau venu était bien loin de lui être désagréable. Elle le présenta aux deux comtesses de Croye, qui le reçurent avec le respect dû à son rang élevé; et la princesse, lui montrant une chaise, l'invita à prendre part à la conversation.

Le duc répondit galamment qu'il ne pouvait accepter une chaise en pareille compagnie; et, prenant le coussin d'un fauteuil, il le mit aux pieds de la jeune comtesse de Croye, et s'y assit de manière que, sans négliger la princesse, il pouvait donner à sa belle voisine la plus grande partie de son attention.

D'abord cet arrangement parut plaire à la princesse plutôt que l'offenser. Elle sembla même encourager le duc à débiter des galanteries à la belle étrangère, et les regarder comme dictées par l'idée de lui plaire en se rendant agréable à une jeune personne qu'elle paraissait avoir sous sa protection. Mais le duc d'Orléans, quoique accoutumé à soumettre toutes ses facultés au joug de Louis quand il était en sa présence, avait l'esprit assez élevé pour suivre ses propres inclinations lorsqu'il était délivré de cette contrainte; et, son rang lui permettant de négliger le cérémonial d'usage et de prendre le ton de la familiarité, les louanges qu'il donna à la beauté de la comtesse Isabelle devinrent si énergiques, et il en fut si prodigue, peut-être parce qu'il avait bu un peu plus de vin que de coutume (car Dunois, avec qui le prince avait dîné, n'était nullement ennemi de Bacchus), qu'enfin il devint tout à fait passionné, et parut presque oublier la présence de la princesse.

Le ton complimenteur auquel il se livrait n'était agréable qu'à une des trois dames qui composaient le cercle; car la comtesse Hameline entrevoyait déjà dans l'avenir une alliance avec le premier prince du sang de France; et il faut convenir que la naissance, la beauté, et les domaines considérables de sa nièce, n'auraient pas rendu cet événement impossible aux yeux de tout faiseur de projets qui n'aurait pas fait entrer les vues de Louis XI dans le calcul des chances. La jeune comtesse Isabelle écoutait les galanteries du duc avec embarras et contrainte, et jetait de temps en temps un regard suppliant sur la princesse, comme pour la prier de venir à son secours. Mais la sensibilité blessée et la timidité naturelle de Jeanne de France la mettaient hors d'état de faire un effort pour rendre la conversation plus générale; et enfin, à l'exception de quelques interjections de civilité de la part de la comtesse Hameline, elle fut soutenue presque exclusivement par le duc lui-même, quoique aux dépens d'Isabelle, dont les charmes formaient toujours le sujet de son éloquence inépuisable.

Nous ne devons pas oublier qu'il y avait là un autre témoin, la sentinelle à laquelle personne ne faisait attention, qui voyait ses belles visions s'évanouir, comme la cire fond sous les rayons du soleil, à mesure que le duc paraissait mettre plus de chaleur dans ses discours. Enfin la comtesse Isabelle de Croye se détermina à faire un effort pour couper court à une conversation qui lui devenait d'autant plus insupportable, qu'il était évident que la conduite du duc mortifiait la princesse.

S'adressant donc à Jeanne, elle lui dit avec modestie, mais non sans fermeté, que la première faveur qu'elle réclamait de sa protection, était qu'elle voulût bien tâcher de convaincre le duc d'Orléans que les dames de Bourgogne, sans avoir autant d'esprit et de grâces que celles de France, n'étaient pourtant pas assez sottes pour ne goûter d'autre conversation que celles qui ne consistaient qu'en compliments extravagants:

« Je suis fâché, madame, dit le duc prenant la parole avant que la princesse eût pu répondre, que vous fassiez en même temps la satire de la beauté des dames de Bourgogne et de la véracité des chevaliers de France. Si nous sommes extravagants et prompts à exprimer notre admiration, c'est parce que nous aimons comme nous combattons, sans abandonner notre cœur à de froides délibérations; et nous nous rendons à la beauté aussi promptement que nous triomphons de la valeur.

— La beauté de nos concitoyennes, répondit la jeune comtesse avec une fierté dédaigneuse dont elle n'avait pas encore osé s'armer, méprise un tel triomphe, et la valeur de nos chevaliers est incapable de le céder.

— Je respecte votre patriotisme, comtesse, répliqua le duc, et je ne combattrai pas la dernière partie de votre argument, jusqu'à ce qu'un chevalier bourguignon se présente pour le soutenir, la lance en arrêt. Mais, quant à l'injustice que vous faites aux charmes que produit votre pays, c'est à vous-même que j'en appelle. Regardez là, ajouta-t-il en lui montrant une grande glace, présent fait au roi par la république de Venise, car c'était alors un objet de luxe aussi rare qu'il était cher; regardez là, et dites-moi quel est le cœur qui pourrait résister aux charmes qu'on y voit. »

La princesse, accablée par l'entier oubli que faisait d'elle celui qui devait être son époux, tomba renversée sur sa chaise, en poussant un soupir qui rappela le duc du pays des chimères, et qui engagea la comtesse Hameline à lui demander si elle se trouvait indisposée:

« J'ai éprouvé tout à coup une violente douleur à la tête, répondit la princesse; mais je sens qu'elle se passe. »

Sa pâleur croissante démentait ses paroles; et la comtesse Hameline, craignant qu'elle ne s'évanouît, s'empressa d'appeler du secours.

Le duc, se mordant les lèvres et maudissant la folie qui l'empêchait de mieux surveiller sa langue, courut chercher les dames de la princesse, qui étaient dans l'appartement voisin. Elles accoururent à la hâte; et, pendant qu'elles prodiguaient à leur maîtresse les secours usités en pareil cas, il ne put se dispenser, en cavalier galant, d'aider à la soutenir et de partager les soins qu'on lui rendait. Sa voix, devenue presque tendre par suite de la compassion qu'il éprouvait et des reproches qu'il se faisait, contribua plus que toute autre chose à la rappeler à elle; et au même instant le roi entra dans la galerie.

12. LE POLITIQUE

C'est un grand politique, et qui serait capable,
En mainte occasion, d'en remontrer au diable;
Et, soit dit sans manquer au rusé tentateur,
Dans l'art de tenter l'homme il est passé docteur.

Ancienne comédie.

En entrant dans la galerie, Louis fronça ses sombres sourcils de la manière que nous avons dit lui être particulière, et jeta un regard rapide autour de lui. Ses yeux, comme Quentin le dit depuis, se rapetissèrent tellement, et devinrent si vifs et si perçants, qu'ils ressemblaient à ceux d'une vipère qu'on aperçoit à travers la touffe de bruyère sous laquelle ses replis sont cachés.

Quand ce regard, aussi rapide que pénétrant, eut fait reconnaître au roi la cause du tumulte qui régnait dans l'appartement, il s'adressa d'abord au duc d'Orléans:

« Vous ici, beau cousin! s'écria-t-il; et, se tournant vers Quentin, il lui dit d'un ton sévère: Est-ce ainsi que vous exécutez mes ordres?

— Pardonnez à ce jeune homme, sire, dit le duc, il n'a pas négligé son devoir; mais, comme j'avais appris que la princesse était ici...

— Rien ne pouvait vous empêcher de venir lui faire votre cour, ajouta le roi dont l'hypocrisie détestable persistait à représenter le duc comme partageant une passion qui n'existait que dans le cœur de sa malheureuse fille. Et c'est ainsi que vous débauchez les sentinelles de ma garde? Mais que ne pardonne-t-on pas à un galant cavalier qui ne vit que *par amour*! »

Le duc d'Orléans leva la tête comme s'il eût voulu répondre de manière à relever l'opinion du roi à ce sujet, mais le respect d'instinct qu'il éprouvait pour Louis, ou plutôt la crainte dans laquelle il avait été élevé depuis son enfance, lui enchaînèrent la voix.

« Et Jeanne a été indisposée? dit le roi. Ne vous chagrinez pas, Louis; cela se passera bientôt. Donnez-lui le bras pour la reconduire dans son appartement, et j'accompagnerai ces dames jusqu'au leur. »

Cet avis fut donné d'un ton qui équivalait à un ordre, et le duc sortit avec la princesse par une des extrémités de la galerie, tandis que le roi, ôtant le gant de sa main droite, conduisait galamment la comtesse Isabelle et sa parente vers leur appartement, qui était situé à l'autre. Il les salua profondément lorsqu'elles y entrèrent, resta environ une minute devant la porte quand elles eurent disparu; et, la fermant alors avec beaucoup de sang-froid, il fit le double tour, ôta de la serrure une grosse clé, et la passa dans sa ceinture, ce qui lui donnait plus de ressemblance que jamais avec un vieil avare qui ne peut vivre tranquille s'il ne porte sur lui la clé de son coffre-fort.

D'un pas lent, d'un air pensif et les yeux baissés, Louis s'avança alors vers Durward, qui, s'attendant à supporter sa part du mécontentement du roi, ne le vit pas sans inquiétude s'approcher de lui:

« Tu as eu tort, dit le roi en levant les yeux et les fixant sur Quentin quand il en fut à deux ou trois pas, tu as mal agi, et tu mérites la mort. Ne dis pas un mot pour te défendre. Qu'avais-tu à t'inquiéter de ducs et de princesses? devais-tu considérer autre chose que mes ordres?

— Mais que pouvais-je faire, sire? demanda le jeune soldat.

— Ce que tu pouvais faire, quand on forçait ton poste? répondit le roi d'un ton de mépris; à quoi sert donc l'arme que tu portes sur l'épaule? Tu devais en présenter le bout au présomptueux rebelle; et s'il ne se retirait pas à l'instant, l'étendre mort sur la place. Retire-toi; passe par cette porte, tu descendras par un grand escalier qui est dans le premier appartement; il te conduira dans la cour intérieure, où tu trouveras Olivier le Dain; tu me l'enverras: après quoi retourne à ta caserne. Si tu fais quelque cas de la vie, songe qu'il faut que ta langue ne soit pas aussi prompte que ton bras a été lent aujourd'hui. »

Charmé d'en être quitte à si bon marché, mais révolté de la froide cruauté que le roi semblait exiger de lui dans l'exécution de ses devoirs, Durward fit ce que Louis venait de lui commander, et communiqua à Olivier les ordres de son maître. L'astucieux barbier salua, soupira, sourit, souhaita le bonsoir au jeune homme d'une voix encore plus mielleuse que de coutume, et ils se séparèrent, Quentin pour retourner à sa caserne, et Olivier pour aller trouver le roi.

Il se trouve ici malheureusement une lacune dans les Mémoires dont nous nous sommes principalement servis pour rédiger cette histoire véritable; car, ayant été composés en grande partie sur les renseignements donnés par Quentin Durward, ils ne contiennent aucun détail sur l'entrevue qui eut lieu, en son absence, entre le roi et son conseiller secret. Par bonheur la bibliothèque du château de Haut-Lieu contenait un manuscrit de la

Chronique scandaleuse (1) de Jean de Troyes, beaucoup plus ample que celui qui a été imprimé, et auquel ont été ajoutées plusieurs notes curieuses que nous sommes portés à regarder comme ayant été écrites par Olivier lui-même après la mort de son maître, avant qu'il eût le bonheur d'être gratifié de la hart qu'il avait si bien méritée. C'est dans cette source que nous avons puisé un compte très circonstancié de l'entretien qu'il eut avec Louis en cette occasion, et qui jette sur la politique de ce prince un jour que nous aurions inutilement cherché ailleurs.

Lorsque le favori barbier arriva dans la galerie de Roland, il y trouva le roi assis d'un air pensif sur la chaise que sa fille venait de quitter. Connaissant parfaitement le caractère de son maître, il s'avança sans bruit, suivant sa coutume, jusqu'à ce qu'il eût trouvé la ligne du rayon visuel du roi, après quoi il recula modestement, et attendit qu'il lui fût donné l'ordre de parler ou d'écouter. Le premier mot que lui adressa Louis annonçait de l'humeur:

« Eh bien! Olivier, voilà vos beaux projets qui s'évanouissent, comme la neige fond sous le vent du sud! Plaise à Notre-Dame d'Embrun qu'ils ne ressemblent pas à ces avalanches dont les paysans suisses content tant d'histoires, et qu'ils ne nous tombent pas sur la tête!

— J'ai appris avec regret que tout ne va pas bien, sire, répondit Olivier.

— Ne va pas bien! s'écria le roi en se levant et en parcourant la galerie à grands pas; tout va mal, presque aussi mal qu'il est possible; et voilà le résultat de tes avis romanesques. Était-ce à moi à m'ériger en protecteur des damoi-

1. La Chronique de Jean de Troyes, telle du moins que nous l'avons aujourd'hui, n'a de scandaleux *que son titre. Cependant Brantôme rapporte que François Ier en possédait un exemplaire plus complet, et semblable sans doute à celui que l'auteur écossais se vante d'avoir trouvé dans le château de Haut-Lieu.*

selles éplorées? Je te dis que le Bourguignon prend les armes, et qu'il est à la veille de contracter alliance avec l'Anglais. Édouard, qui n'a rien à faire maintenant dans son pays, nous fera pleuvoir des milliers d'hommes par cette malheureuse porte de Calais. Pris séparément, je pourrais les cajoler ou les défier, mais réunis, réunis!... et avec le mécontentement et la trahison de ce scélérat de Saint-Pol! C'est ta faute, Olivier! c'est toi qui m'as conseillé de recevoir ici ces deux femmes, et d'employer ce maudit Bohémien pour porter leurs messages à leurs vassaux.

— Vous connaissez mes motifs, sire. Les domaines de la comtesse sont situés entre les frontières de la Bourgogne et celles de la Flandre. Son château est presque imprenable; et elle a de tels droits sur les domaines voisins, que, s'ils étaient convenablement soutenus, ils donneraient du fil à retordre au Bourguignon. Il faudrait seulement qu'elle eût pour époux un homme bien disposé pour la France.

— C'est un appât fait pour tenter, Olivier, j'en conviens; et, si nous avions pu cacher qu'elle était ici, il nous aurait été possible d'arranger un mariage de ce genre pour cette riche héritière. Mais ce maudit Bohémien! comment as-tu pu me recommander de confier à ce chien de païen une mission qui exigeait de la fidélité?

— Votre Majesté voudra bien se rappeler que c'est elle-même qui lui a accordé trop de confiance, et beaucoup plus que je ne l'aurais voulu. Il aurait porté fidèlement une lettre de la comtesse à son parent pour lui dire de tenir bon dans son château, et lui promettre de prompts secours; mais Votre Majesté a voulu mettre à l'épreuve sa science prophétique, et lui a fait connaître ainsi des secrets qui valaient la peine d'être trahis.

— J'en suis honteux, Olivier, j'en suis honteux. Et cependant on dit que ces païens descendent des sages

Chaldéens, qui ont appris les mystères des astres dans les plaines de Shinar. »

Sachant fort bien que son maître, malgré toute sa pénétration et sa sagacité, était d'autant plus porté à se laisser tromper par les devins, les astrologues, et toute cette race d'adeptes prétendus, qu'il croyait avoir lui-même quelque connaissance dans ces sciences occultes, Olivier n'osa insister davantage sur ce point, et se contenta d'observer que le Bohémien avait été mauvais prophète en ce qui le concernait lui-même, sans quoi il se serait bien gardé de revenir à Tours pour y chercher la potence qu'il méritait.

« Il arrive souvent, répondit Louis avec beaucoup de gravité, que ceux qui sont doués de la science prophétique n'ont pas le pouvoir de prévoir les événements qui les intéressent personnellement.

— Avec la permission de Votre Majesté, c'est comme si l'on disait qu'un homme ne peut voir son bras à la lumière d'une chandelle qu'il tient à la main, et qui lui montre tous les autres objets de l'appartement.

— La lumière qui lui montre le visage des autres ne peut lui faire apercevoir le sien, et cet exemple est ce qui prouve le mieux ce que je disais. Mais ce n'est pas ce dont il s'agit en ce moment. Le Bohémien a été payé de ses peines; que la paix soit avec lui. Mais ces deux dames! non seulement le Bourguignon nous menace d'une guerre, parce que nous leur accordons un asile; mais leur présence ici paraît même dangereuse pour mes projets à l'égard de ma propre famille. Mon cousin d'Orléans, simple qu'il est, a vu cette demoiselle, et je prédis que cette vue le rendra moins souple relativement à son mariage avec Jeanne.

— Votre Majesté peut renvoyer les comtesses de Croye au duc de Bourgogne, et acheter la paix à ce prix. Certaines gens pourront penser que c'est sacrifier l'honneur de la couronne; mais si la nécessité exige ce sacrifice...

— Si ce sacrifice devait être profitable, Olivier, je le ferais sans hésiter. Je suis un vieux saumon; j'ai acquis de l'expérience, et je ne mords point à l'hameçon du pêcheur parce qu'il est amorcé de cet appât qu'on nomme honneur. Mais ce qui est pire qu'un manque d'honneur, c'est qu'en rendant ces dames au Bourguignon nous perdrions l'espoir avantageux qui nous a déterminé à leur donner un asile. Ce serait un crève-cœur de renoncer à établir un ami de notre couronne, un ennemi du duc de Bourgogne, dans le centre même de ses domaines, si près des villes mécontentes de la Flandre. Non, Olivier, nous ne pouvons renoncer aux avantages que semble nous présenter notre projet de marier cette jeune comtesse à quelque ami de notre maison.

— Votre Majesté, dit Olivier après un moment de réflexion, pourrait accorder sa main à quelque ami digne de confiance, qui prendrait tout le blâme sur lui, et qui vous servirait secrètement, tandis que vous pourriez le désavouer en public.

— Et où trouver un tel ami? Si je la donnais à un de nos nobles, mutins et intraitables, ne serait-ce pas le rendre indépendant? Et n'est-ce pas ce que ma politique a cherché à éviter depuis bien des années? Dunois, à la vérité... oui, c'est à lui, à lui seul que je pourrais me fier. Il combattrait pour la couronne de France, quelle que fût sa situation. Et cependant les richesses et les honneurs changent le caractère des hommes. Non, je ne me fierai pas même à Dunois.

— Votre Majesté peut en trouver un autre, dit Olivier d'un ton encore plus mielleux et plus insinuant que celui qu'il était habitué de prendre en conversant avec le roi, qui déjà lui accordait beaucoup de liberté, vous pourriez lui donner un homme dépendant entièrement de vos bonnes grâces et de votre faveur, et qui ne pourrait pas plus exister sans votre appui, que s'il était privé d'air et de soleil, un homme plus recommandable par la tête que par le bras; un homme...

— Un homme comme toi, n'est-ce pas? Ha! ha! ha! Non, Olivier, sur ma foi! cette flèche est un peu trop hasardée. Quoi! parce que je t'accorde ma confiance et que, pour récompense, je te laisse de temps en temps tondre mes sujets d'un peu près, tu t'imagines pouvoir aspirer à épouser une pareille beauté, et à devenir en outre un comte de la première classe! toi! toi, dis-je, sans naissance, sans éducation, dont la prudence est une sorte d'astuce, dont le courage est plus que douteux?

— Votre Majesté m'impute une présomption dont je ne suis pas coupable, sire.

— J'en suis charmé et, puisque tu désavoues un rêve si absurde, j'en ai meilleure opinion de ton jugement; cependant il me semble que tes propos te conduisaient à toucher cette corde. Mais, pour en revenir à ce que je disais, je n'ose la renvoyer en Bourgogne; je n'ose marier cette belle comtesse à aucun de mes sujets; je n'ose la faire passer ni en Angleterre ni en Allemagne, parce qu'il est vraisemblable qu'elle y deviendrait la proie d'un homme qui serait plus porté à s'unir à la Bourgogne qu'à la France; qui serait plus disposé à réduire les honnêtes mécontents de Gand et de Liège, qu'à leur accorder une force suffisante pour donner à la valeur de Charles le Téméraire assez d'occupation sans l'obliger de sortir de ses domaines. Ils étaient si mûrs pour une insurrection! les Liégeois surtout! Bien échauffés et bien appuyés, ils tailleraient seuls de la besogne à mon beau cousin pour plus d'un an. Que serait-ce, soutenus par un belliqueux comte de Croye?... Non, Olivier, ton plan offre trop d'avantages pour y renoncer sans faire quelques efforts; creuse dans ton cerveau fertile; ne peux-tu rien imaginer? »

Olivier garda le silence assez longtemps, et répondit enfin:

« Ne serait-il pas possible de faire réussir un mariage entre Isabelle de Croye et le jeune Adolphe, duc de Gueldre?

— Quoi! s'écria le roi d'un air de surprise, la sacrifier, une créature si aimable, à un furieux, à un misérable qui a déposé, empoisonné et menacé plusieurs fois d'assassiner son propre père? Non, Olivier, non! ce serait une cruauté trop atroce, même pour vous ou pour moi qui marchons d'un pas ferme vers notre excellent but, la paix et le bonheur de la France, sans nous inquiéter beaucoup des moyens qui peuvent y conduire. D'ailleurs, le duc est à trop de distance de nous; il est détesté des habitants de Gand et de Liège. Non, non! je ne veux pas de ton Adolphe de Gueldre. Pense à quelque autre mari pour la comtesse.

— Mon imagination est épuisée, sire; elle ne m'offre personne qui, comme mari d'Isabelle de Croye, me semble en état de répondre aux vues de Votre Majesté. Il faut qu'il réunisse tant de qualités différentes! Ami de Votre Majesté, ennemi de la Bourgogne, assez politique pour se concilier les Gantois et les Liégeois, assez brave pour défendre ses petits domaines contre la puissance du duc Charles; de noble naissance, car Votre Majesté insiste sur ce point; et, par-dessus le marché, d'un caractère vertueux et excellent!

— Je n'ai pas appuyé sur le caractère, Olivier, c'est-à-dire pas si fortement; mais il me semble qu'il ne faut pas que l'époux d'Isabelle de Croye soit aussi publiquement, aussi généralement détesté qu'Adolphe de Gueldre. Par exemple, puisqu'il faut que je cherche moi-même quelqu'un, pourquoi pas Guillaume de La Marck?

— Sur ma foi, sire, je ne puis me plaindre que vous exigiez une trop grande perfection morale dans l'heureux époux de la jeune comtesse, si le Sanglier des Ardennes vous paraît pouvoir lui convenir. De La Marck! il est notoire que c'est le plus grand brigand, le plus féroce meurtrier de toutes nos frontières; il a été excommunié par le pape à cause de mille crimes.

— Nous obtiendrons son absolution, ami Olivier: l'Église est miséricordieuse.

— C'est presque un proscrit; il a été mis au ban de l'Empire par la diète de Ratisbonne.

— Nous ferons révoquer cette sentence, ami Olivier: la diète entendra raison.

— Et en admettant qu'il soit de noble naissance, il a les manières, le visage, les airs et le cœur d'un boucher flamand; jamais elle n'en voudra.

— Si je ne me trompe, Olivier, sa manière de faire la cour rendra difficile de le refuser.

— J'avais en vérité grand tort, sire, quand j'accusais Votre Majesté d'avoir trop de scrupules. Sur mon âme, les crimes d'Adolphe sont des vertus auprès de ceux de Guillaume de La Marck; et comment se rencontrera-t-il avec sa future épouse? Votre Majesté sait qu'il n'ose se montrer hors de sa forêt des Ardennes.

— C'est à quoi il s'agit de songer. D'abord, il faut informer ces deux dames en particulier qu'elles ne peuvent rester plus longtemps en cette cour, sans occasionner une rupture entre la France et la Bourgogne, et que, ne voulant pas les remettre entre les mains de notre beau cousin, nous désirons qu'elles quittent secrètement nos domaines.

— Elles demanderont à être envoyées en Angleterre, et nous les en verrons revenir avec un lord de cette île, à figure ronde, à longs cheveux bruns, suivi de trois mille archers.

— Non! non! nous n'oserions, vous me comprenez, offenser notre beau cousin de Bourgogne au point de leur permettre de passer en Angleterre: ce serait une cause de guerre aussi certaine que si nous les gardions ici. Non! non! ce n'est qu'aux soins de l'Église que je puis confier la jeune comtesse. Tout ce que je puis faire, c'est de fermer les yeux sur le départ des comtesses Hameline et Isabelle, déguisées, et suivies d'une petite escorte, pour aller se réfugier chez l'évêque de Liège, qui placera pour quelque temps la belle comtesse sous la sauvegarde d'un couvent.

— Et si ce couvent peut lui servir d'abri contre Guillaume de La Marck, quand il connaîtra les intentions favorables de Votre Majesté, je me trompe fort sur son compte.

— Il est vrai que, grâce aux secours d'argent que je lui fournis en secret, de La Marck a rassemblé autour de lui une jolie troupe de soldats aussi peu scrupuleux que bandits le furent jamais; et par leur aide il parvient à se maintenir dans ses bois de manière à se rendre formidable, tant au duc de Bourgogne qu'à l'évêque de Liège. Il ne lui manque que quelque territoire dont il puisse se dire le maître; et trouvant une si belle occasion d'en acquérir par un mariage, je crois, Pâques-Dieu! qu'il saura la saisir sans que j'aie besoin de l'en presser bien fortement. Le duc de Bourgogne aura alors dans le flanc une épine qu'aucun chirurgien ne pourra en extirper de notre temps. Quand le Sanglier des Ardennes, déjà proscrit par Charles, se trouvera fortifié par la possession des terres, châteaux et seigneuries de cette belle dame; quand peut-être les Liégeois mécontents se décideront à le prendre pour chef et pour capitaine, que le duc alors pense à faire la guerre à la France quand il le voudra; ou plutôt qu'il bénisse son étoile si la France ne la lui déclare pas. Eh bien! comment trouves-tu ce plan, Olivier?

— Admirable, sire! sauf la sentence qui adjuge cette pauvre dame au Sanglier des Ardennes. Par la sainte Vierge, s'il était un peu plus galant, Tristan l'Ermite, le grand prévôt, lui conviendrait mieux.

— Et tout à l'heure tu proposais maître Olivier le barbier. Mais l'ami Olivier et le compère Tristan, quoique excellents pour le conseil et l'exécution, ne sont pas de l'étoffe dont on fait des comtes. Ne sais-tu pas que les bourgeois de Flandre estiment la naissance dans les autres, précisément parce qu'ils n'ont pas eux-mêmes cet avantage? Des plébéiens insurgés désirent toujours un chef pris dans l'aristocratie. Voyez en Angleterre: Ked, ou Cade (1), (comment l'appelez-vous?) cherchait à rallier toute la canaille autour de lui en se prétendant issu du sang des Mortimers. Le sang des princes de Nassau coule dans les veines de Guillaume de La Marck. Maintenant songeons aux affaires. Il faut que je détermine les comtesses de Croye à partir secrètement et promptement avec une escorte sûre. Cela sera facile. Il n'est besoin que de leur donner à entendre qu'elles n'ont pas d'autre alternative

1. *Telle n'avait pas été cependant la forme de l'insurrection des vilains en France, à l'époque de la Jacquerie. De même, en Angleterre,* égalité *avait été le mot d'ordre de Wat-Tyler et de ses partisans en 1381. L'insurrection de Jack Cade, en 1448, était bien encore une insurrection populaire; mais à cette époque les factions aristocratiques avaient en quelque sorte usurpé le privilège des insurrections. Les vilains, dans les excès de leur résistance contre l'oppression, s'étaient habitués à voir marcher à leur tête un rebelle titré: une bannière de noble parlait aussi plus vivement à l'imagination des hommes d'armes. Voilà sans doute une partie des motifs qui déterminèrent Jack Cade à se donner pour un prince de la famille royale d'Angleterre. Mais il est vrai de dire que cette insurrection, comme celle de Wat-Tyler, fut une réaction contre les vexations et les injustices de l'aristocratie.*

à choisir, si elles ne veulent pas être livrées au Bourguignon. Il faut que tu trouves le moyen d'informer Guillaume de La Marck de leurs mouvements, et ce sera à lui à choisir le temps et le lieu convenables pour se faire épouser. J'ai fait choix de quelqu'un pour les accompagner.

— Puis-je demander à Votre Majesté à qui elle a dessein de confier une mission si importante?

— A un étranger, bien certainement; à un homme qui n'a en France ni parentage, ni intérêts qui puissent intervenir dans l'exécution de mes ordres, et qui connaît trop peu le pays et les diverses factions, pour soupçonner de mes intentions plus que je n'ai dessein de lui en apprendre. En un mot, j'ai dessein de charger de cette mission le jeune Écossais qui vient de t'avertir de te rendre ici. »

Olivier garda le silence quelques instants, d'un air qui semblait annoncer quelque doute de la prudence d'un tel choix:

« Votre Majesté, dit-il enfin, n'est pas dans l'usage d'accorder si promptement sa confiance à un étranger.

— J'ai mes raisons, répondit le roi. Tu connais ma dévotion pour le bienheureux saint Julien, — et il fit le signe de la croix en prononçant ces paroles. Je lui avais dit mes oraisons l'avant-dernière nuit, et je l'avais humblement supplié d'augmenter ma maison de quelques-uns de ces braves étrangers qui courent le monde, et si nécessaires pour établir dans tout notre royaume une soumission sans bornes à nos volontés; faisant vœu, en retour, de les accueillir, de les protéger et de les récompenser en son nom.

— Et saint Julien, dit Olivier, a-t-il envoyé à Votre Majesté ces deux longues jambes d'Écosse, en réponse à vos prières? »

Quoique le barbier connût la faiblesse du roi, qu'il

sût que son maître avait autant de superstition qu'il avait lui-même peu de religion, que rien n'était plus facile que de l'offenser sur un pareil sujet, et qu'en conséquence il eût eu grand soin de faire cette question du ton le plus simple et le moins ironique, Louis n'en sentit pas moins le sarcasme, et il lança sur Olivier un regard de courroux:

« Maraud! s'écria-t-il, on a raison de t'appeler Olivier le Diable, toi qui oses te jouer ainsi de ton maître et des bienheureux saints. Je te dis que, si tu m'étais moins nécessaire, je te ferais pendre au vieux chêne en face du château, pour servir d'exemple à ceux qui se raillent des choses saintes. Apprends, misérable infidèle, que je n'eus pas plus tôt les yeux fermés, que le bienheureux saint Julien m'apparut, tenant par la main un jeune homme qu'il me présenta en me disant que son destin était d'échapper au fer, à l'eau et à la corde; qu'il porterait bonheur au parti qu'il embrasserait, et qu'il réussirait dans ce qu'il entreprendrait. Je sortis le lendemain matin, et je rencontrai ce jeune Écossais. Dans son pays, il avait échappé au fer au milieu du massacre de toute sa famille; et ici, dans l'espace d'un seul jour, un double miracle l'a sauvé de l'eau et de la corde. Déjà, dans une occasion particulière, comme je te l'ai donné à entendre, il m'a rendu un service important. Je le reçois donc comme m'étant envoyé par saint Julien, pour me servir dans les entreprises les plus difficiles, les plus périlleuses, et même les plus désespérées. »

En finissant de parler, le roi ôta son chapeau, et ayant choisi, parmi les petites figures de plomb qui en garnissaient le tour, celle qui représentait saint Julien, il plaça son chapeau sur une table, en tournant de son côté l'image du saint, et s'agenouillant devant elle, comme il le faisait souvent quand il était agité par la crainte ou l'espérance, ou peut-être tourmenté par les remords, il murmura à demi-

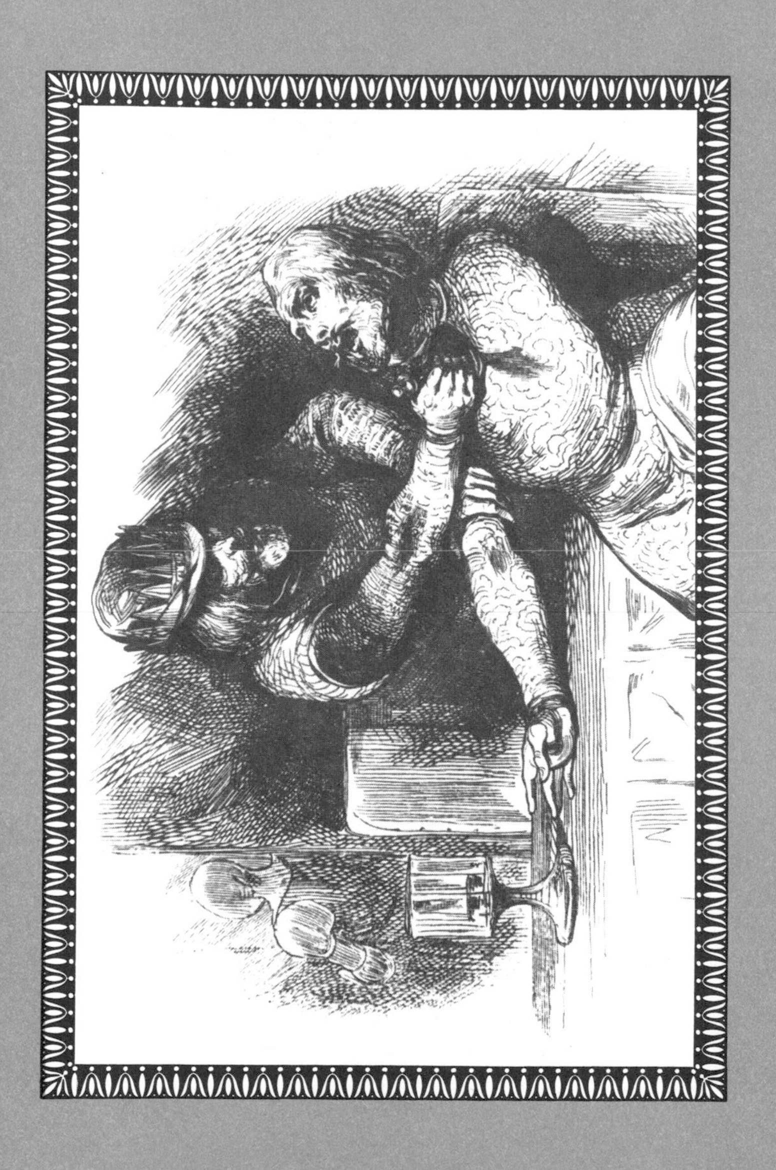

Jacques d'Ecosse
poignarda le comte Douglas.
Vignette de Théophile Fragonard,
gravée par Porret.
Ed. P. M. Pourrat et Cie.
Bibl. de l'Arsenal.

voix, avec un air de profonde dévotion: *Sancte Juliane, adsis precibus nostris, ora, ora pro nobis* (1).

C'était un de ces accès de piété superstitieuse dont Louis était pris dans des circonstances si extraordinaires qu'elles auraient pu faire passer un des monarques les plus remplis de sagacité qui aient jamais régné, pour un homme privé de raison, ou du moins dont l'esprit était troublé par le remords de quelque grand crime.

Tandis qu'il était ainsi occupé, son favori le regardait avec une expression de sarcasme et de mépris qu'il cherchait à peine à cacher. Une des particularités de cet homme était que, dans toutes ses relations avec son maître, il se dépouillait de cette affectation mielleuse d'humilité qui distinguait sa conduite envers les autres; et, s'il conservait encore alors quelque ressemblance avec le chat, c'était lorsque cet animal est sur ses gardes, vigilant, animé, prêt à bondir au premier besoin. La cause de ce changement venait sans doute de ce qu'Olivier savait parfaitement que Louis était trop profondément hypocrite lui-même pour ne pas voir à travers l'hypocrisie des autres:

« Les traits de ce jeune homme, s'il m'est permis de parler, dit Olivier, sont donc semblables à ceux de l'inconnu que vous avez vu en songe?

— Très ressemblants, on ne peut davantage, répondit le roi, qui, comme la plupart des gens superstitieux, souffrait souvent que son imagination lui en imposât. D'ailleurs, j'ai fait tirer son horoscope par Galeotti Martivalle, et j'ai appris positivement, autant par son art que par mes propres observations que, sous bien des rapports, la destinée de ce jeune homme sans amis est soumise aux mêmes constellations que la mienne. »

1. Saint-Julien, soyez favorable à nos prières, et priez, priez pour nous.

Quoi qu'Olivier pût penser des motifs que le roi assignait si hardiment à la préférence qu'il accordait à un jeune homme sans expérience, il n'osa pas faire d'autres objections, sachant bien que Louis qui, pendant son exil, avait étudié avec grand soin la prétendue science de l'astrologie, ne serait pas d'humeur à écouter aucune raillerie tendant à rabaisser ses connaissances. Il se borna donc à répondre qu'il espérait que le jeune homme remplirait fidèlement une tâche si délicate.

« Nous prendrons des mesures pour qu'il ne puisse faire autrement, dit Louis. Tout ce qu'il saura, c'est qu'il est chargé d'escorter les deux comtesses jusqu'à la résidence de l'évêque de Liège. Il ne sera pas plus instruit qu'elles ne le seront elles-mêmes de l'intervention probable de Guillaume de La Marck. Personne ne connaîtra ce secret que le guide; et il faut donc que Tristan ou toi vous nous en trouviez un convenable à nos projets.

— Mais en ce cas, répliqua Olivier, et à en juger d'après son air et son pays, il est probable que ce jeune homme sautera sur ses armes dès qu'il verra le Sanglier des Ardennes attaquer ces dames, et il est possible qu'il ne se tire pas d'affaire aussi heureusement qu'il s'en est tiré ce matin.

— S'il périt, dit Louis avec sang-froid, le bienheureux saint Julien m'en enverra un autre en sa place. Que le messager soit tué quand il a rempli sa mission, ou que le flacon soit brisé quand le vin est bu, c'est la même chose. Mais il faut accélérer le départ de ces dames, et persuader ensuite au comte de Crèvecœur qu'il a eu lieu sans notre connivence, attendu que nous désirions les remettre en la garde de notre beau cousin; ce que leur fuite soudaine nous a empêché de faire.

— Le comte peut-être est trop clairvoyant, et son maître trop prévenu contre Votre Majesté, pour qu'ils puissent le croire.

— Sainte Mère de Dieu! quelle incrédulité ce serait pour des chrétiens! Mais il faudra qu'ils nous croient, Olivier. Nous mettrons dans toute notre conduite envers notre beau cousin de Bourgogne une confiance si entière et si illimitée, que, pour ne pas croire à notre sincérité à son égard, sous tous les rapports, il faudrait qu'il fût pire qu'un infidèle. Je te dis que je suis si convaincu que je puis donner à Charles de Bourgogne telle opinion de moi que je le voudrais, que, s'il le fallait, pour dissiper tous ses doutes, j'irais, sans armes, monté sur un palefroi, le visiter sous sa tente, sans autre garde que toi seul, l'ami Olivier.

— Et moi, sire, quoique je ne me pique pas de manier l'acier sous aucune autre forme que celle d'un rasoir, je chargerais un bataillon de Suisses armés de piques, plutôt que d'accompagner Votre Majesté dans une semblable visite d'amitié rendue à Charles de Bourgogne, quand il a tant de motifs pour être bien assuré que le cœur de Votre Majesté nourrit de l'inimitié contre lui.

— Tu es un fou, Olivier, avec toutes tes prétentions à la sagesse; et tu ne sais pas qu'une politique profonde doit quelquefois prendre le masque d'une extrême simplicité, de même que le courage se cache parfois sous l'apparence d'une timidité modeste. Si les circonstances l'exigeaient, je ferais bien certainement ce que je viens de te dire, les saints bénissant nos projets, et les constellations célestes amenant dans leur cours une conjonction favorable à cette entreprise. »

Ce fut en ces termes que Louis XI donna la première idée de la résolution extraordinaire qu'il exécuta par la suite, dans l'espoir de duper son rival, et qui faillit le perdre lui-même.

En quittant son conseiller, il se rendit dans l'appartement des comtesses de Croye. Il n'eut pas besoin de faire de grands efforts pour les persuader de quitter la cour de France dès qu'il leur eut fait entendre qu'il serait possible qu'elles n'y trouvassent pas une protection assurée contre le duc de Bourgogne; sa simple permission aurait suffi; mais il ne lui fut pas si facile de les déterminer à prendre Liège pour le lieu de leur retraite. Elles lui demandèrent et le supplièrent de les envoyer en Bretagne ou à Calais, où, sous la protection du duc de Bretagne ou du roi d'Angleterre, elles pourraient rester en sûreté jusqu'à ce que le duc de Bourgogne se montrât moins rigoureux à leur égard. Mais aucun de ces lieux de sûreté ne convenait aux plans de Louis, et il réussit enfin à leur faire adopter celui qui favorisait l'exécution de ses projets.

On ne pouvait mettre en doute le pouvoir qu'avait l'évêque de Liège de les défendre, puisque sa dignité d'ecclésiastique lui donnait les moyens de les protéger contre tous les princes chrétiens et que, d'une autre part, ses forces, comme prince séculier, si elles n'étaient pas considérables, suffisaient au moins pour défendre sa personne et ceux qu'il prenait sous sa protection, contre toute violence soudaine. La difficulté était de parvenir sans risque jusqu'à la petite cour de l'évêque; mais Louis promit d'y pourvoir en faisant répandre le bruit que les dames de Croye s'étaient échappées de Tours pendant la nuit, de crainte d'être livrées entre les mains de l'envoyé bourguignon, et qu'elles avaient pris la fuite vers la Bretagne. Il leur promit aussi de leur donner une petite escorte sur la fidélité de laquelle elles pourraient compter, et des lettres pour enjoindre aux commandants des villes et forteresses par où elles devaient passer, de leur donner, par tous les moyens possibles, assistance et protection pendant leur voyage.

Les dames de Croye, quoique intérieurement mécontentes de la manière discourtoise et peu généreuse dont Louis les privait de l'asile qu'il leur avait promis à sa cour, furent si loin de faire la moindre objection à ce départ précipité, qu'elles allèrent au-devant de ses désirs en le priant de les autoriser à partir cette nuit même. La comtesse Hameline était déjà lasse d'une cour où il n'y avait ni fêtes pour y briller, ni courtisans pour l'admirer; et la comtesse Isabelle pensait qu'elle en avait vu assez pour conclure que, si la tentation devenait un peu plus forte, Louis XI, peu content de les renvoyer de sa cour, ne se ferait pas un scrupule de la livrer à son suzerain irrité, le duc de Bourgogne. Leur résolution satisfit d'autant plus le roi, qu'il désirait maintenir la paix avec le duc Charles, et qu'il craignait que la présence d'Isabelle ne devînt un obstacle à l'exécution de son plan favori de donner la main de sa fille Jeanne à son cousin d'Orléans.

13. L'ASTROLOGUE

Vous me parlez des rois! quelle comparaison!
Je suis au-dessus d'eux, puisque je suis un SAGE.
Sur tous les éléments je règne sans partage,
Ou du moins on le croit, et sur cette croyance
J'assieds les fondements de ma toute-puissance.

Albumazar.

SANS cesse de nouvelles occupations et de nouvelles aventures semblaient survenir à notre jeune Écossais, comme se succèdent les flots rapides d'un torrent, car il ne tarda pas à être mandé dans l'appartement de son capitaine lord Crawford, où, à son grand étonnement, il trouva encore le roi. Les premières paroles du monarque, au sujet de la preuve de confiance dont il allait l'honorer, lui firent craindre qu'il ne fût encore question d'une embuscade semblable à celle où il avait été placé contre le comte de Crèvecœur, ou peut-être de quelque expédition encore moins de son goût. Il fut non seulement bien rassuré, mais ravi, en apprenant que le roi le choisissait pour mettre sous ses ordres trois hommes et un guide avec lesquels il devait escorter les dames de Croye jusqu'à la cour de leur parent, l'évêque du Liège, de la manière la plus sûre, la plus commode, et en même temps la plus secrète possible. Louis lui remit des informations par écrit sur les endroits où il devait faire halte, et qui étaient en général des villages et des couvents situés à quelque distance des villes; son itinéraire indiquait aussi les précautions qu'il devait prendre, surtout en approchant des frontières de la Bourgogne. Enfin il reçut des instructions sur ce qu'il devait faire pour jouer le rôle de maître d'hôtel de deux dames anglaises de distinction. Il lui était recommandé de donner à croire que ces nobles insulaires venaient de faire un pèlerinage à Saint-Martin de Tours, et allaient en faire un autre dans la sainte ville de Cologne, dans l'intention d'honorer les reliques des trois mages, ces sages monarques venus de l'Orient pour adorer Jésus-Christ dans la crèche.

Sans trop pouvoir se rendre compte des motifs de son émotion, Quentin sentit son cœur bondir de joie à la seule pensée qu'il allait s'approcher de si près de la beauté de la tourelle, et s'en approcher à un titre qui lui donnait droit d'obtenir une partie au moins de sa confiance, puisque c'était à sa conduite et à son courage qu'allait être remis en grande partie le soin de la protéger. Il ne doutait nullement qu'il ne réussît à la conduire heureusement au terme de son voyage: la jeunesse pense rarement aux périls, et Durward surtout, ayant respiré dès son enfance l'air de la liberté, intrépide et plein de confiance en lui-même, n'y pensait que pour les défier.

Il lui tardait d'être débarrassé de la contrainte que lui imposait la présence du roi, afin de se livrer librement à sa joie secrète. Cette joie allait jusqu'à des transports qu'il était forcé de réprimer en pareille compagnie; mais Louis n'avait pas encore fini avec lui. Ce monarque soupçonneux avait à consulter un conseiller d'une trempe toute différente de celle d'Olivier le Diable, et qu'on regardait comme tirant sa science des astres et des intelligences supérieures; de même qu'on jugeait en général que les conseils d'Olivier, à en juger par les fruits, lui étaient inspirés par le diable même.

Louis ordonna donc à l'impatient Quentin de le suivre, et il le conduisit dans une tour séparée du château du Plessis, où était installé avec assez d'aisance et de splendeur le célèbre astrologue, poète et philosophe Galeotti Marti, ou Martius, ou Martivalle (1), né à Narni en Italie,

1. *Les critiques pourront s'étonner de trouver Galeotti à la cour de Louis XI, malgré l'histoire, qui le fait mourir à Lyon d'une chute de cheval, dans son empressement à saluer le roi, qui se trouvait dans cette ville en 1476; et c'était son premier voyage en France. Il y a bien d'autres anachronismes plus sérieux dans* Quentin Durward*; mais le* romancier *n'est ici* historien *que comme peintre de mœurs. Ce qu'il y a de singulier à propos de Galeotti, c'est que son panégyriste Paul Jove (cité par sir Walter Scott) le fait mourir à Agnani, étouffé par excès de graisse. Paul Jove était pourtant presque le contemporain de Galeotti. Sir Walter Scott, romancier, pourrait donc à la rigueur préférer son témoignage contre l'opinion plus générale des autres historiens. Enfin croira-t-on que la* Biographie universelle *de Michaud (article Galeotti, 1816) fait mourir notre astrologue en 1494 seulement, au passage de Charles VIII à Lyon. Après cette note un peu* savante, *on demandera peut-être encore laquelle de toutes ces autorités a fait de l'histoire.*

auteur du fameux Traité *De vulgo incognitis* (1), et l'objet de l'admiration de son siècle et des éloges de Paul Jove. Il avait longtemps fleuri à la cour de Mathias Corvin, roi de Hongrie; mais Louis l'avait en quelque sorte leurré pour l'attirer à la sienne, jaloux que le monarque hongrois profitât des conseils et de la société d'un sage qui était initié à l'art de lire dans les décrets du ciel.

Martivalle n'était pas un de ces pâles ascétiques professeurs des sciences mystiques, dont les traits se flétrissent, et dont les yeux s'usent en veillant la nuit sur leur creuset, et qui se macèrent le corps à force d'examiner l'ourse polaire. Il se livrait à tous les plaisirs du monde, et avant d'être devenu trop corpulent, il avait excellé dans la science des armes et dans tous les exercices militaires et gymnastiques; de sorte que Janus Pannonius a laissé une épigramme, en vers latins, sur une lutte qui eut lieu entre Galeotti et un champion renommé dans cet art, lutte dans laquelle l'astrologue fut complètement victorieux (2).

Les appartements de ce sage, belliqueux et courtisan, étaient beaucoup plus somptueusement meublés qu'aucun de ceux que Quentin avait encore vus dans le palais du roi. Les boiseries ornées et sculptées de sa bibliothèque, la magnificence des tapisseries, montraient le goût élégant du savant Italien. De sa bibliothèque une porte conduisait dans sa chambre à coucher, une autre à une tourelle qui lui servait d'observatoire. Une grande table en chêne,

1. Des choses inconnues à la plupart des hommes. *On prétend que c'est le manuscrit original de ce Traité qui est à la Bibliothèque Royale. Galeotti a laissé plusieurs autres ouvrages.*

2. Cette lutte célébrée dans l'épigramme de Janus Pannonius ou Pannon, eut lieu sur la grande place de Bude, entre Galeotti et un fameux lutteur du pays nommé Alz, en présence du roi Mathias Corvin et de toute sa cour.

placée au milieu de l'appartement, était couverte d'un beau tapis de Turquie, dépouilles prises dans la tente d'un pacha après la grande bataille de Jaiza, où l'astrologue avait combattu à côté de Mathias Corvin, ce vaillant champion de la chrétienté. Sur cette table on voyait un grand nombre d'instruments de mathématiques et d'astrologie, tous aussi précieux par la main-d'œuvre que par la matière. L'astrolabe d'argent du sage était un présent de l'empereur d'Allemagne, et son bâton de Jacob en ébène, incrusté en or, était une marque d'estime du pape alors régnant (1).

Divers objets étaient rangés sur cette table, ou suspendus le long des murs; entre autres, deux armures complètes, l'une en mailles, l'autre en acier, et qui toutes deux, par leur grandeur, semblaient désignées pour leur maître Galeotti Martivalle, dont la taille était presque gigantesque; une épée espagnole, une claymore d'Écosse, un cimeterre turc, des arcs, des carquois et d'autres armes de guerre: on remarquait aussi des instruments de musique de plusieurs sortes, un crucifix d'argent, un vase sépulcral antique, plusieurs de ces petits pénates de bronze, objets du culte du paganisme, et beaucoup d'autres choses curieuses qu'il serait difficile de décrire, et dont plusieurs, d'après les opinions superstitieuses de ce siècle, semblaient devoir servir à l'art magique.

La bibliothèque de cet homme étrange offrait un mélange non moins varié. On y trouvait d'anciens manuscrits d'auteurs classiques, mêlés avec les ouvrages volumineux des théologiens chrétiens, et ceux des sages laborieux qui professaient les sciences chimiques, qui prétendaient décou-

1. Le pape Sixte IV était l'élève de Galeotti, et ce fut Sa Sainteté qui tira notre astrologue des prisons de l'Inquisition, où il avait été enfermé comme hérétique.

vrir à leurs élèves les secrets les plus mystérieux de la nature, par le moyen de la philosophie hermétique. Quelques-uns étaient écrits en caractères orientaux; d'autres cachaient leur sens, ou leur absurdité, sous le voile de caractères hiéroglyphiques ou cabalistiques.

Tout l'appartement et les divers meubles offraient aux yeux un tableau calculé pour faire une impression dont l'effet sur l'imagination était encore augmenté par l'air et les manières de l'astrologue. Assis dans un grand fauteuil, il examinait avec curiosité un spécimen de l'art tout nouvellement inventé de l'imprimerie, qui sortait de la presse de Francfort.

Galeotti Martivalle était un homme de grande taille, et qui, malgré son embonpoint, avait un air de dignité. Il avait passé l'âge moyen de la vie, et l'habitude de l'exercice qu'il avait contractée dans sa jeunesse, et à laquelle il n'avait pas encore totalement renoncé, n'avait pu réprimer une tendance naturelle à la corpulence, augmentée par une vie sédentaire consacrée à l'étude, et par son goût pour les plaisirs de la table. Quoiqu'il eût de gros traits, il avait l'air noble et majestueux, et un Santon aurait pu être jaloux de la longue barbe noire qui descendait sur sa poitrine. Il portait une robe de chambre du plus beau velours de Gênes, à manches larges, garnie d'agrafes en or, bordée d'hermine, et serrée sur sa taille par une ceinture de parchemin vierge, sur lequel étaient représentés, en cramoisi, les douze signes du zodiaque. Il se leva et salua le roi, mais avec les manières d'un homme à qui la présence d'un personnage d'un rang si élevé n'en imposait pas, et qui ne paraissait pas devoir compromettre la dignité qu'affectait alors quiconque se consacrait à l'étude des sciences.

« Vous êtes occupé, mon père, lui dit le roi, et, à ce qu'il me semble, c'est de cette nouvelle manière de multiplier les manuscrits par le moyen d'une machine. Comment des choses si mécaniques, si terrestres, peuvent-elles intéresser les pensées d'un homme devant qui le firmament déroule ses volumes célestes?

— Mon frère, répondit Martivalle, car c'est ainsi que l'habitant de cette cellule doit appeler le roi de France, quand il daigne venir le visiter comme un disciple, croyez qu'en réfléchissant sur les conséquences de cette invention, j'y lis avec autant de certitude que dans aucune combinaison des corps célestes, l'augure des changements les plus étonnants et les plus prodigieux. Quand je songe avec quel cours lent et limité le fleuve de la science nous a jusqu'à présent apporté ses eaux, combien de difficultés éprouvent à s'en procurer ceux qui en sont les plus altérés, combien elles sont négligées par ceux qui ne pensent qu'à leurs aises; combien elles sont exposées à être détournées ou à se tarir, par suite des invasions de la barbarie: puis-je envisager, sans être émerveillé, les destins qui attendent les générations futures sur lesquelles les connaissances descendront, comme la première et la seconde pluie, sans interruption et sans diminution, fertilisant certaines contrées, en inondant quelques autres; changeant toutes les formes de la vie sociale; établissant et renversant des religions, érigeant et détruisant des royaumes...

— Un instant, Galeotti! s'écria Louis; tous ces changements arriveront-ils de notre temps?

— Non, mon frère, répondit Martivalle: cette invention peut se comparer à un jeune arbre qui vient d'être planté, mais qui produira, dans les générations suivantes, un fruit aussi fatal mais aussi précieux que celui du jardin d'Éden, c'est-à-dire la connaissance du bien et du mal.

— Que l'avenir songe à ce qui le concerne, dit Louis après une pause d'un instant; nous vivons dans le siècle présent, et c'est à ce siècle que nous réserverons nos soins. Chaque jour a bien assez du mal qu'il apporte. Dites-moi, avez-vous terminé l'horoscope que je vous ai chargé de tirer, et dont vous m'avez déjà dit quelque chose? j'ai amené ici la partie intéressée, afin que vous puissiez employer à son égard la chiromancie ou telle autre science qu'il vous plaira. L'affaire est pressante. »

Le sage se leva; et, s'approchant du jeune soldat, il fixa sur lui ses grands yeux noirs, pleins de vivacité, comme s'il eût été occupé intérieurement à analyser tous les traits et linéaments de sa physionomie. Rougissant et confus d'être l'objet d'un examen si sérieux de la part d'un homme dont l'aspect était si vénérable et si imposant, Quentin baissa les yeux, et ne les releva que pour obéir à l'ordre que lui en donna l'astrologue d'une voix retentissante:

« Ne sois pas effrayé; lève les yeux, et avance ta main. »

Lorsque Martivalle eut examiné la main droite de Durward, suivant toutes les formes des arts mystiques qu'il cultivait, il tira le roi à l'écart, et le conduisit à quelques pas:

« Mon frère royal, lui dit-il, la physionomie de ce jeune homme, et les lignes imprimées sur sa main, confirment, d'une manière merveilleuse, le rapport que je vous ai fait; d'après son horoscope, vos progrès dans notre art sublime vous ont permis d'en porter vous-même un jugement semblable. Tout annonce que ce jeune homme sera brave et heureux.

— Et fidèle? dit le roi; car la fidélité n'est pas toujours une compagne inséparable de la bravoure et du bonheur.

— Et fidèle, répondit l'astrologue; car il a dans l'œil et dans le regard une fermeté mâle, et sa *linea vitœ* est droite et profondément tracée, ce qui prouve qu'il sera fidèlement et loyalement attaché à ceux qui lui feront du bien ou qui lui accorderont leur confiance; et cependant...

— Et cependant! répéta le roi. Eh bien! père Galeotti, pourquoi ne continuez-vous pas?

— Les oreilles des rois ressemblent au palais de ces malades délicats qui ne peuvent supporter l'amertume des médicaments nécessaires à leur guérison.

— Mes oreilles et mon palais ne connaissent pas une telle délicatesse. Je puis entendre tout bon conseil, et avaler tout médicament salutaire: je ne m'inquiète ni de la rudesse de l'un, ni de l'amertume de l'autre. Je n'ai pas été un enfant gâté à force d'indulgence: ma jeunesse s'est passée dans l'exil et dans les souffrances. Mes oreilles sont accoutumées à entendre sans offense tous les conseils, quelque durs qu'ils puissent être.

— Je vous dirai donc clairement, sire, que s'il se trouve, dans la mission que vous projetez, quelque chose... quelque chose qui... qui, en un mot, puisse effaroucher une conscience timorée, vous ne devez pas la confier à ce jeune homme, du moins jusqu'à ce que quelques années passées à votre service l'aient rendu aussi peu scrupuleux que les autres.

— Est-ce là tout ce que vous hésitiez à dire, mon bon Galeotti? Et aviez-vous quelque crainte de m'offenser en parlant ainsi? Je sais que vous sentez parfaitement qu'on ne peut toujours être dirigé dans le chemin de la politique royale, comme on doit l'être invariablement dans celui de la vie privée, par les maximes abstraites de la religion et de la morale. Pourquoi, nous autres princes de la terre, fondons-nous des églises et des monastères, entreprenons-nous des pèlerinages, nous imposons-nous des pénitences, et faisons-nous des actes de dévotion dont les autres hommes peuvent se dispenser, si ce n'est parce que le bien public et l'intérêt de nos royaumes nous forcent à des mesures qui peuvent charger notre conscience comme chrétiens? Mais le ciel est miséricordieux; l'Église a un fonds inépuisable de mérites, et l'intercession de Notre-Dame d'Embrun et des bienheureux saints est continuelle et toute-puissante. »

A ces mots, il ôta son chapeau, le mit sur la table; et, s'agenouillant devant les images de plomb qui l'entouraient, il dit:

« Sancte Huberte, sancte Juliane, sancte Martine, sancta Rosalia, sancti quotquot adestis, orate pro me peccatore (1)*! »*

Il se frappa la poitrine, en se relevant, remit son chapeau sur sa tête, et se tournant vers l'astrologue:

« Soyez assuré, mon bon père, lui dit-il, que s'il se trouve dans la mission que nous avons en vue quelque chose de la nature de ce que vous venez de nous donner à entendre, l'exécution n'en sera pas confiée à ce jeune homme, et qu'il ne sera pas même instruit de cette partie de nos projets.

— Vous agirez sagement en cela, mon royal frère. On peut aussi appréhender quelque chose de l'impétuosité de ce jeune homme; défaut inhérent à tous ceux dont le tempérament est sanguin. Mais, d'après toutes les règles de l'art, cette chance ne peut entrer en balance avec les autres qualités découvertes par son horoscope et autrement.

— Minuit sera-t-il une heure favorable pour commencer un voyage dangereux? Tenez, voici vos éphémérides. Vous voyez la position de la lune à l'égard de Saturne, et l'ascendant de Jupiter. Il me semble, avec toute soumission à vos connaissances supérieures, que c'est un augure de succès pour celui qui fait partir une expédition à cette heure.

— Oui, répondit l'astrologue après un moment de réfle-

1. Saint Hubert, saint Julien, saint Martin, sainte Rosalie, et vous autres saints qui m'écoutez, priez pour moi, pauvre pécheur.

xion; cette conjonction promet le succès *à celui qui fait partir* l'expédition; mais je pense que, Saturne étant en combustion, elle menace de dangers et d'infortunes *ceux qui partent;* d'où je conclus que le voyage peut être dangereux et même fatal pour ceux qui l'entreprendront à une telle heure. Cette conjonction défavorable présage des actes de violence et une captivité.

— Violence et captivité à l'égard de ceux qui partent, dit le roi, mais succès pour celui qui fait partir. N'est-ce pas là ce que vous nous dites, mon docte père?

— Précisément, » répondit Martivalle.

Louis ne répliqua rien à cette prédiction, que l'astrologue avait probablement hasardée parce qu'il voyait que l'objet sur lequel il était consulté couvrait quelque projet dangereux. Il ne laissa même pas entrevoir jusqu'à quel point elle s'accordait avec ses vues, qui, comme le lecteur le sait, était de livrer la comtesse Isabelle de Croye entre les mains de Guillaume de La Marck, chef distingué par son caractère turbulent et par sa bravoure féroce.

Le roi tira alors un papier de sa poche; et avant de le remettre à Martivalle, il lui dit d'un ton qui ressemblait à une apologie:

« Savant Galeotti, ne soyez pas surpris que, possédant en vous un oracle, un trésor, une science supérieure à celles que possède aucun être vivant de nos jours, sans même en excepter le grand Nostradamus (1), je désire fréquem-

1. Anachronisme difficile à pallier. — Le grand Michel Nostradamus naquit à Saint-Remy en Provence, en 1503, et ne publia ses prophéties qu'en 1555. L'auteur aurait pu citer Angelo de Catho, qui fut tour à tour l'aumônier du duc de Bourgogne et de Louis XI. Ce monarque le nomma plus tard à l'archevêché de Vienne. C'était un merveilleux astrologue qui prédit même dix jours d'avance la mort de Charles le Téméraire. Son ami Philippe de Commines n'a pas oublié de vanter sa grande science.

ment profiter de vos connaissances dans mes doutes et dans ces difficultés par lesquelles est assiégé tout prince forcé de combattre, dans ses domaines, des rebelles audacieux, et au-dehors des ennemis puissants et invétérés.

— Sire, répondit le philosophe, lorsque vous m'avez invité à quitter la cour de Bude pour celle du Plessis, je l'ai fait avec la résolution de mettre à la disposition de mon protecteur royal tout ce que mon art peut faire pour lui être utile.

— C'en est assez, mon bon Martivalle, dit le roi: maintenant faites donc attention à cette question. Alors il déplia le papier qu'il tenait à la main, et lut ce qui suit: Un homme engagé dans une contestation importante, qui paraît devoir être décidée, soit par les lois, soit par la force des armes, désire chercher à arranger cette affaire par le moyen d'une entrevue personnelle avec son antagoniste. Il demande quel jour sera propice pour l'exécution de ce projet; quel pourra être le succès de cette négociation; et si son adversaire répondra à cette preuve de confiance par la reconnaissance et la franchise, ou abusera des avantages dont une telle entrevue peut lui donner l'occasion de profiter?

— C'est une question importante, répondit Martivalle quand le roi eut fini sa lecture. Elle exige que je trace un planétaire, et que j'y consacre de sérieuses et profondes réflexions.

— Faites-le, mon bon père, mon maître ès-sciences, reprit le roi, et vous verrez ce que c'est que d'obliger un roi de France. Nous avons résolu, si les constellations le permettent, et nos faibles connaissances nous portent à penser qu'elles approuvent notre projet, de hasarder quelque chose en notre propre personne, pour arrêter ces guerres antichrétiennes.

— Puissent les saints favoriser les pieuses intentions de Votre Majesté, répondit l'astrologue, et veiller sur votre personne sacrée!

La galerie de Roland.
Vignette de Théophile Fragonard,
gravée par Porret.
Ed. P. M. Pourrat et Cie.
Bibl. de l'Arsenal.

— Je vous remercie, docte père, dit Louis: en attendant, voici quelque chose pour augmenter votre précieuse bibliothèque. »

En même temps, il glissa sous un des volumes une petite bourse d'or; car, économe jusque dans ses superstitions, il croyait avoir suffisamment acheté les services de l'astrologue par la pension qu'il lui avait accordée, et pensait avoir le droit d'employer ses talents à un prix très modéré, même dans les occasions les plus importantes.

Louis, pour nous servir du langage du barreau, ayant ainsi payé les honoraires de son avocat consultant, se tourna vers Durward:

« Suis-moi, lui dit-il, mon brave Écossais, suis-moi comme un homme choisi par le destin et par un monarque pour accomplir une aventure importante. Aie soin que tout soit prêt pour que tu puisses mettre le pied sur l'étrier à l'instant même où la cloche de Saint-Martin sonnera minuit. Une minute plus tôt ou une minute plus tard, tu perdrais l'aspect favorable des constellations qui sourient à ton expédition. »

A ces mots, le roi sortit, suivi de son jeune garde, et ils ne furent pas plus tôt partis, que l'astrologue se livra à des sentiments tout différents de ceux qui avaient paru l'animer en présence du monarque:

« Le misérable avare! s'écria-t-il en pressant la bourse dans sa main; car, ne mettant pas de bornes à ses dépenses, Galeotti avait toujours besoin d'argent. Le vil et sordide imbécile! la femme du maître d'un bâtiment m'en donnerait davantage pour savoir si son mari fera une heureuse traversée. Lui, acquérir quelque teinture des belles-lettres! oui, quand le renard glapissant et le loup hurlant deviendront musiciens. Lui! lire dans le glorieux blason du firmament! oui, quand la taupe aveugle aura les yeux du lynx. *Post tot promissa!* Après m'avoir prodigué tant de promesses pour me tirer de la cour du magnifique Mathias, où le Hun et le Turc, le chrétien et l'infidèle, le czar de Moscovie et le kan des Tartares, disputaient à qui me comblerait de plus de présents! Pense-t-il que je sois homme à rester dans ce vieux château, comme un bouvreuil en cage, prêt à chanter dès qu'il lui plaît de siffler? Non, sur ma foi! *Aut inveniam viam, aut faciam.* Je découvrirai ou j'imaginerai un expédient. Le cardinal de La Balue est politique et libéral; il verra la question que le roi vient de me soumettre, et ce sera la faute de Son Éminence si les astres ne parlent pas comme il souhaite. »

Il reprit le présent dédaigné, et le pesa de nouveau dans sa main:

« Il est possible, dit-il, qu'il se trouve au fond de cette misérable bourse quelque perle ou quelque joyau de prix: j'ai entendu dire qu'il peut être généreux jusqu'à la prodigalité quand son caprice le veut ou que son intérêt l'exige. »

Il vida la bourse sur la table, et n'y trouva ni plus ni moins que dix pièces d'or, ce qui excita son indignation au plus haut degré:

« Pense-t-il que, pour ce misérable salaire, je le ferai jouir des fruits de cette science céleste que j'ai étudiée avec l'abbé arménien d'Istrahoff, qui n'avait pas vu le soleil depuis quarante ans; avec le Grec Dubravius, qu'on dit avoir ressuscité des morts, et avoir même visité le scheik Eba-Ali dans sa grotte des déserts de la Thébaïde? Non, de par le ciel! celui qui méprise la science périra par son ignorance. Dix pièces d'or! je rougirais presque d'offrir cette somme à Toinette pour s'acheter un corset. »

Tout en parlant ainsi, le sage indigné n'en mit pas

moins cet or méprisé dans une grande poche qu'il portait à sa ceinture, et que Toinette et les autres personnes qui l'aidaient dans ses dépenses extravagantes savaient ordinairement vider plus promptement que notre astrologue, avec toute sa science, ne trouvait le moyen de la remplir.

14. LE VOYAGE

France, je te revois, pays chéri des cieux,
Qu'ornèrent à l'envi les arts et la nature!
Aux faciles travaux de tes enfants joyeux
Ton sein reconnaissant répond avec usure.
De tes jeunes beautés j'aime les noirs cheveux,
Leur sourire enchanteur, leurs regards pleins de grâces!
Hélas! pour toi le sort eut aussi ses rigueurs;
Ce n'est pas de nos jours que datent tes disgrâces,
Mais tu sais supporter noblement tes malheurs (1).

Anonyme.

ÉVITANT d'entrer en conversation avec qui que ce fût, car tel était l'ordre qu'il avait reçu, Durward alla se couvrir sans retard d'une cuirasse excellente, mais sans ornements; prit des brassards et des cuissards, et mit sur sa tête un bon casque d'acier sans visière; il revêtit aussi un bon surtout en peau de chamois, brodé sur toutes les cou-

1. Quand on rapproche cette épigraphe de la date de l'introduction, ou plutôt de celle du véritable voyage que sir Walter Scott fit en France, on y trouve l'expression d'une généreuse pitié sur les malheurs de la France en 1815. Nous le faisons remarquer avec plaisir à ceux qui ont cru trouver dans les Lettres de Paul *le sujet de griefs amers contre sir Walter Scott.*

tures, et qui pouvait convenir à un officier supérieur servant dans une noble maison.

Ces armes et ces vêtements lui furent apportés dans son appartement par Olivier, qui, avec son air tranquille et son sourire insinuant, l'informa que son oncle avait reçu ordre de monter la garde, pour qu'il ne pût lui faire aucune question sur la cause de tous ces mouvements mystérieux:

« On fera vos excuses à votre parent, lui dit Olivier en souriant encore; et, mon cher fils, quand vous serez de retour sain et sauf, après avoir exécuté une mission si agréable, je ne doute pas que vous ne soyez trouvé digne d'une promotion qui vous dispensera de répondre de vos actions à qui que ce soit. Oui, nous vous verrons alors commander vous-même des gens qui auront, au contraire, à vous rendre compte. »

C'était ainsi que s'exprimait Olivier le Diable, tout en calculant probablement dans son esprit les chances qui pouvaient faire croire que le pauvre jeune homme, dont il serrait cordialement la main, devait nécessairement trouver la mort ou la captivité dans sa mission.

Quelques minutes avant minuit, Quentin, conformément à ses instructions, se rendit dans la seconde cour, et s'arrêta près de la tour du Dauphin qui, comme nos lecteurs le savent, avait été assignée pour la résidence temporaire des comtesses de Croye. Il trouva à ce rendez-vous les hommes et les chevaux de l'escorte, deux mules déjà chargées de bagages, trois palefrois destinés aux deux comtesses et à une fidèle femme de chambre; enfin, pour lui-même, un superbe cheval de guerre, dont la selle garnie en acier brillait aux blancs rayons de la lune. Pas un mot de reconnaissance ne fut prononcé d'aucun côté. Les hommes étaient immobiles sur leurs selles, comme s'ils eussent été des statues, et Quentin, à la lueur imparfaite de l'astre de la nuit, vit avec plaisir qu'ils étaient bien armés et qu'ils avaient en main de longues lances. Ils n'étaient que trois; mais l'un d'eux dit tout bas à Quentin, avec un accent gascon fortement prononcé, que leur guide devait les joindre au-delà de Tours.

Pendant tout ce temps, des lumières brillaient dans la tour d'une fenêtre à l'autre, comme si les dames s'empressaient de faire leurs préparatifs de départ. Enfin une petite porte qui conduisait dans la cour s'ouvrit, et trois femmes en sortirent accompagnées d'un homme enveloppé d'un manteau. Elles montèrent en silence sur les palefrois qui leur avaient été préparés; et l'homme qui les accompagnait, marchant devant elles, donna le mot de passe et fit les signaux nécessaires aux gardes vigilants devant lesquels elles eurent à passer successivement. Elles arrivèrent enfin à la dernière de ces barrières formidables; là, l'homme qui leur avait servi de guide jusqu'alors s'arrêta, et dit tout bas quelques mots aux deux comtesses, avec un air d'empressement officieux.

« Que le ciel vous protège! sire, répondit une voix qui fit tressaillir le cœur de Durward, et qu'il vous pardonne si vous avez des vues plus intéressées que vos paroles ne l'expriment! Me trouver sous la protection du bon évêque de Liège est à présent tout ce que je désire. »

L'homme à qui elle parlait ainsi murmura une réponse qu'on ne put entendre et rentra dans le château, tandis que Quentin, à la clarté de la lune, reconnaissait en lui le roi lui-même, que son désir d'être bien sûr du départ des deux dames avait sans doute déterminé à l'honorer de sa présence, de crainte qu'il n'y eût quelque hésitation de leur part, ou que les gardes du château ne fissent quelques difficultés imprévues.

Tant que la cavalcade fut dans les environs du château, il fallut qu'elle marchât avec beaucoup de précaution pour éviter les trappes, les pièges et embûches placés de distance en distance. Mais le Gascon semblait avoir un fil pour se guider dans ce labyrinthe fatal aux étrangers. Après un quart d'heure de marche, ils se trouvèrent au-delà des limites de Plessis-le-Parc, et non loin de la ville de Tours.

La lune, qui venait de se dégager entièrement des nuages qu'elle n'avait fait jusqu'alors que percer de temps en temps, jetait un océan de lumière sur un paysage des plus magnifiques. La superbe Loire roulait ses eaux majestueuses à travers la plus riche plaine de la France, entre des rives ornées de tours et de terrasses, de vignobles, et de plantations de mûriers. L'ancienne capitale de la Touraine élevait dans les airs les tours qui défendaient ses portes et ses remparts blanchis par les rayons de la lune, tandis que, dans l'enceinte qu'ils formaient, on apercevait le faîte de cet immense édifice que la dévotion du saint évêque Perpétue avait fait construire dès le cinquième siècle, et auquel le zèle de Charlemagne et de ses successeurs avait ajouté des ornements d'architecture, en assez grand nombre pour en faire l'église la plus belle de toute la France. Les tours de l'église de Saint-Gratien étaient également visibles, ainsi que le sombre et formidable château qui autrefois, disait-on, avait été la résidence de l'empereur Valentinien.

Quoique les circonstances dans lesquelles se trouvait Quentin Durward fussent de nature à occuper toutes ses pensées, il ne put contempler qu'avec enchantement une scène que la nature et l'art semblaient avoir enrichie à l'envi de tous leurs ornements. Son admiration s'accroissait encore de la comparaison de ses montagnes natales, dont les sites les plus imposants ont toujours un aspect d'aridité. Il fut tiré de sa contemplation par la voix de la comtesse Hameline, montée au moins à une octave plus haut que les sons flûtés qu'elle avait fait entendre en disant adieu au roi. Elle demandait à parler au chef de la petite escorte. Quentin, pressant son cheval, se présenta respectueusement aux deux dames en cette qualité, après quoi la comtesse Hameline lui fit subir l'interrogatoire suivant:

« Quel est votre nom? quelle est votre qualité? »

Durward la satisfit sur ces deux points.

« Connaissez-vous parfaitement la route? »

Il ne pouvait, répondit-il, assurer qu'il la connût très bien, mais il avait reçu des instructions détaillées et, à la première halte, il devait trouver un guide en état, sous tous les rapports, de diriger leur marche ultérieure. En attendant, un cavalier qui venait de les joindre, et qui complétait l'escorte, leur en servirait.

« Et pourquoi vous a-t-on choisi pour un pareil service? on m'a dit que vous êtes le même jeune homme qui était hier de garde dans la galerie où nous avons trouvé la princesse Jeanne. Vous paraissez bien jeune, bien peu expérimenté pour être chargé d'une telle mission. D'ailleurs vous n'êtes pas Français, car vous parlez notre langue avec un accent étranger.

— Mon devoir est d'exécuter les ordres du roi, madame, et non d'en discuter les motifs.

— Êtes-vous de naissance noble?

— Je puis l'affirmer en sûreté de conscience, madame.

— Et n'est-ce pas vous, lui demanda la comtesse Isabelle avec un air de timidité, que j'ai vu avec le roi à l'auberge des Fleurs-de-lis? »

Baissant la voix, peut-être parce qu'il éprouvait le même sentiment de timidité, Quentin répondit affirmativement.

« En ce cas, belle tante, dit-elle à la comtesse Hameline, je crois que nous n'avons rien à craindre, étant sous la sauvegarde de monsieur; il n'a pas l'air d'un homme à qui l'on aurait pu confier prudemment l'exécution d'un plan de trahison et de cruauté contre deux femmes sans défense.

— Sur mon honneur, madame, s'écria Durward, sur la gloire de ma maison, et sur les cendres de mes ancêtres, je ne voudrais pas, pour la France et l'Écosse réunies, être coupable de trahison et de cruauté envers vous.

— Vous parlez bien, jeune homme! dit la comtesse Hameline; mais nous sommes accoutumées aux beaux discours du roi Louis et de ses agents. C'est ainsi qu'il nous a déterminées à chercher un refuge en France, quand nous aurions pu, avec moins de danger qu'aujourd'hui, en trouver un chez l'évêque de Liège, nous mettre sous la protection de Wenceslas d'Allemagne, ou sous celle d'Édouard d'Angleterre. Et à quoi ont abouti les promesses du roi? A nous cacher indignement, honteusement, comme des marchandises prohibées, sous des noms plébéiens, dans une misérable hôtellerie, tandis que tu sais, Marton, ajouta-t-elle en se tournant vers la femme de chambre, que nous n'avons jamais fait notre toilette que sur une estrade à trois marches surmontée d'un dais; et là, nous étions obligées de nous habiller sur le plancher d'une chambre, comme si nous eussions été deux laitières. »

Marton convint que sa maîtresse disait une triste vérité:

« Je voudrais que nous n'eussions pas eu d'autres sujets de plaintes, dit Isabelle; je me serais bien volontiers passée de tout appareil de grandeur.

— Mais non pas de société, ma nièce, cela est impossible.

— Je me serais passée de tout, ma chère tante, répondit-elle d'une voix qui alla jusqu'au cœur de son jeune conducteur; oui, de tout, pourvu que j'eusse trouvé une retraite sûre et honorable. Je ne désire pas, Dieu sait que je n'ai jamais désiré occasionner une guerre entre la France et la Bourgogne, ma patrie. Je serais bien fâchée que ma cause coûtât la vie à un seul homme. Je ne demandais que la permission de me retirer au couvent de Marmoutiers, ou dans quelque saint monastère.

— Vous parlez en véritable folle, belle nièce, et non en digne fille de mon noble frère. Heureusement il existe encore une personne qui conserve un reste de la fierté de la noble maison de Croye. Comment distinguerait-on une femme bien née d'une laitière brûlée par le soleil, si ce n'est parce qu'on rompt des lances pour l'une, et qu'on casse des branches de coudrier pour l'autre? Je vous dis que, lorsque j'étais dans la fleur de la jeunesse, à peine plus âgée que vous ne l'êtes aujourd'hui, on soutint en mon honneur la fameuse passe d'armes d'Haflinghem. Les tenants étaient au nombre de quatre, et celui des assaillants alla jusqu'à douze. Cette joute coûta la vie à deux chevaliers, et il y eut une épine du dos, une épaule, trois jambes et deux bras cassés, sans parler d'un si grand nombre de blessures dans les chairs, et de contusions, que les hérauts d'armes ne purent les compter. C'est ainsi que les dames de notre maison ont toujours été honorées. Ah! si vous aviez la moitié autant de cœur que vos nobles ancêtres, vous trouveriez le moyen, dans quelque cour où l'amour des dames et la renommée des armes sont encore en honneur, de faire donner un tournoi dont votre main serait le prix, comme celle de votre bisaïeule, de bienheureuse mémoire, fut celui de la fameuse joute d'armes de Strasbourg; vous vous assureriez ainsi la meilleure lance de l'Europe pour soutenir les droits de la maison de Croye contre l'oppression du duc de Bourgogne et la politique du roi de France.

— Mais, belle tante, ma vieille nourrice m'a dit que, quoique le rhingrave fût la meilleure lance de la fameuse joute de Strasbourg, et qu'il eût obtenu ainsi la main de ma respectable bisaïeule, de bienheureuse mémoire, ce mariage ne fut pourtant pas très heureux, attendu qu'il avait coutume de la gronder souvent, et quelquefois même de la battre.

— Et pourquoi non? s'écria la comtesse Hameline dans son enthousiasme romanesque pour la chevalerie; pourquoi ces bras victorieux, accoutumés à frapper de taille et d'estoc en rase campagne, seraient-ils sans énergie dans leur château? J'aimerais mille fois mieux être battue deux fois par jour par un noble chevalier dont le bras serait aussi redoutable aux autres qu'à moi-même, que d'avoir pour époux un lâche qui n'oserait lever la main sur sa femme ni sur personne.

— Je vous souhaiterais beaucoup de plaisir avec un époux si turbulent, belle tante, et je ne vous l'envierais pas; car, s'il est vrai qu'on puisse supporter l'idée de quelque membre rompu dans un tournoi, il n'en est pas de même dans le salon d'une dame.

— Mais on peut épouser un chevalier de renom, sans que la conséquence nécessaire soit d'être battue; quoiqu'il soit vrai que notre ancêtre de glorieuse mémoire, le rhingrave Gottfried, eût le caractère un peu brusque, et aimât un peu trop le vin du Rhin. Un chevalier parfait est un agneau avec les dames, et un lion au milieu des lances. Il y avait Thibault de Montigny, que la paix soit avec lui! c'était l'homme le plus doux qu'on pût voir, et jamais il ne fut assez discourtois pour lever la main contre son épouse, de sorte que, par Notre-Dame, lui qui battait tous les ennemis en champ clos, il se laissait battre chez lui par une belle ennemie. Eh bien! ce fut sa faute. Il était un des tenants à la passe d'armes d'Haflinghem, et il s'y conduisit si bien, que, si tel eût été le bon plaisir du ciel et celui de votre aïeul, il aurait pu y avoir une dame de Montigny qui aurait répondu plus convenablement à sa douceur. »

La comtesse Isabelle, qui avait quelque raison pour craindre cette fameuse passe d'armes d'Haflinghem, attendu que c'était un sujet sur lequel sa tante était toujours fort diffuse, laissa tomber la conversation; et Quentin, avec la politesse d'un jeune homme bien élevé, craignant que sa présence ne les gênât dans leur entretien, piqua en avant, et alla joindre le guide, comme pour lui faire quelques questions relativement à la route.

Cependant les deux dames continuèrent leur route en silence, ou s'entretinrent de choses qui ne méritent pas d'être rapportées. Le jour commença enfin à paraître; et, comme elles avaient été à cheval plusieurs heures, Durward, craignant qu'elles ne fussent fatiguées, devint impatient d'arriver à la première halte:

« Je vous la montrerai dans une demi-heure, lui répondit le guide.

— Et alors vous nous laisserez aux soins d'un autre guide? demanda Quentin.

— Comme vous le dites. Mes voyages sont toujours courts et en droite ligne. Quand vous et beaucoup d'autres, monsieur l'archer, vous décrivez une courbe en forme d'arc, moi je suis toujours la corde. »

La lune avait quitté l'horizon depuis longtemps, mais la lumière de l'aurore commençait à briller du côté de l'orient, et se répercutait sur le cristal d'un petit lac dont les voyageurs suivaient les bords depuis quelques instants. Ce lac était situé au milieu d'une grande plaine où l'on voyait des arbres isolés, quelques bouquets d'arbustes et quelques buissons, mais assez découverte pour qu'on pût déjà apercevoir les objets distinctement. Quentin jeta alors les yeux sur l'individu près duquel il se trouvait, et sous l'ombre d'un grand chapeau rabattu à larges bords, qui ressemblait au *sombrero* d'un paysan espagnol, il reconnut les traits facétieux de ce même

Petit-André dont les doigts, peu de temps auparavant, de concert avec ceux de son lugubre confrère Trois-Échelles, avaient déployé tant d'activité autour de son cou.

L'exécuteur des hautes œuvres étant regardé en Écosse avec une horreur presque superstitieuse, Quentin, cédant à un mouvement d'aversion qui n'était pas sans quelque mélange de crainte, et que le souvenir de l'aventure dans laquelle il avait couru de si grands risques ne tendait pas à diminuer, tourna vers la droite la tête de son cheval, et le pressant en même temps de l'éperon, lui fit faire une demi-volte qui le mit à sept ou huit pieds de son odieux compagnon:

« Ho! ho! ho! s'écria Petit-André; par Notre-Dame de la Grève, notre jeune soldat ne nous a pas oublié. Eh bien! camarade, vous ne m'en voulez pas, j'espère? Dans ce pays il faut que chacun gagne son pain. Personne n'a à rougir d'avoir passé par mes mains; car j'attache un fruit vivant à un arbre, aussi proprement que qui que ce puisse être; et, par-dessus le marché, Dieu m'a fait la grâce de faire de moi un gaillard des plus joyeux! Ah! ah! ah! ah! je pourrais vous citer de si bonnes plaisanteries de ma façon, faites entre le bas et le haut de l'échelle, que j'étais obligé de précipiter ma besogne, de peur que mes patients ne mourussent de rire, ce qui aurait été une honte pour mon métier. »

En finissant ces mots, il tira de côté la bride de son cheval, pour regagner la distance que l'Écossais avait mise entre eux, et lui dit en même temps:

« Allons, monsieur l'archer, point de bouderie entre nous: car, pour moi, je fais toujours mon devoir sans rancune et avec gaieté, et je n'aime jamais mieux un homme que lorsque je lui mets mon cordon autour du cou, pour en faire un chevalier de l'ordre de Saint-Patibularius, comme le chapelain du grand prévôt, le digne père Vaconel-diable, a coutume d'appeler le saint patron de la prévôterie.

— Retire-toi, misérable, dit Quentin à l'exécuteur des sentences de la loi, en voyant qu'il cherchait à se rapprocher de lui; retire-toi, ou je serai tenté de t'apprendre l'intervalle qui sépare un homme d'honneur, du plus vil rebut de la société.

— Là! là! dit Petit-André; comme vous êtes vif! Si vous aviez dit un honnête homme, il pourrait y avoir quelque chose de vrai là-dedans; mais quant aux hommes d'honneur, j'ai tous les jours à travailler avec eux d'aussi près que j'ai été sur le point de le faire avec votre personne. Mais que la paix soit avec vous, et restez tout seul, si bon vous semble. Je vous aurais donné un flacon de vin d'Auvergne pour noyer le souvenir de toute rancune; mais puisque vous méprisez ma politesse, boudez tant qu'il vous plaira. Je n'ai jamais de querelle avec mes pratiques, avec mes petits danseurs, mes compagnons de jeu, mes chers camarades, comme Jacques le boucher appelle ses moutons; en un mot, avec ceux qui, comme Votre Seigneurie, portent en grosses lettres écrit sur leur front C. O. R. D. E. (1). Non, non: qu'ils me traitent comme ils le voudront, ils ne m'en trouveront pas moins prêt, au moment convenable, à leur rendre service; et vous verrez vous-même, quand vous retomberez entre mes mains, que Petit-André sait ce que c'est que de pardonner une injure. »

Après avoir ainsi parlé, et résumé le tout en jetant sur Quentin un regard ironique, il fit entendre cette interjection par laquelle on cherche à exciter un cheval trop lent, prit l'autre côté du chemin, et laissa Durward

1. *Il y a dans l'anglais, H. E. M. P.,* hemp, chanvre.

digérer ses sarcasmes aussi bien que pouvait le lui permettre son orgueil écossais.

Quentin éprouva une forte tentation de lui briser le bois de sa lance sur les côtes; mais il réprima son courroux en songeant qu'une querelle avec un tel homme ne serait honorable en aucun temps ni en aucun lieu, et qu'en cette occasion ce serait un oubli de ses devoirs qui pourrait avoir les plus dangereuses conséquences. Il ne répondit donc rien aux railleries malavisées de Petit-André, et se contenta de faire des vœux bien sincères pour qu'elles ne fussent point arrivées jusqu'aux oreilles des dames qu'il escortait, sur l'esprit desquelles elles ne pourraient produire une impression avantageuse en faveur d'un jeune homme exposé à de tels sarcasmes.

Il n'eut pas longtemps le loisir de se livrer à ces réflexions, car elles furent interrompues par des cris perçants que poussèrent les deux dames en même temps:

« Regardez! regardez derrière nous! pour l'amour du ciel! veillez sur nous et sur vous-même: on nous poursuit! »

Quentin se retourna à la hâte, et vit qu'effectivement deux cavaliers armés semblaient les poursuivre; et ils couraient assez bon train pour les joindre bientôt:

« Ce ne peut être, dit-il, que quelques hommes de la garde du grand prévôt qui font leur ronde dans la forêt. Regarde, ajouta-t-il en s'adressant à Petit-André, et vois si tu les reconnais. »

Petit-André obéit; et après avoir fait sa reconnaissance, il lui répondit en se tournant sur sa selle d'un air goguenard:

« Ces cavaliers ne sont ni vos camarades ni les miens, ils ne sont ni de la garde du roi ni de la garde prévôtale: car il me semble qu'ils portent des casques dont la visière est fermée, et des hausse-cols. Au diable soient ces hausse-cols! c'est la pièce de toute l'armure qui me déplaît davantage; j'ai quelquefois perdu une heure avant de pouvoir venir à bout de les détacher.

— Nobles dames, dit Durward sans faire attention à ce que disait Petit-André, marchez en avant, pas assez vite pour faire croire que vous fuyez, mais assez pour profiter de l'obstacle que je vais tâcher de mettre à la marche de ces deux cavaliers qui nous suivent. »

La comtesse Isabelle jeta un coup d'œil sur Quentin, dit quelques mots à l'oreille de sa tante, qui adressa la parole au jeune Écossais en ces termes:

« Nous vous avons donné notre confiance, monsieur l'archer, et nous préférons courir le risque de tout ce qui pourra nous arriver en votre compagnie, plutôt que d'aller en avant avec cet homme, dont la physionomie ne nous paraît pas de bon augure.

— Comme il vous plaira, mesdames, répondit-il; après tout, ils ne sont que deux; et, quoiqu'ils soient chevaliers, à ce que leurs armes paraissent annoncer, ils apprendront, s'ils ont quelque mauvais dessein, comment un Écossais peut remplir son devoir, en présence et pour la défense de personnes telles que vous. Lequel de vous, continua-t-il en s'adressant aux trois hommes qu'il commandait, veut être mon compagnon pour rompre une lance avec ces deux cavaliers? »

Deux de ses hommes d'armes parurent manquer de résolution; mais le troisième, Bertrand Guyot, jura que, *cape de Diou!* quand ils seraient chevaliers de la table ronde du roi Arthur, il se mesurerait avec eux pour l'honneur de la Gascogne.

Pendant qu'il parlait ainsi, les deux chevaliers, car ils ne paraissaient pas être d'un moindre rang, arrivèrent à l'arrière-garde de la petite troupe, composée de Quentin et du brave Gascon, tous deux couverts d'une excellente armure d'acier bien poli, mais sans aucune devise qui pût les faire distinguer.

L'un d'eux, en s'approchant, cria à Quentin:

« Retirez-vous, sire écuyer: nous venons vous relever d'un poste au-dessus de votre rang et de votre condition. Vous ferez bien de laisser ces dames sous nos soins, elles s'en trouveront mieux que des vôtres; car avec vous, elles ne sont guère que captives.

— Pour répondre à votre demande, monsieur, répliqua Durward, je vous dirai d'abord que je m'acquitte d'un devoir qui m'a été imposé par mon souverain actuel; et ensuite, que, quelque indigne que j'en puisse être, ces dames désirent rester sous ma protection.

— Comment! drôle, s'écria un des deux champions, oseras-tu, toi, mendiant vagabond, opposer résistance à deux chevaliers?

— Résistance est le mot propre, répondit Quentin: car je prétends résister à votre attaque insolente et illégale; et, s'il existe entre nous quelque différence de rang, ce que je suis encore à apprendre, votre conduite discourtoise la fait disparaître. Tirez donc vos épées, ou, si vous voulez vous servir de la lance, prenez du champ. »

Les deux chevaliers firent volte-face, et retournèrent à la distance d'environ deux cents pas. Quentin, jetant un regard sur les deux comtesses, se pencha sur sa selle, comme pour leur demander de le favoriser de leurs vœux; et, tandis qu'elles agitaient leurs mouchoirs en signe d'encouragement, les deux autres champions étaient arrivés à la distance nécessaire pour charger.

Recommandant au Gascon de se conduire en brave, Durward mit son coursier au galop, et les quatre cavaliers se rencontrèrent au milieu du terrain qui les séparait. Le choc fut fatal au pauvre Gascon; car son adversaire ayant dirigé son arme contre son visage, qui n'était pas défendu par une visière, sa lance lui entra dans l'œil, pénétra dans le crâne, et le renversa mort sur la place.

D'une autre part, Quentin, qui avait le même désavantage, et que son ennemi attaqua de la même manière, fit un mouvement si à propos sur sa selle, que la lance de son ennemi passa sur son épaule droite, en lui effleurant légèrement la joue, tandis que la sienne, frappant son antagoniste sur la poitrine, le renversa par terre. Quentin sauta à bas de cheval, pour détacher le casque de son adversaire; mais l'autre chevalier, qui, soit dit en passant, n'avait pas encore parlé, voyant la mésaventure de son compagnon, descendit du sien encore plus vite; et se plaçant en avant de son ami, privé de tout sentiment:

« Jeune téméraire, dit-il à Durward, au nom de Dieu et de saint Martin, remonte à cheval, et va-t'en avec ta pacotille de femmes. Ventre-saint-gris! elles ont déjà causé assez de mal ce matin.

— Avec votre permission, sire chevalier, répondit Quentin, mécontent de l'air de hauteur avec lequel cet avis lui était donné, je verrai d'abord à qui j'ai eu affaire, et je saurai ensuite qui doit répondre de la mort de mon camarade.

— Tu ne vivras assez ni pour le savoir, ni pour le dire, s'écria le chevalier; je te le répète, retire-toi en paix. Si nous avons été assez fous pour interrompre votre voyage, nous en avons été bien payés; car tu as fait plus de mal que n'en pourraient réparer ta vie et celle de tous tes compagnons. Ah! s'écria-t-il en voyant que Durward avait tiré son épée, puisque tu le veux, bien volontiers. Pare celui-là. »

En même temps, il porta sur la tête du jeune Écossais un coup si bien appliqué, que Quentin, quoique né dans un pays où l'on ne les donnait pas de main morte, n'avait entendu parler d'un coup d'épée semblable que dans les romans. Il descendit avec la force et la rapidité de l'éclair, abattit la garde du sabre que Durward avait levé pour le parer, fendit son casque au point de toucher ses cheveux, mais ne pénétra pas plus avant. Cependant le jeune soldat, étourdi par la violence du coup, tomba un genou en terre, et fut un moment à la merci de son adversaire, s'il eût plu à celui-ci de lui en porter un second; mais soit par compassion pour sa jeunesse, soit par admiration de son courage, soit enfin par une générosité qui ne lui permettait pas d'attaquer un ennemi sans défense, le chevalier ne voulut pas profiter de cet avantage. Cependant Quentin, revenant à lui, se releva lestement, et attaqua son antagoniste avec l'énergie d'un homme déterminé à vaincre ou à périr, et avec le sang-froid nécessaire pour faire usage de tous ses moyens. Résolu d'éviter de s'exposer à des coups aussi terribles que celui qu'il venait de recevoir, il fit valoir l'avantage d'une agilité supérieure qu'augmentait encore la légèreté relative de son armure, pour harasser son ennemi en l'attaquant de tous côtés avec des mouvements si soudains et si rapides que celui-ci, chargé d'armes pesantes, trouva difficile de se défendre sans se fatiguer beaucoup.

Ce fut en vain que ce généreux antagoniste cria à Quentin qu'ils n'avaient plus aucune raison pour se battre, et que ce serait à regret qu'il le blesserait. N'écoutant que le désir de laver la honte de sa première défaite, Durward continua à l'assaillir avec la vivacité de l'éclair, le menaçant tantôt du tranchant, tantôt de la pointe de son épée, et ayant toujours l'œil attentif à tous les mouvements de son adversaire, qui lui avait déjà donné une preuve si terrible de la force supérieure de son bras, de sorte qu'il était toujours prêt à faire un saut en arrière ou de côté à chaque coup que lui portait la lame pesante de son ennemi.

« Il faut que le diable ait enraciné dans ce jeune fou la présomption et l'opiniâtreté, murmura le chevalier: tu ne seras donc content que lorsque tu auras un bon horion sur la tête! »

Changeant alors de manière de combattre, il se tint sur la défensive, se contentant de parer les coups que Quentin ne cessait de lui porter, sans paraître chercher à les rendre, mais épiant l'instant où la fatigue, un faux pas ou un moment de distraction du jeune soldat lui fourniraient l'occasion de mettre fin au combat d'un seul coup. Il est probable que cette politique adroite lui aurait réussi, mais le destin en avait ordonné autrement.

Ils étaient encore aux prises avec une égale fureur, quand une troupe nombreuse d'hommes à cheval arriva au grand galop, en criant: « Arrêtez! arrêtez! Au nom du roi! » Les deux champions reculèrent au même instant, et Quentin vit avec surprise que son capitaine, lord Crawford, était à la tête du détachement qui venait d'interrompre le combat. Il reconnut aussi Tristan l'Ermite avec deux ou trois de ses gens. Toute la troupe pouvait consister en une vingtaine de cavaliers.

15. LE GUIDE

Il me dit qu'en Égypte il avait pris naissance.
Il était descendu de ces sorciers fameux,
Éternels ennemis des malheureux Hébreux,
Aux miracles divins opposant des prestiges,
Du prophète Moïse imitant les prodiges.
Mais, quand de Jéhovah l'ange exterminateur
Frappa les premiers-nés de son glaive vengeur,
Ces sages prétendus, en dépit de leurs charmes,
Comme le paysan répandirent des larmes.

Anonyme.

L'ARRIVÉE de lord Crawford et de son détachement termina tout à coup le combat que nous avons cherché à décrire dans le chapitre précédent. Le chevalier, levant la visière de son casque, remit son épée au vieux lord en lui disant:

« Crawford, je me rends, mais écoutez-moi; un mot à l'oreille. Pour l'amour du ciel, sauvez le duc d'Orléans.

— Quoi? comment! le duc d'Orléans! s'écria le commandant de la garde écossaise; il faut donc que le diable s'en soit mêlé! cela va le perdre dans l'esprit du roi, le perdre à jamais!

— Ne me faites pas de questions, répondit Dunois, car c'était lui qui venait de figurer dans cette scène; c'est moi qui suis coupable, et je le suis seul. Voyez, le voilà qui donne un signe de vie. Je ne voulais qu'enlever cette jeune comtesse, m'assurer sa main et ses possessions; et voyez ce qu'il en est résulté. Faites éloigner votre canaille; que personne ne puisse le reconnaître. »

A ces mots, il leva la visière du casque du duc d'Orléans, et lui jeta sur le visage de l'eau que lui fournit le lac qui était à deux pas.

Cependant Durward, pour qui les aventures se succédaient avec une telle rapidité, restait immobile de surprise. Les traits pâles de son premier antagoniste lui apprenaient qu'il avait renversé le premier prince du sang de France; et c'était avec le célèbre Dunois, avec le meilleur champion de ce royaume, qu'il venait de mesurer son épée! C'étaient deux faits d'armes honorables en eux-mêmes; mais le roi les approuverait-il? c'était une autre question.

Le duc avait repris ses sens et recouvré assez de forces pour s'asseoir, et il écoutait avec attention ce qui se passait entre Dunois et Crawford, le premier soutenant avec chaleur qu'il était inutile de prononcer le nom du duc d'Orléans dans cette affaire, puisqu'il était prêt à en prendre tout le blâme sur lui-même, et qu'il déclarait que le duc ne l'avait suivi que par amitié.

Lord Crawford l'écoutait, les yeux fixés sur la terre, en soupirant, et en secouant la tête de temps en temps:

« Tu sais, Dunois, lui dit-il enfin en le regardant, que, par amour pour ton père, aussi bien que pour toi-même, je désirerais te rendre service . . .

— Je ne demande rien pour moi! s'écria Dunois; je vous ai rendu mon épée; je suis votre prisonnier; que faut-il de plus? C'est pour ce noble prince que je parle, pour le seul espoir de la France, s'il plaisait à Dieu d'appeler à lui le dauphin; il n'est venu ici qu'à ma prière, pour m'aider à faire ma fortune: le roi lui-même m'avait donné une sorte d'encouragement.

— Dunois, répondit Crawford, si tout autre que toi me disait que tu as entraîné le noble prince dans une situation si cruelle, pour servir à quelqu'une de tes vues, je lui donnerais un démenti formel; et, quoique ce soit toi-même qui me l'assures en ce moment, j'ai peine à croire que tu dises la vérité.

— Noble Crawford, dit le duc d'Orléans, qui avait alors repris l'usage de ses sens, votre caractère ressemble trop à celui de votre ami Dunois pour ne pas lui rendre justice. C'est moi au contraire qui l'ai amené ici, contre son gré, pour une folle entreprise conçue à la hâte et exécutée avec témérité. Regardez-moi tous, ajouta-t-il en se levant et en se tournant vers les soldats; je suis Louis d'Orléans, prêt à subir la peine de sa folie. J'espère que le déplaisir du roi ne tombera que sur moi, comme cela n'est que trop juste. Cependant, comme un fils de France ne doit rendre ses armes à personne, pas même à vous, brave Crawford, adieu, mon fidèle acier. »

A ces mots il tira son épée, et la jeta dans le lac. L'épée traça dans l'air un sillon comme un éclair, tomba dans l'eau avec bruit, et disparut. Les spectateurs de cette scène étaient plongés dans l'étonnement et l'irrésolution, tant le rang du coupable était respectable, tant son caractère était estimé; tandis qu'ils sentaient, d'une autre part, qu'attendu les vues que le roi avait sur lui, les conséquences de sa témérité entraîneraient probablement sa perte.

Dunois fut le premier qui parla, et ce fut avec le ton du mécontentement d'un ami blessé du peu de confiance qu'on lui témoigne:

« Ainsi donc, dit-il, Votre Altesse juge à propos, dans une même matinée, de renoncer aux bonnes grâces du roi, de jeter à l'eau sa meilleure épée, et de mépriser l'amitié de Dunois!

— Mon cher cousin! répondit le duc, comment pouvez-vous croire que je méprise votre amitié, quand je dis la vérité, comme l'exigent votre sûreté et mon honneur?

— Et pourquoi vous mêlez-vous de ma sûreté, mon prince? répliqua Dunois d'un ton bref; je voudrais bien le savoir, mon cher cousin. Que vous importe, au nom du ciel! si j'ai envie d'être pendu, étranglé, jeté dans la

Loire, poignardé, rompu sur la roue, enfermé dans une cage de fer, enterré tout vivant dans le fossé d'un château, ou traité de toute autre manière qu'il peut plaire au roi Louis de disposer de son fidèle sujet? Vous n'avez pas besoin de cligner les yeux et de me montrer Tristan l'Ermite, je vois le coquin aussi bien que vous. Mais j'en aurais été quitte à meilleur compte. Croyez que la vie me fût restée. Quant à votre honneur, par la rougeur de sainte Madeleine! je crois qu'il aurait exigé que vous n'entreprissiez pas la besogne de ce matin, ou du moins que vous ne vous y fussiez pas montré. Voilà Votre Altesse qui a été désarçonnée par un jeune Écossais tout juste arrivé de ses montagnes.

— Allez, allez, s'écria lord Crawford, il n'y a pas à en rougir: ce n'est pas la première fois qu'un jeune Écossais a rompu une bonne lance. Je suis charmé qu'il se soit bien comporté.

— Je n'ai rien de contraire à dire, répliqua Dunois; et cependant, si vous étiez arrivé quelques minutes plus tard, il aurait pu se trouver une vacance dans votre compagnie d'archers.

— Oui, oui, dit lord Crawford; je reconnais votre main sur ce morion fendu. Qu'on le retire à ce brave garçon, et qu'on lui donne un de nos bonnets doublés en acier; cela lui couvrira le crâne mieux que les débris de ce couvre-chef. Et maintenant, Dunois, je dois vous prier, ainsi que le duc d'Orléans, de monter à cheval et de me suivre, car mes instructions et mes ordres sont de vous conduire en un séjour tout différent de celui que je voudrais pouvoir vous assigner.

— Ne puis-je dire un mot à ces belles dames, lord Crawford? demanda le duc d'Orléans.

— Pas une syllabe, répondit lord Crawford; je suis trop l'ami de Votre Altesse pour vous permettre une telle imprudence. Jeune homme, ajouta-t-il en se tournant vers Quentin, vous avez fait votre devoir; partez, et remplissez la mission qui vous a été confiée.

— Avec votre permission, milord, dit Tristan avec l'air brutal qui lui était ordinaire, il faut qu'il cherche un autre guide. Je ne puis me passer de Petit-André dans un moment où il est probable qu'il y aura de la besogne pour lui.

— Il n'a qu'à suivre le sentier qui est devant lui, dit Petit-André se mettant en avant, et il le conduira dans un endroit où il trouvera l'homme qui doit lui servir de guide. Je ne voudrais pas pour mille ducats m'éloigner de mon chef aujourd'hui. J'ai pendu plus d'un écuyer et d'un chevalier; de riches échevins, des bourgmestres, des comtes et des marquis même m'ont passé par les mains, mais . . . hum! Il jeta un regard sur le duc, comme pour indiquer qu'il fallait remplir le blanc qu'il laissait par ces mots: Un prince du sang! Et il ajouta: Oh! oh! Petit-André, il sera fait mention de toi dans la chronique.

— Souffrez-vous que vos coquins parlent si insolemment en présence d'un membre de la famille royale? demanda Crawford à Tristan en fronçant les sourcils.

— Que ne le châtiez-vous vous-même, milord? répondit Tristan d'un ton bourru.

— Parce qu'il n'y a ici que ta main, répliqua lord Crawford, qui puisse le frapper sans se dégrader en le touchant.

— En ce cas, milord, dit le grand prévôt, mêlez-vous de vos gens, et je serai responsable des miens. »

Lord Crawford paraissait se disposer à lui répondre d'un ton courroucé; mais, comme s'il eût mieux réfléchi, il lui tourna le dos; s'adressant alors au duc d'Orléans et à Dunois, qui étaient montés à cheval, il les pria de marcher à ses côtés; puis faisant un signe d'adieu aux deux dames, il dit à Quentin:

« Que le ciel te protège, mon enfant; tu as commencé ton service vaillamment, quoique pour une malheureuse cause. » Il se mettait en marche, quand Durward entendit Dunois lui demander à demi-voix: « Nous conduisez-vous au Plessis?

— Non, mon malheureux et imprudent ami, répondit lord Crawford en soupirant: nous allons à Loches. »

Loches! ce nom encore plus redouté que celui du Plessis retentit à l'oreille du jeune Écossais comme le *glas* de la mort. Il en avait entendu parler comme d'un lieu destiné à ces actes secrets de cruauté dont Louis lui-même rougissait de souiller sa résidence habituelle. Il existait dans ce lieu de terreur des cachots creusés sous des cachots, dont quelques-uns étaient inconnus aux gardiens eux-mêmes; tombeaux vivants où ceux qui y étaient enfermés n'avaient plus à attendre que du pain, de l'eau, et un air infect. Il y avait aussi dans ce formidable château, de ces horribles lieux de détention nommés *cages*, dans lesquels un malheureux prisonnier ne pouvait ni se tenir debout, ni s'étendre pour se coucher; invention qu'on attribuait au cardinal de La Balue (1). On ne peut donc être surpris que le nom de ce séjour d'horreur, et la connaissance qu'il avait que lui-même venait de contribuer en partie à y envoyer deux victimes illustres, eussent pénétré Quentin d'une telle tristesse, qu'il marcha quelque temps la tête baissée, les yeux fixés sur la terre, et le cœur rempli des plus pénibles réflexions.

Comme il se remettait à la tête de la petite cavalcade, suivant la route qui lui avait été indiquée, la comtesse Hameline trouva l'occasion de lui dire:

1. Lui-même passa plus de onze années dans un de ces cachots. — Cette cage de fer, et une autre semblable, se voyaient encore au château de Loches en 1789. Elles avaient huit pieds de large et sept de haut. Si le cardinal les approuva, il n'en fut pas l'inventeur; c'est d'Harancourt, évêque de Verdun, qui eut l'honneur d'en avoir la première pensée.

« On dirait, monsieur, que vous regrettez la victoire que vous avez remportée pour nous? »

Cette question était faite d'un ton qui ressemblait presque à l'ironie; mais Quentin eut assez de tact pour y répondre avec franchise et simplicité:

« Je ne puis rien regretter de ce que j'ai fait pour servir des dames telles que vous; mais, si votre sûreté n'avait pas été compromise, j'aurais préféré succomber sous les coups d'un aussi bon soldat que Dunois, plutôt que d'avoir contribué à envoyer cet illustre chevalier et son malheureux parent, le duc d'Orléans, dans les affreux cachots de Loches.

— C'était donc le duc d'Orléans? s'écria-t-elle en se tournant vers sa nièce; je le pensais ainsi, même à la distance d'où nous avons vu le combat. Vous voyez, belle nièce, ce qui aurait pu arriver si ce monarque cauteleux et avare nous avait permis de nous montrer à sa cour! Le premier prince du sang de France, et le vaillant Dunois, dont le nom est aussi connu que celui du héros son père! Ce jeune homme a fait bravement son devoir, mais c'est presque dommage qu'il n'ait pas succombé avec honneur, puisque sa bravoure intempestive nous a privées de deux libérateurs si illustres. »

La comtesse Isabelle répondit d'un ton ferme et presque mécontent, et avec une énergie que Durward n'avait pas encore remarquée en elle:

« Madame, dit-elle, si je ne savais que vous faites une plaisanterie, je dirais qu'un pareil discours est une ingratitude envers notre brave défenseur. Si ces chevaliers avaient réussi dans leur entreprise téméraire, au point de mettre notre escorte hors de combat, n'est-il pas évident qu'à l'arrivée des gardes du roi nous aurions partagé leur captivité? Quant à moi, je donne des larmes au brave jeune homme qui a perdu la vie en nous défendant, et je ferai bientôt célébrer des messes pour le repos de son âme; quant à celui qui survit, ajouta-t-elle d'un ton plus timide, je le prie de recevoir les remerciements de ma reconnaissance. »

Comme Quentin se tournait vers elle pour lui exprimer une partie des sentiments qu'il éprouvait, elle vit une de ses joues couverte de sang, et elle s'écria avec le ton d'une profonde sensibilité:

« Sainte Vierge! il est blessé! son sang coule! Descendez de cheval, il faut que votre blessure soit bandée. »

Vainement Quentin répéta que sa blessure n'était que légère; il fallut qu'il mît pied à terre, qu'il s'assît sur un tertre de gazon, qu'il ôtât son casque; et les dames de Croye, qui, suivant un ancien usage pas encore tout à fait passé de mode, prétendaient à quelques connaissances dans l'art de guérir, lavèrent la blessure, en étanchèrent le sang, et la bandèrent avec le mouchoir de la comtesse Isabelle, afin d'empêcher l'action de l'air, précaution qu'elles jugèrent indispensable.

Dans nos temps modernes, il est rare qu'un galant reçoive une blessure pour l'amour d'une belle, et de son côté jamais une belle ne se mêle du soin de la guérir: le galant et la belle encourent chacun un danger de moins. On reconnaîtra généralement de quel danger je veux parler pour l'homme; mais le péril de panser une blessure comme celle de Quentin, blessure qui n'avait rien de dangereux, était peut-être aussi réel, dans son genre, pour une jeune personne, que celui auquel s'était exposé notre Écossais pour la défendre.

Nous avons déjà dit que Quentin Durward avait la physionomie la plus prévenante. Lorsqu'il eut détaché son heaume, ou, pour mieux dire, son morion, les boucles de ses beaux cheveux s'en échappèrent avec profusion autour d'un visage dont l'air de jeunesse et de gaieté recevait un charme plus doux d'une rougeur causée à la fois par la modestie et le plaisir. Et, quand la jeune comtesse fut obligée de tenir le mouchoir sur la blessure, tandis que sa tante cherchait quelque vulnéraire dans les bagages, elle éprouva un embarras mêlé de délicatesse, un mouvement de compassion pour le blessé, un sentiment plus vif de reconnaissance pour ses services, et tout cela ne diminua rien à ses yeux de la bonne mine et des traits agréables du jeune soldat. En un mot, il semblait que le destin avait amené cet incident pour compléter la communication mystérieuse qu'il avait établie, par des circonstances en apparence minutieuses et accidentelles, entre deux personnes qui, quoique bien différentes par le rang et la fortune, se ressemblaient pourtant beaucoup par la jeunesse, par la beauté, et par un cœur naturellement tendre et romanesque.

Il n'est donc pas étonnant qu'à compter de ce moment l'idée de la comtesse Isabelle, déjà si familière à l'imagination de Quentin, remplît entièrement son cœur; et que de son côté la jeune dame, si ses sentiments, qu'elle ignorait presque elle-même, avaient un caractère moins décidé, pensât désormais à son jeune défenseur. Elle venait en effet de témoigner au simple garde plus d'intérêt qu'à aucun des nobles de haute naissance qui, depuis deux ans, lui avaient prodigué leurs adorations. Par-dessus tout, quand elle songeait à Campo Basso, l'indigne favori du duc Charles, à son air hypocrite, à son esprit bas et perfide, à son cou de travers et à ses yeux louches, son image lui paraissait plus hideuse et plus dégoûtante que jamais, et elle faisait serment qu'aucune tyrannie ne pourrait jamais la forcer à contracter une union si odieuse.

D'une autre part, soit que la bonne comtesse Hameline se connût en beauté, et l'admirât dans un homme autant que lorsqu'elle avait quinze ans de moins (car la bonne dame en avait bien trente-cinq, si les Mémoires de cette noble maison disent la vérité), soit qu'elle pensât qu'elle n'avait pas rendu à leur jeune protecteur toute la justice qu'il méritait, dans la manière dont elle avait d'abord envisagé ses services, il est certain qu'elle commença à le regarder d'un œil plus favorable:

« Ma nièce vous a donné, lui dit-elle, un mouchoir pour bander votre blessure; je vous en donnerai un pour faire honneur à votre vaillance, et pour vous encourager à marcher dans le chemin de la chevalerie. »

A ces mots, elle lui présenta un mouchoir richement brodé en argent et en soie bleue; et, lui montrant la housse de son palefroi et les plumes qui ornaient son chapeau, elle lui fit observer que les couleurs en étaient les mêmes.

L'usage du temps prescrivait impérieusement la manière de recevoir une telle faveur, et Quentin s'y conforma en attachant le mouchoir autour de son bras. Cependant il accomplit ce devoir de reconnaissance d'un air plus gauche et avec moins de galanterie qu'il ne l'aurait peut-être fait en toute autre occasion, et devant d'autres personnes; quoique le fait de porter ainsi le don accordé de cette manière par une dame ne fût en général qu'une sorte de compliment sans conséquence, il aurait préféré de beaucoup pouvoir orner son bras du tissu qui servait de bandage à la légère blessure que lui avait faite la lance du duc d'Orléans.

Ils se remirent en route, Quentin marchant à côté des dames, qui semblaient l'avoir tacitement admis dans leur société. Il ne parla pourtant guère, son cœur étant rempli par ce sentiment intime de bonheur qui garde le silence de peur de se trahir. La comtesse Isabelle parla moins encore, de sorte que presque tous les frais de la conversation furent faits par sa tante, qui ne paraissait pas avoir envie de la laisser tomber; car, pour initier Durward, comme elle le dit, dans les principes et la pratique de la chevalerie, elle lui fit le détail circonstancié, et sans en rien omettre, de tout ce qui avait eu lieu à la passe d'armes d'Haflinghem, où elle avait elle-même distribué les prix aux vainqueurs.

Prenant peu d'intérêt, je suis fâché de le dire, à la description de cette joute splendide et des armoiries des différents chevaliers flamands et allemands dont la comtesse Hameline traçait sans pitié le tableau avec une exactitude minutieuse, Quentin commença à craindre d'avoir passé l'endroit où il devait trouver un guide; accident très sérieux, qui pouvait amener les conséquences les plus fâcheuses.

Tandis qu'il hésitait s'il enverrait en arrière un des hommes de sa suite pour s'assurer du fait, il entendit sonner du cor, et, regardant du côté d'où partait ce son, il vit un cavalier accourant à toute bride. La petite taille, la longue crinière, l'air sauvage et presque indompté de l'animal qu'il montait, rappelèrent à Durward la race des petits chevaux des montagnes de son pays; mais celui-ci était beaucoup mieux fait; et, tout en paraissant aussi en état de résister à la fatigue, il avait plus de rapidité dans ses mouvements. La tête particulièrement qui, dans le petit cheval d'Écosse, est souvent lourde et mal conformée, était petite et parfaitement posée sur le cou de l'animal, qui avait en outre les lèvres fixes, les yeux pleins de feu et les naseaux bien ouverts.

Le cavalier avait l'air encore plus étranger que sa monture, quoique celle-ci ne ressemblât nullement aux chevaux de France. Il avait les pieds appuyés sur de larges étriers en forme de pelle, et attachés si haut que ses genoux étaient presque au niveau du pommeau de la selle, ce qui n'empêchait pas qu'il ne conduisît son cheval avec beaucoup de dextérité. Il portait sur la tête un petit turban rouge assujetti par une agrafe d'argent, et surmonté d'un panache qui était un peu fané. Sa tunique, de même forme que celle des Estradiotes, troupes que les Vénitiens levaient alors dans les provinces situées à l'orient de leur golfe, était de couleur verte, et ornée de vieux galons d'or ternis. De larges pantalons blancs, mais qui ne méritaient plus cette épithète, se serraient autour de ses genoux, et ses jambes noires auraient été nues sans la multitude de bandelettes qui s'y croisaient pour fixer à ses pieds une paire de sandales. Il n'avait pas d'éperons, les bords de ses larges étriers étant assez tranchants pour se faire sentir avec sévérité aux flancs de sa monture. Ce cavalier extraordinaire portait une ceinture cramoisie qui soutenait du côté droit un poignard, tandis qu'un petit sabre moresque, à lame courte et recourbée, y était suspendu du côté gauche. Le cor qui avait annoncé son arrivée était passé dans un mauvais baudrier. Il avait le visage brûlé par le soleil, la barbe peu épaisse, les yeux noirs et perçants, la bouche et le nez bien formés; et, au total, il aurait pu passer pour avoir d'assez beaux traits sans les cheveux noirs qui tombaient en désordre autour de toute sa tête, et sans une maigreur et un air de férocité qui semblaient indiquer un sauvage plutôt qu'un homme civilisé:

« C'est encore un Bohémien, se dirent les deux dames l'une à l'autre; Sainte Vierge Marie! est-il possible que le roi accorde encore sa confiance à de tels proscrits?

— Je questionnerai cet homme, si vous le désirez, dit Quentin, et je m'assurerai de sa fidélité autant qu'il me sera possible. »

Durward, aussi bien que les dames de Croye, avait reconnu dans le costume et dans la tournure de cet homme l'habillement et les manières de ces vagabonds avec lesquels il avait été sur le point d'être confondu, grâce à la célérité des procédés de Trois-Échelles et de Petit-André; et il était assez naturel qu'il pensât aussi qu'on courait quelque risque en donnant sa confiance à un individu de cette race vagabonde:

« Es-tu venu ici pour nous chercher? » lui demanda-t-il d'abord.

L'étranger répondit par un signe affirmatif:

« Et dans quel dessein?

— Pour vous conduire au palais de *celui* de Liège.

— De l'évêque, veux-tu dire? »

Nouveau signe affirmatif de la part de l'étranger:

« Quelle preuve me donneras-tu que nous devons te croire?

— Deux vers d'un vieille chanson, et rien de plus:

Le sanglier fut tué par le page;
Toute la gloire en fut pour le seigneur.

— La preuve est bonne; marche en avant, mon garçon; je t'en dirai davantage dans un instant. »

Retournant alors vers les dames, il leur dit:

« Je suis convaincu que cet homme est le guide que nous devions attendre, car il vient de me donner un mot d'ordre que je crois n'être connu que du roi et de moi. Mais je vais causer avec lui plus au long, et je m'efforcerai de voir jusqu'à quel point on peut se fier à lui. »

16. LE VAGABOND

Je suis libre, je suis ce qu'étaient dans les bois
L'homme de la nature, et le noble sauvage
Quand de la servitude ils ignoraient les lois.

DRYDEN. *La Conquête de Grenade.*

PENDANT que Quentin avait avec les deux comtesses la courte conversation nécessaire pour les assurer que ce personnage extraordinaire, ajouté à leur compagnie, était bien réellement le guide que le roi devait leur envoyer, il remarqua, car il était aussi alerte à observer les mouvements de l'étranger que celui-ci pouvait l'être à examiner ce qui se passait dans la petite troupe à laquelle il servait de guide, que cet homme non seulement tournait souvent la tête en arrière pour les regarder, mais qu'avec une agilité singulière qui ressemblait à celle d'un singe plutôt qu'à celle d'un homme, il se courbait en demi-cercle sur sa selle, de manière à avoir la tête tournée de leur côté, pour les considérer plus attentivement.

N'étant pas très content de cette manœuvre, Quentin s'avança vers le Bohémien, et lui dit en le voyant reprendre la position convenable sur son cheval:

« Il me semble, l'ami, que vous nous conduisez en aveugle, si vous regardez la queue de votre monture plus souvent que ses oreilles.

— Et quand je serais véritablement aveugle, répondit le Bohémien, je n'en serais pas moins en état de vous conduire dans toutes les provinces de ce royaume de France, ou de ceux qui l'avoisinent.

— Vous n'êtes pourtant pas né Français?

— Non, répondit le guide.

— Et de quel pays êtes-vous?

— D'aucun.

— Comment d'aucun?

— Non, je ne suis d'aucun pays. Je suis un Zingaro, un Bohémien, un Égyptien, tout ce qu'il plaît aux Européens, dans leurs différentes langues, de nous appeler; mais je n'ai pas de pays.

— Êtes-vous chrétien? »

Le Bohémien fit un signe négatif:

« Chien, dit Quentin, car à cette époque l'esprit du catholicisme n'était guère tolérant, adores-tu Mahomet?

— Non, répondit le guide avec autant d'indifférence que de laconisme, et sans paraître offensé ni surpris du ton avec lequel Durward lui parlait.

— Etes-vous donc païen? Qu'êtes-vous, en un mot?

— Je ne suis d'aucune religion. »

Quentin tressaillit d'étonnement; car, quoiqu'il eût entendu parler de Sarrasins et d'idolâtres, il ne croyait pas, il ne lui était même jamais venu à l'idée qu'il pût exister une race d'hommes qui ne pratiquât aucun culte. Sa surprise ne l'empêcha pourtant pas de demander à son guide où il demeurait habituellement.

« Partout où je me trouve, répondit le Bohémien; je n'ai pas de demeure fixe.

— Comment conservez-vous ce que vous possédez?

— Excepté les habits qui me couvrent et le cheval que je monte, je ne possède rien.

— Votre costume est élégant, et votre cheval est une excellente monture. Quels sont vos moyens de subsistance?

— Je mange quand j'ai faim; je bois quand j'ai soif; et je n'ai d'autres moyens de subsistance que ceux que le hasard met sur mon chemin.

— Sous les lois de qui vivez-vous?

— Je n'obéis à personne qu'autant que c'est mon bon plaisir.

— Mais qui est votre chef? qui vous commande?

— Le père de notre tribu, si je veux bien lui obéir. Je ne reconnais pas de maître.

— Vous êtes donc dépourvu de tout ce qui réunit les autres hommes. Vous n'avez ni lois, ni chef, ni moyens arrêtés d'existence, ni maison, ni demeure. Vous n'avez (que Dieu vous prenne en pitié!) point de patrie, et (que le ciel puisse vous éclairer!) vous ne reconnaissez pas de Dieu: que vous reste-t-il donc, étant privé de religion, de gouvernement, de tout bonheur domestique?

— La liberté. Je ne rampe pas aux pieds d'un autre. Je n'ai ni obéissance, ni respect pour personne. Je vais où je veux, je vis comme je peux, et je meurs quand il le faut.

— Mais vous pouvez être condamné et exécuté en un instant, au premier ordre d'un juge.

— Soit! ce n'est que mourir un peu plus tôt.

— Mais vous pouvez aussi être emprisonné; et alors où est cette liberté dont vous êtes si fier?

— Dans mes pensées, qu'aucune chaîne ne peut contraindre, tandis que les vôtres, même quand vos membres sont libres, sont assujetties par les liens de vos lois et de vos superstitions, de vos rêves d'attachement local, et de vos visions fantastiques de politique civile. Mon esprit est libre, même quand mon corps est enchaîné; le vôtre porte des fers, même quand vos membres sont libres.

— Mais la liberté de votre esprit ne diminue pas le poids des chaînes dont votre corps peut être chargé.

— Ce mal peut s'endurer quelque temps; et, si enfin je ne trouve pas moyen de m'échapper, et que mes camarades ne puissent me délivrer, je puis toujours mourir; et c'est la mort qui est la liberté la plus parfaite. »

Il y eut ici un intervalle de silence qui dura quelque

temps. Durward le rompit en reprenant le fil de ses questions:

« Votre race est errante, lui dit-il; elle est inconnue aux nations d'Europe. D'où tire-t-elle son origine?

— C'est ce que je ne puis vous dire, répondit le Bohémien.

— Quand délivrera-t-elle ce royaume de sa présence, pour retourner dans le pays d'où elle est venue?

— Quand le temps de son pèlerinage sera accompli.

— Ne descendez-vous pas de ces tribus d'Israël qui furent emmenées en captivité au-delà du grand fleuve de l'Euphrate? lui demanda Quentin qui n'avait pas oublié ce qu'on lui avait appris à Aberbrothock.

— Si cela était, n'aurions-nous pas conservé leur foi? ne pratiquerions-nous pas leurs rites?

— Et quel est ton nom, à toi?

— Mon nom véritable n'est connu que de mes frères. Les hommes qui ne vivent pas sous nos tentes m'appellent Hayraddin Maugrabin, c'est-à-dire Hayraddin le Maure africain.

— Tu t'exprimes trop bien pour un homme qui a toujours vécu dans ta misérable horde.

— J'ai appris quelque chose des connaissances d'Europe. Lorsque j'étais enfant, ma tribu fut poursuivie par des chasseurs de chair humaine. Une flèche perça la tête de ma mère, et elle mourut. J'étais embarrassé dans la couverture qu'elle portait sur ses épaules, et je fus pris par nos ennemis. Un prêtre me demanda aux archers du prévôt, et il m'instruisit dans les sciences franques pendant deux ou trois ans.

— Et comment l'as-tu quitté?

— Je lui avais volé de l'argent, même le Dieu qu'il adorait, répondit Hayraddin avec le plus grand calme. Il me découvrit et me battit. Je le perçai d'un coup de couteau, je m'enfuis dans les bois, et je rejoignis mon peuple.

— Misérable! s'écria Quentin; osas-tu bien assassiner ton bienfaiteur?

— Qu'avais-je besoin de ses bienfaits? Le jeune Zingaro n'était pas un chien domestique, habitué à lécher la main de son maître et à ramper sous ses coups pour en obtenir un morceau de pain. C'était le jeune loup mis à la chaîne, qui la rompait à la première occasion, déchirait son maître, et retournait dans ses forêts. »

Après une nouvelle pause, le jeune Écossais, pour tâcher de pénétrer plus avant dans le caractère et les projets d'un guide si suspect, demanda à Hayraddin s'il n'était pas vrai que son peuple, quoique plongé dans la plus profonde ignorance, prétendait avoir la connaissance de l'avenir, connaissance refusée aux sages, aux philosophes et aux prêtres d'une société plus policée.

« Nous le prétendons, répondit Hayraddin, et c'est avec raison.

— Comment un pareil don peut-il avoir été accordé à une race si abjecte?

— Comment puis-je vous le dire? Je répondrai à cette question quand vous m'aurez expliqué pourquoi le chien peut suivre à la piste les pas de l'homme, tandis que l'homme, cet animal plus noble, n'est pas en état de suivre les traces du chien. Ce pouvoir qui vous semble si merveilleux, notre race le possède d'instinct. D'après les traits du visage et les lignes de la main, nous pouvons prédire le destin futur d'un homme aussi facilement qu'en voyant la fleur d'un arbre au printemps, vous pouvez dire quel fruit il rapportera dans la saison convenable.

— Je doute de vos connaissances, et je te défie de m'en donner la preuve.

— Ne m'en défiez pas, sire écuyer. Quelle que soit la

religion que vous prétendez professer, je puis vous dire que la déesse que vous adorez se trouve dans cette compagnie.

— Silence! s'écria Quentin tout étonné; sur ta vie, ne prononce pas un mot de plus, si ce n'est pour répondre à ce que je te demande. Peux-tu être fidèle?

— Je puis . . . tout ce que peuvent les hommes.

— Mais veux-tu l'être?

— Quand je le jurerais, m'en croiriez-vous davantage? répondit Hayraddin avec un sourire ironique.

— Sais-tu que ta vie est entre mes mains?

— Frappe, et tu verras si je crains de mourir.

— L'argent peut-il te rendre fidèle?

— Non, si je ne le suis pas sans cela.

— Quel est donc le moyen de s'assurer de toi?

— La bonté.

— Te ferai-je le serment d'en avoir pour toi, si tu nous sers fidèlement dans ce voyage?

— Non. Ce serait prodiguer inutilement une marchandise si précieuse. Je te suis déjà dévoué.

— Comment! s'écria Durward plus étonné que jamais.

— Souviens-toi des châtaigniers sur les bords du Cher. La victime que tu as cherché à sauver était Zamet le Maugrabin; c'était mon frère.

— Et cependant je te trouve en liaison avec les gens qui ont donné la mort à ton frère, car c'est un d'eux qui m'a dit que je te trouverais ici; et c'est sans doute le même qui t'a chargé de servir de guide à ces dames.

— Que voulez-vous? répondit Hayraddin d'un air sombre: ces gens nous traitent comme le chien du berger traite les moutons. Il les protège quelque temps, les fait aller où bon lui semble, et finit par les conduire à la tuerie. »

Quentin eut par la suite occasion d'apprendre que le

Bohémien lui avait dit la vérité à cet égard, et que la garde prévôtale, chargée de réprimer les hordes vagabondes qui infestaient le royaume, entretenait avec elles une correspondance, s'abstenait quelque temps d'exécuter ses devoirs, et finissait toujours par envoyer ses alliés à la potence. Cette sorte de relation politique entre le brigand et l'officier de police a subsisté dans tous les pays, pour l'exercice profitable de leurs professions respectives, et elle n'est nullement inconnue dans le nôtre (1).

Durward, en se séparant du guide, alla rejoindre le reste de la cavalcade, peu content du caractère d'Hayraddin, et ne se fiant guère aux protestations de reconnaissance qu'il en avait reçues personnellement. Il commença alors à sonder les deux autres hommes qui avaient été mis sous ses ordres, et il reconnut avec chagrin que c'étaient des gens stupides, et aussi peu en état de l'aider de leurs conseils qu'ils s'étaient montrés peu disposés à le seconder de leurs armes.

« Eh bien! cela n'en vaut que mieux, pensa Quentin, son esprit s'élevant au-dessus des difficultés que sa situation lui faisait prévoir: ce sera à moi seul que cette aimable jeune dame devra tout. Il me semble que, sans trop me flatter, je puis compter sur mon bras et ma tête. J'ai vu les flammes dévorer la maison paternelle, j'ai vu mon père et mes frères étendus morts au milieu des débris

1. *Nous avons comparé dans la notice, d'après des renseignements fournis par sir Walter Scott lui-même, la différence qui existe entre les* Gypsies *de la Grande-Bretagne (ceux de* Guy Mannering*) et les Bohémiens de la France. Si on compare le portrait que l'auteur trace ici de son* Zingano *ou* Zingaro *(mot italien qui signifie homme errant) avec le récit des voyageurs en France, on verra que le caractère d'Hayraddin n'a rien de trop romanesque. Les* Gitanos *d'Espagne sont encore conformes à ce type idéal. Voyez dans le* Glossaire *de Dufresne le mot* Egyptiaci.

embrasés, et je n'ai pas reculé d'un pouce; j'ai combattu jusqu'au dernier moment. Aujourd'hui, j'ai deux ans de plus, et j'ai, pour me comporter bravement, le plus beau motif qui puisse enflammer le cœur d'un homme. »

Prenant cette résolution pour base de sa conduite, Quentin déploya tant d'attention et d'activité pendant tout le voyage, qu'il semblait se multiplier au point d'être partout en même temps. Son poste favori, celui qu'il occupait le plus fréquemment, était naturellement auprès des deux dames, qui, sensibles aux soins qu'il prenait de leur sûreté, commençaient à causer avec lui sur le ton d'une familiarité amicale; elles paraissaient prendre grand plaisir à la naïveté de ses entretiens, qui annonçaient aussi de la finesse et de l'esprit. Mais il ne souffrait jamais que le charme de cette liaison nuisît le moins du monde à la vigilance qu'exigeaient ses fonctions.

S'il était souvent près des comtesses, cherchant à faire à des habitantes d'un pays plat la description des monts Grampiens (1), et surtout celle des beautés de Glen-Houlakin, il marchait aussi fréquemment à côté d'Hayraddin, en tête de la petite cavalcade, le questionnant sur la route, sur les lieux où l'on devait faire halte, et gravant avec soin ses réponses dans sa mémoire, afin de découvrir, en lui faisant d'autres questions, s'il ne méditait pas quelque trahison. Enfin, on le voyait aussi à l'arrière-garde, cherchant à s'assurer l'attachement des deux hommes de sa suite par des paroles de bonté, par quelques présents, et par les promesses d'autres récompenses quand ils auraient rempli leur tâche.

Ils voyagèrent ainsi pendant plus d'une semaine, tra-

1. Chaîne de montagnes qui s'étend en Écosse depuis le comté d'Argyle jusqu'à Aberdeen. Leur nom vient des mots grant *et* ben, énormes montagnes. *Nous sommes déjà familiarisés avec les noms du* Ben-Lomond, *du* Ben-Nevis, *etc.*

versant les cantons les moins fréquentés, et suivant des sentiers et des chemins détournés, pour éviter les grandes villes. Il ne leur arriva rien de remarquable, quoiqu'ils rencontrassent de temps en temps des hordes vagabondes de Bohémiens, qui les respectaient parce qu'ils avaient pour guide un homme de leur caste, — des soldats traîneurs, — ou peut-être des bandits, qui les trouvaient trop bien armés pour oser les attaquer, — ou des détachements de maréchaussée, comme on appellerait aujourd'hui les hommes qui les composaient, et que le roi, qui employait le fer et le feu pour guérir et cicatriser les plaies du royaume, mettait en campagne pour détruire les bandes déréglées par lesquelles la France était infestée. Ces soldats de police laissèrent passer sans difficulté les voyageurs et leur escorte, en vertu d'un passeport que le roi avait remis lui-même à Durward à cet effet.

Leurs lieux de halte étaient en général des monastères, obligés la plupart, par des règles de leur fondation, d'accorder l'hospitalité à quiconque accomplissait un pèlerinage; et l'on sait que le véritable but du voyage des deux comtesses était déguisé sous ce prétexte. On ne devait même faire aux pèlerins aucune question importune sur leur rang et leur condition, parce que plusieurs personnages de distinction désiraient garder l'incognito pendant qu'ils s'acquittaient de quelque vœu. En arrivant, les dames de Croye alléguaient ordinairement la fatigue pour se retirer dans leur appartement; et Quentin, remplissant les fonctions de majordome, veillait à ce qu'elles eussent tout ce qui pouvait leur être nécessaire, avec une activité qui ne leur laissait aucun embarras, et un empressement qui ne manquait pas de lui valoir un sentiment d'affection et de reconnaissance de la part de celles pour qui il prenait tous ces soins.

Tous les Bohémiens jouissant de la réputation bien

acquise d'être des païens, des vagabonds, des gens s'occupant des sciences occultes, ce n'était jamais sans de grandes difficultés que le guide, appartenant à cette caste, était admis même dans les bâtiments extérieurs situés dans la première cour des monastères où la cavalcade s'arrêtait: sa présence paraissait une sorte de souillure pour des lieux aussi saints. C'était un des plus grands embarras de Quentin Durward, car d'un côté il jugeait nécessaire de maintenir en bonne humeur un homme qui possédait le secret de leur voyage; et de l'autre il regardait comme indispensable de le surveiller avec le plus grand soin, quoique secrètement, afin de l'empêcher, autant qu'il était possible, d'avoir à son insu des communications avec qui que ce fût. Or c'était ce qui serait devenu impossible si Hayraddin n'avait pas logé dans l'enceinte des couvents où l'on faisait halte. Il ne pouvait même s'empêcher de soupçonner cet homme de chercher à s'en faire renvoyer; car, au lieu de se tenir tranquille dans le réduit qu'on lui accordait, il entrait en conversation avec les novices et les jeunes frères: ses tours et ses chansons les amusaient beaucoup, mais n'édifiaient nullement les vieux pères; de sorte qu'il fallait souvent que Durward déployât toute l'autorité qu'il avait sur le Bohémien, et recourût même aux menaces, pour le forcer à mettre des bornes à sa gaieté trop licencieuse; mais il avait en même temps besoin de tout son crédit auprès des supérieurs, pour empêcher qu'on ne mît à la porte le chien de païen. Il réussissait pourtant par la manière adroite avec laquelle il faisait des excuses du manque de décorum de son guide, donnant à entendre qu'il espérait que le voisinage des saintes reliques, son séjour dans des murs consacrés à la religion, et surtout la vue d'hommes religieux dévoués aux autels, pourraient lui inspirer de meilleurs principes et le porter à une conduite plus régulière.

Cependant le dixième ou douzième jour de leur voyage, après leur entrée dans la Flandre, et comme ils s'approchaient de la ville de Namur, tous les efforts de Quentin devinrent insuffisants pour remédier aux suites du scandale que venait de donner son guide païen. La scène se passait dans un couvent de franciscains d'un ordre réformé et austère, dont le prieur était un homme qui mourut par la suite en odeur de sainteté. Après bien des scrupules, que Durward avait eu beaucoup de peine à vaincre, comme on devait s'y attendre en pareil cas, il avait enfin obtenu que le malencontreux Bohémien fût reçu dans un bâtiment isolé, habité par un frère lai qui remplissait les fonctions de jardinier. Les deux dames, suivant leur usage, s'étaient retirées dans leur appartement; et le prieur, qui par hasard avait quelques alliés ou parents en Écosse, et qui d'ailleurs aimait à entendre les étrangers parler de leur pays, invita Quentin, dont l'air et la conduite lui avaient plu, à venir faire une collation monastique dans sa cellule.

Durward, ayant reconnu que ce prieur était un homme intelligent, ne manqua pas de saisir cette occasion pour tâcher de savoir quel était l'état des affaires dans le pays de Liège: car tout ce qu'il avait entendu dire depuis quelques jours avait fait naître dans son esprit la crainte que les dames de Croye ne pussent faire avec toute sûreté le reste de leur voyage. Il lui semblait même douteux que l'évêque pût les protéger efficacement, si elles arrivaient chez lui. Les réponses que le prieur fit à ses questions n'étaient pas très consolantes:

« Les habitants de Liège, lui dit-il, sont de riches bourgeois qui, comme autrefois Jéhu, se sont engraissés et ont oublié Dieu. Ils sont enflés de cœur, à cause de leurs richesses et de leurs privilèges. Ils ont eu différentes querelles avec le duc de Bourgogne, leur seigneur suzerain, à cause des impôts qu'il en exige et des immunités auxquelles ils prétendent avoir droit. Ces querelles ont plusieurs fois dégénéré en rébellion ouverte, et le duc, homme ardent et impétueux, a juré dans sa colère, par saint Georges, qu'à la première provocation, il renouvellera à Liège la désolation de Babylone et la chute de Tyr, afin de faire un exemple et une leçon terribles pour toute la Flandre.

— Et d'après tout ce que j'ai entendu raconter, dit Quentin, il est prince à tenir ce serment; de sorte que les Liégeois prendront probablement bien garde de ne pas lui en fournir l'occasion.

— On devrait l'espérer, répondit le prieur, et c'est la prière quotidienne de tous les gens de bien du pays, qui ne voudraient pas que le sang des hommes coulât comme l'eau d'une fontaine, ni qu'ils périssent en réprouvés, sans avoir le temps de faire leur paix avec le ciel. Le bon évêque travaille aussi nuit et jour à maintenir la paix, comme cela convient à un serviteur de l'autel, car on dit dans les Écritures *beati pacifici;* mais . . . »

Et ici le digne prieur poussa un profond soupir et n'acheva pas sa phrase.

Durward fit valoir avec beaucoup de modestie de quelle importance il était aux dames qu'il escortait d'obtenir les renseignements les plus exacts sur l'état intérieur du pays, et il ajouta que ce serait un acte méritoire de charité chrétienne, si le bon et révérend père voulait bien l'éclairer sur ce sujet.

« C'en est un, répondit le prieur, dont on ne parle pas volontiers; car les paroles qu'on prononce contre les puissants de la terre, *etiam in cubiculo,* risquent de trouver un messager ailé qui ira les porter jusqu'à leurs oreilles. Cependant, pour vous rendre, à vous qui paraissez un jeune homme bien né, et à ces dames, qui sont des femmes craignant Dieu, et qui accomplissent un saint pèlerinage, tous les faibles services qui sont en mon pouvoir, je n'aurai pas de réserve avec vous. »

A ces mots, il regarda autour de lui avec un air de précaution, et continua en baissant la voix, comme s'il eût eu peur d'être entendu:

« Les Liégeois, dit-il, sont secrètement excités à leurs fréquentes rébellions par des hommes de Bélial qui prétendent faussement, à ce que j'espère, avoir mission à cet effet de notre roi très chrétien, qui sans doute mérite trop bien ce titre pour troubler ainsi la paix d'un pays voisin. Le fait est pourtant que son nom est toujours à la bouche de ceux qui sèment le mécontentement et qui enflamment les esprits parmi les habitants de Liège. Il y a en outre, dans les environs, un seigneur de bonne maison, et ayant de la réputation dans les armes, mais qui est, sous tout autre rapport, *lapis offensionis et petra scandali:* un scandale et une pierre d'achoppement pour la Bourgogne et la Flandre. Il se nomme Guillaume de La Marck.

— Surnommé Guillaume à la longue barbe, dit Quentin, ou le Sanglier des Ardennes.

— Et ce n'est pas à tort qu'on lui a donné ce dernier nom, mon fils, car il est comme le sanglier de la forêt, qui écrase sous ses pieds ceux qu'il rencontre, et qui les déchire avec ses défenses. Il s'est formé une bande de plus de mille hommes, tous semblables à lui, c'est-à-dire méprisant toute autorité civile et religieuse; avec leur aide, il se maintient indépendant du duc de Bourgogne, et il pourvoit à ses besoins et aux leurs à force de rapines et de violences, qu'il exerce indistinctement sur les laïcs et sur les gens d'Église: *imposuit manus in christos Domini,* il a porté la main sur les oints du Seigneur, au mépris de ce qui est écrit: « Ne touchez pas à mes oints, et ne faites pas tort à mes prophètes. » Jusqu'à notre pauvre maison qu'il a sommée de lui fournir des sommes d'or et d'argent pour la rançon de notre vie et de celle de nos frères; demande à laquelle nous avons répondu par une supplique en latin dans laquelle nous lui exposions l'impossibilité où nous nous trouvions de le satisfaire, et où nous finissions par lui adresser les paroles du prédicateur: *Ne moliaris amico tuo malum, quum habet in te fiduciam* (1). Et néanmoins, ce *Gulielmus barbatus*, ce Guillaume à la longue barbe, connaissant aussi peu les règles des belles lettres que celles de l'humanité, nous répliqua dans son jargon ridicule: *Si non payatis, brulabo monasterium vestrum* (2).

— Il ne vous fut pas difficile, mon père, de comprendre ce latin barbare.

— Hélas! mon fils, la crainte et la nécessité sont d'habiles interprètes. Nous fûmes obligés de fondre les vases d'argent de notre autel, pour assouvir la rapacité de ce chef cruel. Puisse le ciel l'en punir au septuple! *Pereat improbus! Amen! Amen! Anathema sit!*

— Je suis surpris que le duc de Bourgogne, qui a le bras si fort et si puissant, ne réduise pas aux abois ce sanglier, dont les ravages font tant de bruit.

— Hélas! mon fils, le duc est en ce moment à Péronne, assemblant ses capitaines de cent hommes et ses capitaines de mille pour faire la guerre à la France; et c'est ainsi que, pendant que le ciel a envoyé la discorde entre deux grands princes, le pays reste en proie à des oppresseurs subalternes. Mais c'est bien mal à propos que le duc néglige de guérir cette gangrène interne, car, tout récemment, ce Guillaume de La Marck a entretenu à découvert des relations avec Rouslaer et Pavillon, chefs des mécon-

1. *Ne médite pas le mal contre ton ami qui a confiance en toi.*
2. *On raconte une histoire semblable du duc de Vendôme, qui répondit dans cette espèce de latin macaronique aux classiques instances de religieux allemands, qui le suppliaient de ne pas les mettre à contribution.*

tents de Liège, et il est à craindre qu'il ne les excite bientôt à quelques entreprises désespérées.

— Mais l'évêque de Liège n'a-t-il donc pas assez de pouvoir pour subjuguer cet esprit inquiet et turbulent? Votre réponse à cette question, mon digne père, sera très intéressante pour moi.

— L'évêque, mon fils, a le glaive de saint Pierre, comme il en a les clés. Il est armé du pouvoir de prince séculier, et il jouit de la puissante protection de la maison de Bourgogne, de même qu'il a l'autorité spirituelle, en qualité de prélat: il soutient cette double qualité par une force suffisante de bons soldats et d'hommes d'armes. Or, ce Guillaume de La Marck a été élevé dans sa maison, et en a reçu des bienfaits. Mais à la cour même de l'évêque, il lâcha la bride à son caractère féroce et sanguinaire, et il en fut chassé pour avoir assassiné un des principaux domestiques de ce prélat. Banni de Liège, ayant reçu la défense de reparaître devant le bon évêque, il en a été depuis ce temps l'ennemi constant et implacable; et, aujourd'hui, je suis fâché d'avoir à le dire, il s'est ceint les reins, et a revêtu l'armure de la vengeance contre lui.

— Vous regardez donc la situation de ce digne prélat comme dangereuse? lui demanda Quentin avec inquiétude.

— Hélas! mon fils, répondit le bon franciscain, existe-t-il quelqu'un ou quelque chose dans ce monde périssable, que nous ne devions pas regarder comme en danger? Mais à Dieu ne plaise que je dise que le digne prélat se trouve dans un péril imminent. Il a un trésor bien rempli, de fidèles conseillers, et de braves soldats; et, de plus, un messager, qui a passé ici hier, se dirigeant du côté de l'est, nous a dit que le duc, à la requête de l'évêque, lui avait envoyé cent hommes d'armes. Cette troupe, avec la suite appartenant à chaque lance, forme une force suffisante pour résister à Guillaume de La Marck, dont le nom soit honni! *Amen!* »

Leur conversation fut interrompue en ce moment par le sacristain, qui, d'une voix que la colère rendait presque inarticulée, accusa le Bohémien d'avoir exercé les plus abominables pratiques contre les jeunes frères. Il avait mêlé à leur boisson, pendant le repas du soir, une liqueur enivrante dix fois plus forte que le vin le plus capiteux, et la tête de la plupart d'entre eux y avait succombé. Dans le fait, quoique celle du sacristain eût été assez heureuse pour résister à l'influence de cette potion, sa langue épaisse et ses yeux enflammés prouvaient qu'il n'avait pas été tout à fait à l'abri des effets de ce breuvage défendu. En outre, le Bohémien avait chanté diverses chansons où il n'était question que de vanités mondaines et de plaisirs impurs; il s'était moqué du cordon de Saint-François, il avait tourné en dérision les miracles de ce grand saint, et il avait osé dire que ceux qui vivaient sous sa règle étaient des fous et des fainéants. Enfin, il avait pratiqué la chiromancie, et prédit au jeune père Chérubin qu'il serait aimé d'une belle dame, laquelle le rendrait père d'un charmant garçon, qui ferait son chemin dans le monde.

Le père prieur écouta quelque temps ces accusations en silence, comme si l'énormité de ces crimes l'avait rendu muet d'horreur. Quand le sacristain en eut terminé la liste, il descendit dans la cour du couvent, et ordonna aux frères lais, à peine de supporter les châtiments spirituels dus à une désobéissance, de s'armer de fouets et de balais, et de chasser l'impie de l'enceinte sacrée.

Cette sentence fut exécutée sur-le-champ en présence de Durward, qui, quoique fort contrarié par cet incident, n'intervint pas en faveur d'Hayraddin, parce qu'il prévit que son intercession serait inutile.

La discipline infligée au délinquant fut pourtant, malgré les exhortations du prieur, plus plaisante que formidable. Le Bohémien parcourait la cour en galopant dans tous les sens, au milieu des clameurs de ceux qui le poursuivaient et du bruit des coups dont les uns ne l'atteignaient point, parce que la plupart de ceux qui les lui portaient n'avaient point en effet dessein de l'atteindre, et dont il évitait les autres à force d'agilité, supportant avec courage et résignation le petit nombre qui tombait sur son dos et sur ses épaules. Le désordre était d'autant plus comique et bruyant qu'Hayraddin passait par les verges de soldats sans expérience, qui, au lieu de flageller le coupable, se frappaient souvent les uns les autres. Enfin le prieur, voulant terminer une scène plus scandaleuse qu'édifiante, ordonna qu'on ouvrît la porte de la cour; et le Bohémien, se précipitant vers cette issue avec la rapidité d'un éclair, profita du clair de lune pour faire ses adieux au couvent.

Pendant ce temps, un soupçon que Durward avait déjà conçu plus d'une fois se représenta à son esprit avec une nouvelle force. Ce jour-là même Hayraddin lui avait promis de se conduire, dans les monastères, d'une manière plus décente et plus réservée que par le passé. Cependant, bien loin d'exécuter cette promesse, il s'était montré et plus impudent et plus désordonné que jamais. Il était donc probable qu'il n'avait pas agi ainsi sans dessein; quels que fussent les défauts du Bohémien, il ne manquait certainement pas de bon sens, et il savait, quand il le voulait, avoir de l'empire sur lui-même. N'était-il pas possible qu'il désirât avoir quelque communication, soit avec des gens de sa horde, soit avec d'autres personnes, et que, la surveillance de Quentin y mettant obstacle pendant le jour, il eût recours à ce stratagème pour se faire chasser cette nuit du couvent?

Dès que ce soupçon fut entré dans l'esprit de Durward, alerte comme il l'était toujours dans tous ses mouvements, il résolut de suivre le Bohémien flagellé, et de s'assurer, aussi secrètement qu'il le pourrait, de ce qu'il allait devenir. En conséquence, dès que Hayraddin eut passé la porte du couvent, Quentin expliqua très brièvement au prieur la nécessité où il était de ne pas perdre de vue son guide, et vola comme un trait à sa poursuite.

17. L'ESPION ÉPIÉ

Quoi! le grossier coquin! l'espion épié!
Avec ces rustres-là vous n'avez rien à faire?
Éloignez-vous . . . .

Ben Jonson. *Conte de Robin Hood.*

Lorsque Durward sortit du couvent, il put remarquer, grâce au clair de lune, la retraite précipitée du Bohémien fuyant à travers le village avec la rapidité d'un limier qui a senti le fouet; et il le vit ensuite entrer un peu plus loin dans une prairie.

« Mon camarade court vite, se dit Quentin à lui-même, mais il faudrait courir plus vite encore pour échapper au pied le plus agile qui ait jamais foulé les bruyères de Glen-Houlakin. »

Comme il avait heureusement quitté son manteau et son armure, le montagnard écossais put déployer une légèreté qui, étant sans égale dans son pays, devait bientôt lui faire joindre le Bohémien, en dépit de l'agilité que déployait celui-ci. Ce n'était pourtant pas ce que se proposait Quentin; car il regardait comme beaucoup plus important de découvrir ses projets, que d'y mettre obstacle. Ce qui acheva de l'y déterminer, ce fut de voir le Bohémien ne point ralentir le pas, même après la première impulsion de sa fuite; sa course avait donc un tout autre objet que celle d'un homme chassé d'un bon logement, presque à minuit, sans s'y attendre, et qui naturellement n'aurait dû songer qu'à s'en procurer un autre. Quentin le suivit sans être aperçu, car le Bohémien ne tourna pas la tête une seule fois; mais après avoir traversé la prairie, celui-ci s'arrêta au bord d'un petit ruisseau dont les rives étaient couvertes d'aulnes et de saules: il sonna du cor, avec précaution toutefois et en ménageant le son. Un coup de sifflet, partant à peu de distance, lui répondit sur-le-champ.

« C'est un rendez-vous, pensa Quentin; mais comment m'approcher pour entendre ce qui va se passer? Le bruit de mes pas et celui des branches qu'il faut que j'écarte me trahiront, si je n'y prends garde. Je les surprendrai pourtant, de par saint André! comme si c'étaient des daims de Glen-Isla (1). Je leur apprendrai que ce n'est pas sans fruit que j'ai été instruit dans l'art de la vénerie. Les voilà ensemble; ils sont deux; l'avantage n'est pas pour moi, s'ils me découvrent et qu'ils aient des projets hostiles, comme cela n'est que trop à craindre; prenons garde que la comtesse Isabelle ne perde son pauvre ami! Que dis-je? il ne mériterait pas ce titre, s'il n'était prêt à combattre pour elle une douzaine de ces coquins. Après avoir croisé le fer avec Dunois, avec le meilleur chevalier de la France, dois-je craindre une horde de pareils vagabonds? Fi donc! prudence et courage; et avec l'aide de Dieu et de saint André, ils me trouveront plus fort et plus fin qu'eux. »

1. *Glen-Isla, situé au pied des monts Grampiens.* (Farfar-Shire.)

D'après cette résolution, employant une ruse que lui avait apprise l'habitude de la chasse des forêts, il descendit dans le lit de la petite rivière, dont l'eau, variant de profondeur, tantôt lui couvrait à peine les pieds, tantôt lui montait jusqu'aux genoux, et s'avança ainsi bien doucement, caché sous les branches des arbres entrecroisées sur sa tête; le bruit de ses pas se confondait avec le murmure des eaux (c'est ainsi que nous-même nous nous sommes souvent approché autrefois du nid du corbeau vigilant). De cette manière, il arriva, sans être aperçu, assez près pour entendre la voix des deux hommes qu'il voulait observer; mais il ne distinguait pas leurs paroles. Étant en ce moment sous un magnifique saule pleureur dont les branches tombaient jusque sur la surface de l'eau, il en saisit une des plus fortes, et employant en même temps l'adresse, la force et l'agilité, il se hissa sur l'arbre, sans bruit, et s'assit sur la bifurcation des premières branches, sans craindre d'être découvert.

De là il vit que l'individu avec lequel Hayraddin conversait était un homme de sa caste; mais il reconnut en même temps, à sa grande mortification, qu'ils parlaient une langue dont il ne pouvait comprendre un seul mot. Ils riaient beaucoup; et, comme Hayraddin fit un mouvement comme s'il s'esquivait, et finit par se frotter les épaules, Quentin en conclut qu'il lui racontait l'histoire de la bastonnade qu'il avait reçue avant sa fuite du couvent.

Tout à coup on entendit à quelque distance un nouveau coup de sifflet; Hayraddin y répondit en sonnant du cor, comme il l'avait fait en arrivant, et quelques instants après, un nouveau personnage parut sur la scène. C'était un homme grand, vigoureux, ayant l'air martial, et dont les formes robustes formaient un contraste frappant avec la petite taille et le corps grêle des deux Bohémiens. Un large baudrier, passé sur son épaule, soutenait un grand sabre. Son haut-de-chausses couvert d'entailles, d'où sortaient des bouffettes en soie et en taffetas de diverses couleurs, était attaché au moins par cinq cents aiguillettes en rubans à une jaquette de buffle bien serrée, sur la manche droite de laquelle on voyait une plaque en argent, représentant une tête de sanglier, indice du chef sous lequel il servait. Le chapeau, qu'il portait de côté sur l'oreille, laissait voir une grande quantité de cheveux crépus qui ombrageaient son large visage et allaient se mêler avec une barbe non moins large, d'environ quatre pouces de longueur. Il tenait à la main une longue lance, et tout son équipement annonçait un de ces aventuriers allemands, connus sous le nom de *lanzknechts*, en français lansquenets (1), qui formaient à cette époque une partie formidable de l'infanterie. Ces mercenaires étaient une soldatesque féroce ne songeant qu'au pillage; un conte absurde courait parmi eux, que la porte du ciel avait été fermée à un lansquenet à cause de ses vices, et qu'on avait refusé de le recevoir en enfer à cause de son caractère mutin, querelleur et insubordonné: il en résultait qu'ils agissaient en gens qui n'aspiraient pas au ciel et qui ne redoutaient pas l'enfer:

« *Donner und blitz!* s'écria-t-il en arrivant; et il parla ensuite une sorte de jargon franco-germain, dont nous ne pourrons donner qu'une idée très imparfaite: — Pourquoi vous m'avoir fait perdre trois nuits à vous attendre?

— Je n'ai pas pu vous voir plus tôt, *mein herr*, répondit Hayraddin avec un ton de soumission. Il y a un jeune Écossais, qui a l'œil aussi vif qu'un chat sauvage, qui épie mes moindres mouvements. Il me soupçonne déjà; si

1. *Lanciers.*

ses soupçons se confirmaient, je serais un homme mort, et il reconduirait ces femmes en France.

— *Washenker!* dit le lansquenet, nous être trois? nous les attaquer demain, et enlever les femmes sans aller plus loin. Vous m'avoir dit les deux gardes être des poltrons, vous et votre camarade en avoir soin, et, *der Teufel!* moi me charger du chat sauvage.

— Vous ne trouverez pas cela si facile, dit le Bohémien; car, outre que notre métier à nous autres n'est pas de nous battre, notre Écossais est un gaillard qui s'est mesuré avec le meilleur chevalier de toute la France, et qui s'en est tiré avec honneur. Je l'ai vu de mes propres yeux serrer Dunois d'assez près.

— *Hagel und sturmwetter!* s'écria l'Allemand; votre lâcheté vous fait parler ainsi.

— Je ne suis pas plus lâche que vous, *mein herr,* mais, encore une fois, mon métier n'est pas de me battre. Si vous conservez l'embuscade à l'endroit convenu, c'est fort bien; sinon je les conduis en sûreté au palais de l'évêque; et Guillaume de La Marck pourra aisément les y aller chercher, s'il est la moitié aussi fort qu'il prétendait l'être, il y a huit jours.

— *Potz tausend!* Nous être aussi forts et plus forts. Mais nous avoir entendu parler d'une centaine de lances arrivées de Bourgogne; et à cinq hommes par lance, voyez-vous, c'est juste cinq cents; en ce cas, *der Teufel!* eux avoir bien plus d'envie de nous chercher que nous de les trouver, car l'évêque avoir de bonnes forces sur pied; oui, avoir de bonnes forces.

— Il faut donc vous en tenir à l'embuscade de la Croix-des-Trois-Rois, ou renoncer à l'aventure.

— Renoncer à l'aventure! renoncer à enlever une riche héritière pour être la femme de notre noble capitaine! *Der Teufel!* Moi plutôt attaquer l'enfer! *Meine seele!* nous tous devenir bientôt des princes et des *hertzogs*, que vous appeler ducs; avoir une bonne cave, du bon argent de France en abondance, et peut-être quelques jolies filles par-dessus le marché, quand le Barbu en avoir assez.

— Ainsi donc, l'embuscade de la Croix-des-Trois-Rois tient toujours?

— *Mein Gott*, oui sans doute. Vous jurer de les y amener, et quand eux être descendus de cheval, et être à genoux devant la croix, ce que personne ne manque à faire excepté des fils païens, comme toi, nous tomber sur eux, et les femmes être à nous.

— Fort bien, mais je n'ai promis de me charger de cette affaire qu'à une condition: je n'entends pas qu'on touche à un seul cheveu de la tête du jeune homme. Si vous m'en faites serment par les carcasses de vos trois Rois qui sont à Cologne, je vous jurerai par les sept Dormants (1) de vous servir fidèlement pour tout le reste. Et si vous ne tenez pas votre serment, je vous préviens que les sept Dormants viendront vous éveiller sept nuits de suite, et qu'à la huitième ils vous étrangleront et vous dévoreront.

— Mais, *Donner und hagel!* pourquoi vous être si inquiet de la vie de ce jeune homme? lui n'être pas de votre sang ni de votre nation.

— Que vous importe, honnête Heinrick? il y a des gens qui aiment à couper la gorge aux autres, et il y en a qui se plaisent à leur sauver le cou. Ainsi, jurez-moi qu'il ne lui en coûtera ni la vie, ni la moindre blessure, ou, de par

1. *La tradition des* sept Dormants *est, comme on sait, d'origine orientale; dans son incrédulité, Hayraddin ne néglige pas de se servir des superstitions qu'on attribue à ceux de sa race, pour menacer la crédulité des autres. On pourrait dire que l'auteur transforme ici les* sept Dormants *en somnambules; à moins qu'il ne s'agisse d'une autre tradition moins connue.*

la brillante étoile d'Oldebaoran (1), cette affaire n'ira pas plus loin. Jurez-le-moi par les trois Rois de Cologne, comme vous les appelez, car je sais que vous ne faites cas d'aucun autre serment.

— Toi être vraiment comique! dit l'Allemand. Eh bien! donc, moi jurer . . .

— Un moment, s'écria Hayraddin; demi-tour à droite, brave lansquenet, et tournez la tête du côté de l'orient, afin que les trois Rois vous entendent. »

Le soldat prêta le serment de la manière qui lui était prescrite, et dit ensuite qu'il se tiendrait à l'embuscade, et que l'endroit était fort convenable, puisqu'il n'était guère qu'à cinq milles de distance du lieu où ils se trouvaient:

« Mais, ajouta-t-il, pour rendre l'affaire bien sûre, moi penser convenable de placer quelques braves gens sur la gauche de l'auberge, afin de tomber sur eux, si eux avoir la fantaisie de passer par là.

— Non, répondit le Bohémien après avoir réfléchi un moment, la vue de ces soldats de ce côté pourrait alarmer la garnison de Namur, et alors il y aurait un combat douteux, au lieu d'un succès assuré. D'ailleurs ils suivront la rive droite de la Meuse, car je puis les conduire comme bon me semble, ce montagnard écossais, malgré sa méfiance, s'en rapportant entièrement à moi pour le guider, et n'ayant jamais demandé l'avis de personne sur la route qu'il doit suivre. Mais aussi je lui ai été donné par un ami sûr, par un homme de la parole duquel personne ne s'est jamais méfié avant d'avoir appris à le connaître un peu.

1. Aldébaram ou Aldébaran; étoile fixe de la première grandeur dans l'œil du taureau, près des Hyades. Le Maugrabin invoque ici l'astrologie judiciaire.

— Maintenant, l'ami Hayraddin, dit le lansquenet, moi avoir une petite question à vous faire. Moi pas concevoir comment avoir pu faire que vous et votre frère étant, comme vous le prétendre, de grands *sternendeuter,* que vous appeler astrologues, vous n'avoir pas prévu que lui devoir être pendu. *Hunker!* cela n'être-t-il pas singulier?

— Je vous dirai, Heinrick, répliqua le Bohémien, que si j'avais su que mon frère était assez fou pour aller raconter au duc de Bourgogne les secrets du roi Louis, j'aurais prédit sa mort aussi assurément que je prédirais le beau temps en juillet. Louis a des oreilles et des mains à la cour de Bourgogne, et le duc a quelques conseillers pour qui le son de l'or de France est aussi agréable que le glouglou d'une bouteille l'est pour vous. Mais adieu, et ne manquez pas de vous trouver au rendez-vous. Il faut que j'attende à la pointe du jour mon Écossais à une portée de flèche de l'auge de ces pourceaux fainéants, sans quoi il me soupçonnerait d'avoir fait une excursion peu favorable au succès de son voyage.

— Toi pouvoir pas partir sans boire avec moi une coup de consolation, dit l'Allemand. Oh! mais, moi oublier, toi assez bête pour ne boire que de l'eau, comme un vil vassal de Mahomet et de Termagant.

— Tu n'es toi-même qu'un esclave du vin et du flacon, dit le Bohémien. Je ne suis pas surpris que ceux qui sont altérés de sang te confient l'exécution des mesures de violence que de meilleures têtes ont imaginées. Quand on veut connaître les pensées des autres, ou cacher les siennes, il ne faut pas boire de vin. Mais à quoi bon te prêcher; toi qui es toujours aussi altéré que les sables de l'Arabie? Adieu, emmène avec toi mon camarade Tuisco, car, si on le voyait rôder près du monastère, cela donnerait des soupçons. »

Les deux illustres alliés se séparèrent alors, après s'être

promis de nouveau de ne pas manquer au rendez-vous fixé à la Croix-des-Trois-Rois.

Durward les suivit longtemps des yeux, et descendit de l'arbre. Son cœur battait en songeant combien peu il s'en était fallu que la belle comtesse ne fût victime d'un complot tramé avec une si profonde perfidie, si toutefois il était encore possible de le déjouer. Craignant de rencontrer Hayraddin en retournant au monastère, il fit un long détour, au risque d'avoir à passer par quelques mauvais sentiers.

Chemin faisant, il réfléchit très attentivement sur ce qu'il avait à faire. En entendant Hayraddin faire l'aveu de sa trahison, il avait d'abord pris la résolution de le mettre à mort aussitôt que la conférence serait terminée, et que ses compagnons seraient à une distance suffisante; mais quand il l'eut entendu exprimer tant d'intérêt pour lui sauver la vie, il sentit qu'il lui serait difficile d'infliger à ce traître, dans toute son étendue, le châtiment que méritait sa perfidie. Il résolut donc d'épargner ses jours, et même de continuer, s'il était possible, à l'employer comme guide, en prenant toutes les précautions nécessaires pour la sûreté de la belle comtesse, à qui il s'était promis de dévouer sa vie.

Mais que fallait-il faire? les dames de Croye ne pouvaient se réfugier en Bourgogne, d'où elles avaient été obligées de s'enfuir; ni en France, d'où elles avaient été en quelque sorte renvoyées. La violence du duc Charles, dans le premier de ces deux pays, n'était guère moins à craindre pour elles que la politique froide et tyrannique du roi dans l'autre. Après y avoir profondément réfléchi, Durward ne put imaginer rien de mieux que d'éviter l'embuscade, en suivant la rive gauche de la Meuse pour se rendre à Liège, où ces dames, conformément à leur premier projet, se mettraient sous la protection du saint évêque. On ne pouvait douter que ce prélat n'eût la volonté de les protéger; et, s'il avait reçu un renfort de cent hommes d'armes, il en avait le pouvoir. Dans tous les cas, si les dangers auxquels l'exposaient les hostilités de Guillaume de La Marck et les troubles de la ville de Liège devenaient imminents, il pouvait toujours envoyer ces malheureuses dames en Allemagne, avec une escorte convenable.

Pour conclusion, (car quel homme a jamais terminé une délibération sans quelque considération personnelle?) Quentin pensa que le roi Louis, en le condamnant de sang-froid à la mort ou à la captivité, l'avait délié de ses engagements envers la couronne de France, et il prit la résolution positive de s'en affranchir. L'évêque de Liège avait probablement besoin de soldats; et, par la protection des belles comtesses, qui maintenant, et surtout la comtesse Hameline, le traitaient avec beaucoup de familiarité, il pouvait obtenir de lui quelque commandement, peut-être même être chargé de conduire les dames de Croye dans quelque place qui leur offrît plus de sûreté que Liège et ses environs. Enfin, elles avaient parlé, quoique en quelque sorte en badinant, de lever les vassaux de la comtesse Isabelle, comme beaucoup de seigneurs le faisaient dans ces temps de troubles, et de fortifier son château de manière à le mettre en état de résister à toute attaque; elles lui avaient demandé en plaisantant s'il voulait être leur sénéchal, et remplir cette place périlleuse; et comme il avait accepté cette proposition avec autant de zèle que d'empressement, elles lui avaient permis de leur baiser la main, en signe de sa promotion à cette fonction honorable et de confiance. Il avait même cru remarquer que la main de la comtesse Isabelle, une des mains les plus belles et les mieux faites qui eussent jamais reçu pareil hommage d'un vassal dévoué, avait tremblé tandis que ses lèvres s'y reposaient un instant de plus que ne l'exigeait le cérémonial, et que ses joues et ses yeux avaient donné quelques marques de confusion quand elle l'avait retirée. Quelque chose ne pouvait-il pas résulter de tout cela? Et quel homme brave, à l'âge de Quentin, n'aurait pas permis à de semblables considérations d'influer un peu sur sa détermination?

Ce point réglé, il eut à réfléchir sur la manière dont il agirait à l'égard de l'infidèle Bohémien. Il avait renoncé à sa première idée de le tuer dans le bois même; mais s'il prenait un autre guide, et qu'il le laissât en liberté, c'était envoyer le traître au camp de Guillaume de La Marck, pour y porter la nouvelle de leur marche. Il pensa à prendre le prieur pour confident, en l'engageant à retenir le Bohémien prisonnier jusqu'à ce qu'ils eussent eu le temps d'arriver à Liège; mais, en y réfléchissant, il n'osa pas hasarder de faire une pareille proposition à un homme que la vieillesse avait dû rendre timide, et qui, en qualité de moine, considérant la sûreté de son couvent comme le plus important de ses devoirs, tremblait au seul nom du Sanglier des Ardennes.

Enfin il arrêta un plan d'opération sur lequel il crut d'autant mieux pouvoir compter, que l'exécution n'en dépendrait que de lui-même; et pour la cause qu'il avait embrassée, il se sentait capable de tout. Aussi résolu que hardi, quoique sans se dissimuler les dangers de sa position, Quentin pouvait être comparé à un homme qui marche chargé d'un fardeau dont il sent la pesanteur, mais qu'il ne croit pas au-dessus de ses forces. Ce plan venait d'être arrêté dans son esprit quand il arriva au couvent.

Il frappa doucement à la porte; un frère, que le prieur avait eu l'attention d'y placer pour l'attendre, lui ouvrit; et, l'informant que tous les frères devaient rester dans l'église jusqu'au point du jour, pour prier Dieu de pardonner les divers scandales qui avaient eu lieu dans la communauté pendant la soirée précédente, il proposa à Quentin d'aller partager leurs exercices de dévotion; mais les vêtements du jeune Écossais étaient tellement mouillés, qu'il ne crut pas devoir accepter cette offre, et il demanda la permission d'aller s'asseoir près du feu de la cuisine, afin de pouvoir sécher ses habits avant de se mettre en route. Il désirait d'ailleurs que le Bohémien, quand il le reverrait, n'aperçût rien en lui qui pût le porter à soupçonner son excursion nocturne.

Le digne frère non seulement lui accorda sa demande, mais voulut même lui tenir compagnie; circonstance dont Durward fut d'autant plus charmé, qu'il désirait se procurer quelques renseignemens sur les deux routes dont il avait entendu parler pendant la conversation du Bohémien avec le lansquenet.

Le frère, qui justement se trouvait souvent chargé des affaires extérieures du couvent, était de toute la communauté celui qui pouvait le mieux répondre aux questions que Quentin lui fit à ce sujet; mais il ajouta qu'en bonnes pèlerines, c'était un devoir pour les dames qu'il escortait de suivre la rive droite de la Meuse, afin de payer le tribut de la dévotion devant la Croix-des-Trois-Rois, élevée à l'endroit où les saintes reliques de Gaspard, de Melchior et de Balthazar, noms que donne l'Église catholique aux trois mages qui vinrent de l'Orient pour apporter leurs offrandes à Bethléem, s'étaient arrêtées lorsqu'on les transportait à Cologne, et où elles avaient fait plusieurs miracles.

Quentin lui répondit que ces pieuses dames étaient déterminées à observer avec la plus grande ponctualité toutes les saintes stations de leur pèlerinage, et qu'elles visiteraient certainement celle de la Croix-des-Trois-Rois, soit en allant à Cologne, soit en en revenant; mais, qu'elles avaient entendu dire que la route sur la rive droite de la Meuse était peu sûre, attendu qu'elle était infestée par les soldats du féroce Guillaume de la Marck:

« A Dieu ne plaise, s'écria le frère François, que le Sanglier des Ardennes ait porté de nouveau sa bauge si près de nous! Au surplus, quand cela serait vrai, la Meuse est assez large pour établir une bonne barrière entre lui et nous.

— Mais elle n'établira aucune barrière entre ces dames et ce maraudeur, répondit Quentin, si nous la traversons pour prendre la route de la rive droite.

— Le ciel protégera ceux qui lui appartiennent, jeune homme, répliqua le frère. Les trois Rois de la bienheureuse ville de Cologne ne laissent pas même entrer dans l'enceinte de ses murs un juif ou un infidèle; il serait bien dur de penser qu'ils pussent commettre un assez grand oubli pour permettre que de dignes pèlerins venant leur rendre hommage devant la croix élevée en leur honneur, fussent pillés et maltraités par un chien de mécréant comme ce Sanglier des Ardennes, qui est pire que tout un camp de païens sarrasins, et les dix tribus d'Israël par-dessus le marché. »

Quelque confiance que Quentin, en bon catholique, fût tenu d'accorder à la protection spéciale de Gaspard, de Melchior et de Balthazar, il ne put s'empêcher de réfléchir que les comtesses n'ayant pris le titre de pèlerines que par les conseils d'une politique mondaine, elles n'avaient pas trop le droit d'espérer que les trois mages les mettraient sous leur sauvegarde en cette occasion; et, en conséquence, il résolut de leur épargner, autant que possible, le besoin d'une intervention miraculeuse. Cependant, dans la simplicité de sa bonne foi, il fit vœu de faire lui-même, en propre personne, un pèlerinage aux trois Rois de Cologne, si ces illustres personnages, de sainte et royale mémoire, lui permettaient de conduire à bon port les dames qu'il escortait.

Afin de contracter cette obligation avec toute la solennité possible, il pria le frère François de le faire entrer dans une des chapelles latérales du couvent; et là, se mettant à genoux avec une dévotion sincère, il ratifia le vœu qu'il venait de faire intérieurement. Le son des voix des moines qui chantaient dans le chœur, l'heure solennelle à laquelle il faisait cet acte religieux, l'effet de la faible clarté qu'une seule lampe répandait dans ce petit édifice gothique, tout contribua à jeter Durward dans cet état où l'homme reconnaît le plus facilement la faiblesse humaine, et cherche cette aide et cette protection surnaturelles qu'aucune croyance ne promet qu'au repentir du passé et à une ferme résolution d'amendement pour l'avenir. Si l'objet de sa dévotion était mal placé, ce n'était pas la faute de Quentin; et ses prières étant sincères, nous aurions peine à croire qu'elles ne furent pas favorablement accueillies du seul vrai Dieu, qui regarde les intentions et non les formes, et aux yeux duquel la dévotion sincère d'un païen est plus estimable que l'hypocrisie spécieuse d'un pharisien.

S'étant recommandé, sans oublier ses malheureuses compagnes, à la protection des saints et à la garde de la Providence, Quentin alla se reposer le reste de la nuit, laissant le frère édifié de la ferveur et de la sincérité de sa dévotion.

TABLE DES MATIÈRES

Réalisé
d'après des maquettes originales
composé en Baskerville
et tiré sur Bouffant de luxe
ce volume de la collection
Les Grands Romans Historiques
a été achevé d'imprimer
le quinze octobre 1970
pour le compte
des Éditions de Crémille
à Genève

Imprimé en République Démocratique Allemande